La CN Tower, sans aucun doute l'édifice le plus représentatif de la ville, avec ses 553,33 m, est la tour d'observation la plus élevée du monde..
- *Patrick Escudero*

Toronto

4e édition

*Toronto is one of the great cosmopolitan cities and in my opinion,
it's the city that really justifies the country. It's interesting
to me that Toronto is now becoming a literary city
in the way that London has been for years.*

Toronto constitue l'une des grandes villes cosmopolites et d'après
moi, c'est la ville qui définit le pays. Je trouve intéressant que
Toronto se transforme en une ville littéraire, comme l'est
Londres depuis nombre d'années.

Margaret Atwood, auteure, collaboratrice ,"Incredible Ontario,"
Ontario: The Inside Story (1990)

Guides de voyage

ULYSSE

Le plaisir de **mieux voyager**

Nos bureaux

Canada: Les Guides de voyage Ulysse, 4176, rue Saint-Denis, Montréal (Québec) H2W 2M5, ☎(514) 843-9447, ≈(514) 843-9448, info@ulysse.ca, www.guidesulysse.com

Europe: Les Guides de voyage Ulysse SARL, 127, rue Amelot, 75011 Paris, France, ☎01 43 38 89 50, ≈01 43 38 89 52, voyage@ulysse.ca, www.guidesulysse.com

États-Unis: Ulysses Travel Guides, 305 Madison Avenue, Suite 1166, New York, NY 10165, info@ulysses.ca, www.ulyssesguides.com

Nos distributeurs

Canada: Les Guides de voyage Ulysse, 4176, rue Saint-Denis, Montréal (Québec), H2W 2M5, ☎(514) 843-9882, poste 2232, ≈(514) 843-9448, www.guidesulysse.com, info@ulysse.ca

Belgique: Interforum Bénélux, 117, boulevard de l'Europe, 1301 Wavre, ☎010 42 03 30, ≈010 42 03 52

France: Interforum, 3, allée de la Seine, 94854 Ivry-sur-Seine Cedex, ☎01 49 59 10 10, ≈01 49 59 10 72

Suisse: Interforum Suisse, ☎(26) 460 80 60, ≈(26) 460 80 68

Pour tout autre pays, contactez les Guides de voyage Ulysse (Montréal).

Données de catalogage avant publication (Canada) (voir p 3).

**Recherche
et rédaction**
Jill Borra
Alexandra Gilbert
François Henault
Pierre Ledoux
Amber Martin
Jennifer McMorran
Alain Rondeau

Éditeur
Claude Morneau

**Directeur
de production**
André Duchesne

**Directeur
artistique**
Patrick Farei (Atoll)

Correcteur
Pierre Daveluy

Adjoints à l'édition
Pierre Ledoux
David Sirois

Cartographes
Pascal Biet
André Duchesne
Patrick Thivierge

Infographiste
André Duchesne

Illustrateurs
Pascal Biet
Vincent
Desruisseaux
Lorette Pierson

Photographies
Page couverture
Robert Mullan /
Alamy

Pages intérieures
Patrick Escudero

Remerciements:

Les Guides de voyage Ulysse reconnaissent l'aide financière du gouvernement du Canada par l'entremise du Programme d'aide au développement de l'industrie de l'édition (PADIÉ) pour leurs activités d'édition.

Les Guides de voyage Ulysse tiennent également à remercier le gouvernement du Québec – Programme de crédit d'impôt pour l'édition de livres – Gestion SODEC.

Catalogage avant publication de Bibliothèque et Archives Canada

Vedette principale au titre:

Toronto
4ᵉ éd.
(Guide de voyage Ulysse)
Comprend un index.

ISSN 1493-3411
ISBN 2-89464-661-5

1. Toronto (Ont.) - Guides. 2. Toronto (Ont.) - Circuits touristiques. I. Collection.

FC3097.18.T662   917.13'541045   C00-300418-X
F1059.5.T683T6714

Sommaire

Sommaire *(suite)*

Elgin and Wintergarden Theatres

Écrivez-nous

Liste des cartes

Légende des cartes

✈ **Aéroport**

⛴ **Navette fluviale**

✝ **Église**

◊ **Plage**

? **Information touristique**

Tableau des symboles

≡	Air conditionné
⊛	Baignoire à remous
⊘	Centre de conditionnement physique
🌴	Coup de cœur Ulysse pour les qualités particulières d'un établissement
C	Cuisinette
ℑ	Foyer
pc	Pension complète
pdj	Petit déjeuner inclus dans le prix de la chambre
≈	Piscine
ℝ	Réfrigérateur
✿	Relais-santé (spa)
ℜ	Restaurant
bc	Salle de bain commune
bp	Salle de bain privée (installations sanitaires complètes dans la chambre)
⌂	Sauna
⇆	Télécopieur
☎	Téléphone
tlj	Tous les jours
⊗	Ventilateur

Classification des attraits

★	Intéressant
★★	Vaut le détour
★★★	À ne pas manquer

Classification de l'hébergement

Les tarifs mentionnés dans ce guide s'appliquent, sauf indication contraire, à une chambre standard pour deux personnes, en haute saison.

$	50$ et moins
$$	50,01$ à 100$
$$$	100,01$ à 150$
$$$$	150,01$ à 200$
$$$$$	200,01$ et plus

Classification des restaurants

Les tarifs mentionnés dans ce guide s'appliquent, sauf indication contraire, à un repas pour une personne, excluant les taxes, le service et les boissons.

$	10$ et moins
$$	10,01$ à 20$
$$$	20,01$ à 30$
$$$$	30,01$ et plus

Tous les prix mentionnés dans ce guide sont en dollars canadiens.

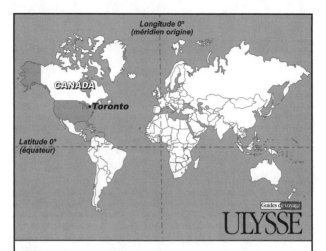

Longitude 0°
(méridien origine)

CANADA

•Toronto

Latitude 0°
(équateur)

Guides de voyage
ULYSSE

🌐 *Situation géographique dans le monde*

ONTARIO

Capitale: Toronto
Population: 11 669 300 hab.
Superficie: 1 068 630 km²
Monnaie: dollar canadien

TORONTO

Population: 2 500 000 hab.
Agglomération: 5 200 000 hab.

N

YUKON

T.N.-O.

NUNAVUT

TERRE-NEUVE-
ET-LABRADOR

COLOMBIE-
BRITANNIQUE

ALBERTA

SASKATCHEWAN

MANITOBA

Baie
d'Hudson

QUÉBEC

Océan Pacifique

ONTARIO

Î.-P.-É.
N.-B. / N.-É.

Toronto⊙

ÉTATS-
UNIS

Océan
Atlantique

Multiculturelle, vivante

et colorée, la ville de Toronto n'a pas fini de surprendre. Capitale économique canadienne, longtemps considérée comme une ville trop sage, Toronto est aujourd'hui une métropole digne de ce nom et propose un large éventail d'activités.

Il est vrai que, pendant une bonne partie du XXe siècle, les mots qui venaient le plus souvent à l'esprit pour décrire la Ville reine étaient «vertueuse», «monotone», «conservatrice» ou, comme on s'y référait souvent de façon générique, *Toronto the Good*. Si le visage diurne de Toronto laisse transparaître son petit côté «affaires», le soir venu ses habitants la métamorphosent en une ville qui vibre au rythme de ses théâtres, bars et restaurants. Au fil des années, de nombreux projets de revitalisation urbaine ont rafraîchi le paysage urbain. Cette revitalisation de la ville a débuté avec la construction du nouvel hôtel de ville, qui donne finalement aux Torontois le

premier espace public avec une allure qui lui est propre.

Plus récemment, des projets de revitalisation comme celui du Waterfront et ses espaces verts ou la création du Distillery District sont devenus le miroir d'une ville qui a le sens des affaires. La gentrification de certains quartiers, notamment par la construction massive de copropriétés, reflète quant à elle le nouveau niveau de vie de certains de ses habitants. Les prochaines années verront la restauration de l'Union Station, de même que la modification et l'agrandissement de certains musées et pavillons universitaires.

La caractérisation de la métropole canadienne est accentuée par le désir des nombreuses communautés ethniques y vivant de créer dans leur ville d'adoption un reflet de leur pays d'origine, créant ainsi une myriade de quartiers différents à la couleur, au goût et au charme particuliers. Chacun de ses quartiers, imprégnés d'une ambiance locale, se veut la facette d'un Toronto grouillant de diversité.

Ce sobriquet de *Toronto the Good* lui vient de ce que, le dimanche, tout travail et tout divertissement étaient proscrits par le Lord's Day Act, une loi bannissant toute activité lucrative et pour ainsi dire culturelle ou sociale, à l'exception des pratiques religieuses. Toronto était en outre une ville d'affaires et de travail où les cafés-terrasses étaient interdits et où les seules distractions disponibles se trouvaient à l'intérieur de différents clubs privés. Ce désintérêt pour Toronto, qui, au goût de la plupart de ses habitants, était trop ennuyante et monotone, s'est traduit par un délaissement de la ville par la communauté culturelle.

Par exemple, le Groupe des Sept, un célèbre regroupement de peintres des années 1920, n'a montré aucun intérêt ou presque pour la ville et s'est consacré surtout à peindre les paysages sauvages du nord de l'Ontrio. La littérature, à Toronto, n'existait qu'à une faible échelle. C'était une ville fade sans vie, prisonnière à l'intérieur d'elle-même. Cette réputation entoure la ville encore aujourd'hui, et ce, malgré tous les efforts qu'elle fait pour s'en débarrasser. Elle n'en demeure pas moins le plus important centre financier et industriel du Canada. Sa population majoritairement anglo-saxonne s'est lentement transformée avec l'immigration massive d'Européens de l'Ouest et de l'Est peu après la Seconde Guerre mondiale, mais c'est l'immigration asiatique qui a vraiment changé le visage culturel de la métropole canadienne.

Maintenant Toronto, la métropole du Canada, englobe les six municipalités originales de Toronto, North York, Scarborough, York, Etobicoke ainsi qu'East York, qui ne font à présent qu'une. Elle se veut la plus grande agglomération canadienne; ses activités économiques et financières en font l'un des pôles d'attraction les plus populaires en Amérique du Nord pour les immigrants.

Toronto abrite ainsi la plus grande communauté italienne du Canada et la deuxième communauté chinoise en importance au pays, de même que d'importantes communautés juive, portugaise, ukrainienne et grecque. Cet afflux massif d'immigrants à la suite de la Deuxième Guerre mondiale a profondément modifié le visage de Toronto, aujourd'hui la plus grande ville du Canada en même temps que la plus diversifiée sur le plan culturel. Vous pouvez vivre cette expérience multiculturelle en explorant les différents quartiers de la ville, où vous découvrirez une foule de restaurants, de cafés et de boutiques. Malgré tous les changements qui l'ont touchée, la métropole canadienne a su conserver une bonne partie de son héritage anglo-saxon qui témoigne aujourd'hui de son passé.

Histoire

Lorsque les Européens découvrent le Nouveau Monde, une mosaïque de peuples indigènes occupe déjà ce vaste continent depuis des millénaires. Les ancêtres de ces populations autochtones avaient franchi le détroit de Béring vers la fin de la période glaciaire, il y a plus de 12 000 ans, pour lentement s'approprier l'ensemble du continent. C'est au cours des millénaires suivants, à la faveur du recul des glaciers, que certains d'entre eux ont commencé à migrer vers les régions boréales de l'Est canadien. Au moment où les Européens lancent leurs premières explorations intensives de l'Amérique du Nord, plusieurs nations regroupées au sein de deux familles linguistiques (iroquoienne et algonquienne) se partagent un territoire sur lequel se trouve le futur site de Toronto, sur la rive septentrionale du lac Ontario, une place de choix sur les Grands Lacs. La ville apparaît pour la première fois sur une carte sous le nom de *Tarantou*, un mot amérindien qui pourrait avoir plusieurs sens, mais dont le plus pertinent est sans doute «point de rencontre»: un nom prédestiné pour un simple pos-

Portrait

Rappel historique

1610 L'explorateur français Étienne Brûlé part à la découverte de l'intérieur du continent et atteint les lacs Ontario et Huron.

1645-1655 La puissante Confédération iroquoise des Cinq Nations anéantit les nations amérindiennes rivales.

1713 Les Français, vaincus en Europe, signent le traité d'Utrecht et cèdent à l'Angleterre le contrôle de la baie d'Hudson, de Terre-Neuve et de l'Acadie.

1720 Le premier poste de traite français en Ontario est créé sur le site de l'actuelle ville de Toronto.

1750 Les Français construisent le fort Rouillé sur ce site.

1756-1763 La guerre de Sept Ans oppose Français et Anglais en Europe.

1763 Les Français perdent officiellement la Nouvelle-France au profit des Britanniques.

1791 L'Acte constitutionnel crée les provinces du Haut-Canada et du Bas-Canada.

1793 Le lieutenant-gouverneur John Graves Simcoe entreprend la construction de la ville de York.

1814 Le traité de Gand met fin aux hostilités entre Américains et Britanniques au Canada.

1834 La ville de York devient Toronto, capitale du Haut-Canada.

1837 William Lyon Mackenzie lance un mouvement de rébellion dans le Haut-Canada qui sera vite étouffé.

1867 La Confédération canadienne est créée.

1891 Toronto compte 181 000 habitants.

1930 La population de Toronto dépasse les 500 000 habitants.

1954 Le premier gouvernement métropolitain du Canada est créé: la Municipality of Metropolitan Toronto.

1959 La construction de la Voie maritime du Saint-Laurent facilite le développement économique de Toronto.

1965 La construction du nouvel hôtel de ville lance un courant de renouveau dans l'architecture parfois austère de Toronto.

1970 Toronto devient la métropole du Canada, dépassant en population sa rivale de toujours, Montréal.

1976 Construction de la tour du CN.

1998 Création de la mégacité de Toronto.

2003 La ville de Toronto subit une panne d'électricité majeure à la mi-août.

te de traite situé au point de départ d'un sentier que favorisaient les Amérindiens pour se rendre du lac Ontario au lac Huron.

Ce sentier faisait partie d'un réseau de voies de communication très efficace établi au fil des siècles. Troqueurs par tradition, les Amérindiens du Sud ontarien reçoivent des fourrures des tribus iroquoiennes en échange des produits de leurs potagers. Le canot, utilisé sur les multiples cours d'eau et lacs, est bien sûr le moyen de transport par excellence.

La rencontre de deux civilisations

Au cours des décennies qui suivent la découverte de l'Amérique, la mode grandissante en sol européen des coiffures et des vêtements de fourrure, et les formidables bénéfices que laisse présager ce commerce, relancent l'intérêt des autorités françaises pour l'Amérique du Nord. Le commerce des fourrures demandant des contacts constants avec les fournisseurs locaux, soit les Autochtones, une présence permanente devient dès lors nécessaire.

Située plus à l'intérieur des terres, loin de la côte de l'Atlantique et de la portion aisément navigable du fleuve Saint-Laurent, Toronto ne sera jamais un lieu de colonisation privilégié par les autorités coloniales françaises, qui la considèrent comme un simple poste de traite. Le territoire ontarien a cependant été sillonné très tôt par les explorateurs français. Dès 1610, deux années seulement après la fondation de Québec, l'explorateur **Étienne Brûlé** part ainsi à la découverte de l'intérieur du continent. Comme plusieurs de ses prédécesseurs, Brûlé est à la recherche d'une route qui pourrait le mener rapidement aux fabuleuses richesses de l'Orient par voie de terre. Parti seul, il sera le premier Européen à se rendre jusqu'aux lacs Ontario et Huron.

Il emprunte, pour ce faire, une piste fréquentée par les Amérindiens et les commerçants de fourrures. Vers la fin du XVIIe siècle, le village amérindien de Teiaigon, habité par des Mississaugas, se trouve à l'entrée de cette voie et constitue un lieu de rencontre important pour le commerce des fourrures. Constatant l'importance de cette région, les marchands français vont y installer vers 1720 un poste de traite suivi, quelques années plus tard, en 1748, d'un comptoir fortifié: le fort Rouillé.

Origine française de Toronto

Les Français et les Hurons qui peuplent la région concluent une entente selon laquelle les Hurons s'engagent à commercer exclusivement avec les Français, qui, en retour, leur offrent de les protéger contre leurs ennemis iroquois qui habitent plus au sud. Ce conflit entre Hurons et Iroquois fait partie d'une vaste campagne militaire lancée par la puissante **Confédération iroquoise des Cinq Nations**, qui anéantit, entre 1645 et 1655, toutes ses nations rivales. Les Hurons, les Pétuns, les Ériés et les Neutres, chacune de ces nations amérindiennes comptant au moins 10 000 individus, disparaissent ainsi presque totalement en l'espace d'une décennie. De langue iroquoienne, ces nations du sud de l'Ontario sont victimes de la guerre pour le monopole du commerce des fourrures que se livrent, par personne interposée, les puissances européennes. Alliée des Anglais, la Confédération iroquoise des Cinq Nations, dont les territoires traditionnels sont plus au sud (dans les États-Unis actuels), désire s'approprier pour elle seule le lucratif commerce.

Par ailleurs, la France, vaincue en Europe, accepte, par le **traité d'Utrecht** de 1713, de céder officiellement à l'Angleterre le contrôle de la baie d'Hudson, de Terre-Neuve et de l'Acadie. Ce traité, qui fait perdre à la Nouvelle-France des positions militaires stratégiques, l'affaiblit gravement.

Dans les années qui suivent, l'étau ne cesse de se resserrer sur les possessions de la Nouvelle-France en Amérique. Lorsque la **guerre de Sept Ans** (1756-1763) éclate en Europe, les colonies d'Amérique en deviennent rapidement l'un des enjeux importants. Sur le territoire de l'actuel Ontario, les troupes françaises parviennent, dans les premières années, à contenir la poussée des Britanniques et à rester maîtres de la navigation sur les Grands Lacs. Les troupes françaises ne sont pas très nombreuses, mais elles sont positionnées à des endroits stratégiques: au fort Frontenac, dressé à l'embouchure du lac Ontario; à Niagara, cet important portage entre le lac Ontario et le lac Érié; à Détroit, située à la pointe du lac Érié; à Michilimackinac, où se

rencontrent les lacs Michigan et Huron; et au fort Rouillé, érigé dans l'excellent port naturel de la future ville de Toronto. Ce dernier fut détruit en 1759 par son commandant, le capitaine Alexandre Douville, peu après que des troupes britanniques eurent capturé une autre place forte française: le fort Niagara. Chacune de ces fortifications va finalement tomber, l'une après l'autre, aux mains des Britanniques.

L'Amérique du Nord britannique

Dans les premières années suivant la conquête britannique du Canada, peu de chose devait changer la face du site qu'occupe aujourd'hui Toronto, qui, tout comme l'Ontario (nom d'origine iroquoienne qui signifierait vraisemblablement «beaux lacs» ou «belles eaux»), demeurait un vaste territoire en grande partie inoccupé, sauf par des nations amérindiennes et des commerçants de fourrures. La Couronne britannique n'a d'ailleurs arrêté à cette époque aucun plan de colonisation ou de mise en valeur de cette région en dehors de la traite des fourrures. Par une ironie du sort, c'est la **guerre de l'Indépendance américaine** (1775-1783) qui va donner naissance à l'Ontario et changer radicalement l'histoire de Toronto.

Au début de ce conflit opposant Londres à des insurgés de ses 13 colonies du Sud, les troupes britanniques trouvent en Ontario des positions stratégiques, à partir desquelles elles peuvent lancer des attaques contre les rebelles américains. Au bout du compte, le conflit tourne au désavantage des Anglais et de leurs alliés, qui doivent finalement s'avouer vaincus. La Révolution américaine a été, du moins au départ, une véritable guerre civile opposant deux factions: d'un côté, les tenants de l'indépendance, fatigués du mercantilisme et des taxes imposées par l'Angleterre, et de l'autre, les loyalistes, désireux de conserver leurs liens coloniaux avec la métropole. De ces loyalistes, plus de 350 000 ont participé activement au conflit en s'engageant aux côtés de la Grande-Bretagne. La signature en 1783 du traité de Versailles, qui reconnaît la défaite britannique et la victoire des révolutionnaires américains, pousse des dizaines de milliers de ces loyalistes à chercher refuge au Canada. Entre 5 000 et 6 000 d'entre eux s'installent sur les terres qu'occupe aujourd'hui l'Ontario, y développant les premières colonies permanentes sur ce territoire. Ils s'implanteront principalement le long du fleuve Saint-Laurent et du lac Ontario, dans la région de Kingston et de Niagara, les deux plus grands centres à cette époque.

L'écrasante majorité de la population du Canada est alors composée de Français catholiques. Devant la montée du sentiment indépendantiste dans ses 13 colonies du Sud, et pour préserver son alliance avec ces anciens sujets du roi de France, la Couronne britannique leur avait accordé le droit de préserver leur religion et leurs coutumes. Pour éviter le statut de minoritaires aux loyalistes, tout en conservant leurs droits aux Français catholiques, Londres promulgue l'**Acte constitutionnel de 1791**, qui divise le Canada en deux provinces: le Bas-Canada et le Haut-Canada. Le Bas-Canada, qui comprend le territoire de peuplement français, reste régi par la Coutume de Paris, alors que le Haut-Canada, situé à l'ouest de la rivière des Outaouais, est principalement peuplé d'anciens loyalistes, et les lois civiles anglaises y ont désormais cours. D'autre part, par l'Acte constitutionnel l'Angleterre introduit au Canada les bases du parlementarisme en créant une Chambre d'assemblée dans chacune des provinces. Le Haut-Canada choisit d'abord de faire de Newark (Niagara) sa capitale. Mais c'est un choix de courte durée, car le site n'est pas très bien protégé et pourrait aisément tomber entre les mains des Américains si jamais ils décidaient d'envahir le Canada.

C'est alors qu'au mois d'août 1793 l'attention de **John Graves Simcoe**, le lieutenant-gouverneur du Haut-Canada, est attiré par les impressionnantes capacités navales et militaires de la baie de Toronto. Il décide donc de faire construire une ville près de l'ancien site français du fort Rouillé, au bord de la rivière

Don, sur des terres que les Britanniques ont achetées aux Amérindiens pour la somme de 1 700 livres sterling. Simcoe entreprend la construction de la ville de York, appelée à devenir Toronto dès 1834. En raison de la vulnérabilité de la ville de Newark (Niagara) face à la menace américaine, Simcoe croit qu'il serait plus sage de déplacer la capitale à York. Certes, le site est stratégiquement idéal, mais York ou *Muddy York* (York la boueuse), du surnom dont il affuble cette ville située sur une plaine effectivement boueuse descendant graduellement vers les rives du lac Ontario, est encore très peu habitée. En effet, la capitale du Haut-Canada ne compte que 700 personnes en 1812 et ne remplit donc qu'une fonction administrative, le principal centre économique du Haut-Canada se trouvant alors à Kingston, un petit patelin qui se développe rapidement grâce à la canalisation du fleuve Saint-Laurent. Kingston demeurera le centre urbain le plus important du Haut-Canada jusqu'en 1820, mais la décision du gouverneur d'établir la capitale du Haut-Canada à York provoque une mutation graduelle des administrateurs de la colonie et d'autres intellectuels vers la nouvelle capitale.

Les colons du Haut-Canada avaient certainement de bonnes raisons de se méfier de leurs voisins du Sud, qui n'ont d'ailleurs pas tardé à justifier leurs craintes. En juin 1812, lassés des contrôles britanniques excessifs sur les Grands Lacs et sur le commerce des fourrures, les Américains déclarent la guerre à la Grande-Bretagne et, par conséquent, au Canada. Les Américains pensent que seule la défaite des Britanniques en Amérique du Nord peut mettre fin à la menace amérindienne. Plusieurs colons américains croient en effet que les Britanniques influencent les Amérindiens, et ils savent pertinemment qu'ils leur fournissent des armes en échange de fourrures. Les loyalistes et leurs descendants forment toujours la majorité de la population du Haut-Canada, ce qui confère au conflit un aspect assez émotif, et la Grande-Bretagne, affairée en Europe par les guerres napoléoniennes, ne peut apporter une aide significative à sa colonie.

La position stratégique de la nouvelle ville de York sera rapidement mise à l'épreuve lors de cette guerre. Le fort York, situé à l'entrée de la baie, constitue la principale défense du Haut-Canada contre les attaques américaines, et, à la fin du mois d'avril 1813, une force d'invasion américaine débarque près du site actuel de Sunnyside Beach. Après une brève escarmouche, les troupes britanniques se replient rapidement à l'intérieur du fort York, mais ne peuvent résister aux assauts américains. Avant de quitter le fort, les Britanniques font exploser le dépôt d'armes du fort au moment même où les Américains l'envahissent, tuant ainsi le général Zebulon M. Pike de l'armée américaine. En guise de représailles, les troupes de l'Oncle Sam incendient le fort et le parlement de York, situé au pied de la rue Parliament, puis mettent à sac la ville. Ces pillages laissent au peuple pro-britannique du Haut-Canada des sentiments profondément marqués d'antiaméricanisme encore perceptibles de nos jours. Ce caractère loyaliste de York se révèle d'ailleurs claire-ment par le choix des noms de rue de l'époque: King, Queen, Duke, Duchess, Frederick, Princess. Malgré la défaite de York, ailleurs sur le territoire les colons parviennent à repousser les attaques américaines et à faire subir aux États-Unis d'Amérique la première défaite militaire de leur jeune histoire.

En 1814, le **traité de Gand** met fin aux hostilités et rétablit les frontières entre le Canada et les États-Unis d'avant la guerre. La menace américaine écartée, York et le reste du Haut-Cana-da sont touchés par une impor-tante vague d'immigration bri-tannique. C'est ainsi qu'à la population de loyalistes installés dans le Haut-Canada depuis 1783 se joignent graduellement des immigrants en provenance majoritairement des îles Britan-niques, poussés par la récession et le chômage qui sévissent en Grande-Bretagne après les guerres napoléoniennes. Le Haut-Canada poursuit ainsi le lent peuplement de ses excel-lentes terres agricoles. Cet afflux toujours croissant d'im-migrants venus s'établir sur les terres avoisinantes fait considé-rablement augmenter la popu-lation de la petite bourgade de York. Avec le développement de son arrière-pays, la ville de-vient donc un centre écono-mique et un point de rencontre important où les producteurs agricoles de la région viennent vendre bétail, volailles, céréales et autres marchandises au Weekly Public Open Market, qui deviendra plus tard le St. Lawrence Market. Peu à peu, le commerce se développe, et York devient un centre écono-mique où convergent les activi-tés bancaires du Haut-Canada. En 1834, York devient la muni-cipalité de Toronto, et, en moins de sept ans, sa popula-tion passe de 1 800 à 9 000 habitants. Lors de la création de Toronto, la ville était composée de cinq *wards* (comtés électo-raux): St. Andrews, St. David, St. George, St. Lawrence et St. Patrick.

Le développement des voies de communication au milieu du XIXe siècle vient aussi jouer un rôle important dans l'essor éco-nomique de Toronto. Avec l'arrivée massive de colons qui défrichent les terres de la vallée environnant la ville pour les cultiver, le commerce des four-rures fait place à une nouvelle économie qui repose sur de nouveaux produits tels que le bois et les céréales. Ces der-niers sont destinés à être ex-portés vers l'Europe en échan-ge de produits de l'industrie britannique, comme des outils agricoles et des vêtements. Toronto a donc besoin d'un moyen d'exporter facilement et rapidement sa production vers l'Europe. La guerre de 1812 avait clairement démontré l'isolement géographique du Haut-Canada et de la ville de Toronto. Les rapides qui entravent en maint endroit la navigation sur le fleuve Saint-Laurent, la principale voie de communication, limitent les échanges commerciaux en plus d'accroître la vulnérabilité de la colonie. De considérables travaux de canalisation sont alors entrepris, notamment à Lachine (1814), à Fort Erie (1825) et à Welland (1829) afin de désenclaver le Haut-Canada. Dès l'ouverture des nouveaux canaux, la circulation peut se faire librement entre le lac Érié et la rivière Welland, puis entre la rivière Niagara et le lac Ontario, reliant ainsi Toronto à l'océan Atlantique.

Le Family Compact

Évidemment, tous ces changements bouleversent la structure sociale de Toronto et du reste du Canada. Le gouvernement britannique est arrivé à la conclusion que la perte de ses 13 colonies (désormais devenues les États-Unis) a été causée par la trop grande liberté dont elles ont bénéficié. Le gouverneur Simcoe lui-même a l'intention de reproduire à Toronto le système de classe britannique afin d'éviter une «seconde Révolution américaine». C'est donc dans le but avoué de restreindre les pouvoirs des Assemblées représentatives élues par le peuple que l'Acte constitutionnel de 1791 est dressé. En vertu de ce document, la fonction exécutive du gouvernement est assurée par un gouverneur nommé par le gouvernement britannique, qui nomme à son tour les membres du Conseil exécutif ayant pour tâche de l'assister. La législature prend, quant à elle, la forme d'une Assemblée législative élue, qui ne possède en réalité que très peu de pouvoir, puisqu'elle est soumise au droit de véto du gouverneur et du Conseil exécutif. Le gouverneur s'entoure donc d'hommes puissants et influents dans la colonie, avec qui il dirige sans tenir compte des vœux des représentants élus par le peuple. Cette oligarchie devint connue dans le Haut-Canada sous le nom de Family Compact, son équivalent dans le Bas-Canada étant la «clique du château». Située sur Dundas Street, **The Grange**, une maison de style georgien construite au début du XIXe siècle par la famille Boulton, devint rapidement un symbole de la puissance du Family Compact et de la supériorité de l'aristocratie britannique. Malgré la rébellion de 1837, The Grange continua d'être le siège d'un certain pouvoir politique et de représenter la conviction profonde de l'élite torontoise selon laquelle tout ce qui est bon au Canada doit essentiellement être britannique.

Les divergences de vues entre le Conseil exécutif et l'Assemblée législative étaient grandes et les querelles politiques inévitables. Les classes agricole et ouvrière étaient persuadées que le Family Compact utilisait son monopole politique pour assurer son monopole économique. Deux partis émergèrent: les conservateurs, ou *tories*, qui voulaient maintenir le statu quo, et les réformistes, dont l'objectif était de rendre le gouvernement plus démocratique. Dans le Bas-Canada comme dans le Haut-Canada, des mouvements de réforme s'accentuent. Dans le Bas-Canada, le mouvement est encore plus fort puisqu'il renferme une composante raciale: d'un côté, une minorité anglaise alliée à la classe dirigeante, et de l'autre, la majorité canadienne-française composée en grande partie d'agriculteurs et de petits salariés. Les Canadiens français choisissent Louis-Joseph Papineau comme porte-parole, lequel prend en charge le mouvement de réforme et va jusqu'à affirmer que l'autorité du Bas-Canada doit revenir aux Canadiens français.

Dans le Haut-Canada, malgré l'absence de vifs conflits culturels, des tensions semblables existaient. Le chef des réformistes, **William Lyon Mackenzie**, un Torontois d'origine écossaise, lança ses premières attaques contre le gouvernement et le Family Compact dans son journal, *The Colonial Advocate*. Un peu plus tard, il fut élu à l'Assemblée, où il s'en prit immédiatement aux finances du gouvernement. Avec le temps, les propos de Mackenzie devin-

rent de plus en plus injurieux à l'endroit du protectionnisme et des pouvoirs abusifs du Family Compact, qui ne tarde pas à l'exclure de l'Assemblée pour diffamation. En 1835, il fut élu premier maire de Toronto, mais ses opinions de plus en plus extrémistes inquiétèrent les plus modérés de ses partisans, qui finirent par rejeter complètement son programme. En effet, les idées avancées par Mackenzie étaient partagées par un grand nombre de ceux qui exprimaient leur mécontentement envers le Family Compact, mais ils refusaient malgré tout de rompre leurs liens avec la Grande-Bretagne. Avec l'arrivée du gouverneur Sir Francis Bond Head et une Assemblée qui lui est tout à fait soumise, les partisans radicaux de Mackenzie perdent tout espoir d'obtenir des changements par le biais de moyens constitutionnels. En 1837, la nouvelle d'une insurrection dans le Bas-Canada précipite les événements. Lorsque Mackenzie l'apprend, il décide de lancer ses forces révolutionnaires. Malheureusement, en dépit de l'enthousiasme de son chef, le mouvement composé d'ouvriers et de paysans est très mal organisé, et sa tentative de saisir Toronto est rapidement maîtrisée sans trop de violence. Vaincu, Mackenzie doit suivre Papineau en exil aux États-Unis, d'où ils tenteront, en vain, de regrouper leurs troupes et de gagner l'appui des Américains.

Si la période précédant l'Acte d'Union a surtout été marquée par de grands travaux de canalisation des voies navigables et la mise en place des différentes infrastructures destinées à faciliter l'entrée de Toronto dans l'ère industrielle (gaz, eau, électricité...), c'est la construction des chemins de fer qui a pris la relève à partir des années 1850. L'implantation d'un réseau ferroviaire est alors considérée comme la solution aux problèmes de communication du Canada. De nombreux immigrants irlandais qui étaient venus s'installer au Canada vers les années 1850 pour fuir la famine et la pauvreté qui sévissaient dans leur pays vont devenir, dès 1851, le groupe d'étrangers le plus important de Toronto. Ils vont participer aux importants travaux de construction qui sont alors entrepris, entre autres l'aménagement du «Grand Tronc», qui vise à relier les grands centres canadiens entre eux. Bien que la grande partie de ces immigrants soient des anglo-protestants de la région de l'Ulster, certains de ces Irlandais sont des catholiques, ce qui a pour effet de raviver les vieilles querelles entre catholiques et anglicans. Ces Irlandais catholiques ne sont pas en effet toujours les bienvenus, et la tension augmente jusqu'à se terminer dans la violence. L'ordre des orangistes, formé d'Irlandais nés en Ulster, va se porter défenseur de la manière de vivre de la société anglo-protestante, avec laquelle il va dominer la politique municipale jusqu'à la fin du XIXe siècle.

Grâce à son emplacement géographique exceptionnel, Toronto devient un centre névralgique important du réseau ferroviaire canadien. Plusieurs autres lignes joignent en outre le réseau ferroviaire américain avec les principales villes canadiennes, ouvrant ainsi la porte à l'énorme marché américain. L'avènement de ce réseau complexe de voies de communication se conjugue à une exploitation de plus en plus accrue des mines et des forêts canadiennes pour transformer Toronto et pour jouer un grand rôle dans le développement des industries, qu'il s'agisse des fonderies, des lamineries ou des usines de fabrication de locomotives. L'apparition du chemin de fer vient non seulement rompre l'isolement des régions éloignées, mais permet aussi à l'Amérique du Nord de former une énorme entité économique tout en créant de nouveaux débouchés et de nouveaux besoins.

Ces immenses travaux d'infrastructure ont cependant obéré les finances publiques; parallèlement, l'économie canadienne est durement touchée lorsque la Grande-Bretagne abandonne, à la même époque, sa politique de mercantilisme et de tarifs préférentiels à l'égard de ses colonies. Afin d'amortir les contrecoups de ce changement de cap de la politique coloniale de la métropole, le Canada-Uni signe en 1854 un traité de libre entrée de certaines de ses marchandises aux États-Unis, particulièrement en ce qui a trait au bois et au blé, ses deux principaux produits d'exportation. Mais à peine l'économie canadienne reprend-elle son souffle que le traité est répudié, en 1866, sous la pression des gens d'affaires américains. L'abandon, tour à tour, de la politique coloniale et du traité de réciprocité rend l'économie canadienne exsangue. C'est dans ce climat de morosité, et en bonne partie à cause de celui-ci, que naîtra la Confédération canadienne.

La Confédération

Par la **Confédération de 1867**, l'ancien Haut-Canada reprend forme sous le nom de «Province of Ontario». Trois autres provinces, le Québec (ancien Bas-Canada), le Nouveau-Brunswick et la Nouvelle-Écosse adhèrent à ce pacte qui unira par la suite un vaste territoire s'étendant de l'Atlantique au Pacifique. Le pacte confédératif instaure une division des pouvoirs entre deux ordres de gouvernement: le gouvernement fédéral, situé à Ottawa, et les gouvernements provinciaux, dont celui de l'Ontario élit domicile à Toronto, nouvelle capitale de la province qui a acquis, au fil des années, une vocation commerciale et qui est désormais son plus important centre urbain (environ 45 000 habitants). Du point de vue politique, l'instauration du régime fédéral tourne à l'avantage de l'Ontario, la province cana-

dienne la plus populeuse se retrouvant en force au Parlement grâce au système de représentation proportionnelle à la population, alors que Toronto prend le contrôle des énormes richesses naturelles de la province (bois, minerais). À partir des années 1860, Toronto devient un centre économique incontournable qui relie le nord, le sud, l'est et l'ouest de la région, et par où transitent le grain, le bois et les minerais destinés à l'exportation.

Du point de vue économique, la Confédération tarde toutefois à produire les résultats escomptés, et il faut attendre trois décennies, marquées par d'importantes fluctuations, pour assister au premier véritable essor économique de Toronto. Les bases en sont toutefois jetées quelques années après la Confédération par **John A. Macdonald**, premier ministre conservateur élu à Ottawa en 1878. Sa campagne électorale se déroule sous le thème de la «Politique nationale», une série de mesures visant à protéger et à promouvoir la jeune industrie canadienne grâce à la mise en place de tarifs douaniers et à l'établissement de nouveaux marchés intérieurs par le biais d'un chemin de fer transcontinental et par une politique de peuplement des Prairies basée sur l'immigration massive qui encourage la croissance d'un marché intérieur. Au même moment, la révolution industrielle et l'arrivée de la vapeur en tant que source d'énergie provoquent d'énormes changements qui permettent à la ville de devenir le principal centre de fabrication d'équipements agricoles et de machineries lourdes.

Croissance et internationalisation

Le début du XXᵉ siècle coïncide avec le commencement d'une prodigieuse période de croissance économique favorisée par l'abondance de matières premières ainsi que par une source d'énergie bon marché. D'importants gisements miniers, notamment de cobalt, de nickel, d'argent, de fer et de zinc, sont trouvés dans le nord de la province. Ces découvertes, combinées au développement du réseau de chemin de fer, seront à l'origine du peuplement du nord de l'Ontario et contribueront de façon marquante à la prospérité économique de Toronto durant une bonne partie du siècle, en fournissant les différents matériaux que nécessite son industrie en plein expansion. Naturellement, cette industrialisation affecte le secteur agricole, qui se mécanise, et libère une fraction de la population rurale de la province, qui est forcée par le manque de travail de s'exiler à la ville. Ces découvertes contribuent aussi au lancement de l'industrie lourde, qui allait être l'épine dorsale de l'infrastructure industrielle de toute la province.

Grâce à la situation géographique de Toronto, les industries peuvent aussi bénéficier de la proximité d'un nouveau marché en pleine croissance, celui de l'Ouest canadien. Le développement de l'Ouest, où la colonisation bat son plein, provoque une forte demande en équipements et produits manufacturiers qui seront désormais fabriqués au Canada plutôt qu'en Grande-Bretagne. Le développement de l'Ouest favorise entre autres l'arrivée de grands magasins, comme Eaton (1869) et Simpson (1872), qui vont rapidement se développer et prendre une place importante à Toronto et à travers tout le Canada grâce à leur important réseau de distribution par catalogue. La politique nationale de colonisation de l'Ouest canadien avait porté fruit en relançant Toronto dans un processus d'industrialisation accéléré. Cet essor industriel dont bénéficie Toronto fait partie d'une mouvance continentale qui favorise dès lors, au Canada comme aux États-Unis, les régions des Grands Lacs au détriment des vieux centres industriels de l'Est pour des raisons de disponibilité de minerais.

Sur le plan démographique, ces transformations se traduisent par une forte croissance de la population citadine, composée alors en grande partie de Britanniques. Dès 1871, la population de Toronto compte 56 000 personnes, mais, seulement 20 ans plus tard, on y dénombre 181 000 habitants.

Portrait

Cette augmentation est causée par un exode rural massif et par l'arrivée d'immigrants irlandais ayant fui la famine qui sévit dans leur pays.

Cette expansion sans précédent de l'économie ne profite pas, bien sûr, équitablement à l'ensemble de la population, l'industrialisation ayant créé de toutes pièces des quartiers souvent insalubres, comme Cabbagetown et le Ward, où s'agglutinent des ouvriers mal rémunérés, alors que de grandes résidences s'installent près du centre-ville et que les grandes familles bourgeoises s'installent sur les hauteurs de la ville. La concentration des nombreuses industries près des chemins de fer et des installations portuaires va aussi transformer radicalement le paysage urbain. Les deux extrémités du port, à proximité des chemins de fer, vont rapidement se couvrir d'usines et d'entrepôts, alors que les habitations bon marché destinées à loger les nombreux ouvriers qui y travaillent se trouvent un peu plus au nord.

Un peu partout dans la ville, on découvre des maisons de briques rouges et jaunes qui ont fait place progressivement aux anciennes constructions de bois, peu résistantes aux incendies. En effet, en 1834, la Ville de Toronto interdit l'utilisation du bois dans la construction d'édifices, ce qui ne l'empêchera pas d'être éprouvée par deux grands incendies: le premier en 1849, dans lequel la cathédrale St. James est détruite

et le second en 1904. Au cours des années 1890, Toronto est éclairée grâce à l'électricité; le téléphone fait aussi son apparition, et le fameux tramway, qu'on peut encore voir aujourd'hui, sillonne déjà les rues de la ville.

À partir de cette période, la Ville de Toronto s'appropriera les divisions territoriales avoisinantes. Encouragée par l'avènement du tramway, qui donne à la population une plus grande mobilité tout en lui permettant de s'installer en banlieue, elle va commencer à annexer les différentes municipalités qui l'entourent. Yorkville est la première en 1883; dès 1912, Toronto et une bonne partie de sa banlieue avaient fusionné.

Toronto the Good

Toronto acquiert une certaine notoriété à l'échelle des villes canadiennes comme la deuxième ville en importance après Montréal, et elle obtient son fameux sobriquet de *Toronto the Good* à cause notamment de son attachement à l'Empire britannique et à ses valeurs austères. Même les Torontois de l'époque n'éprouvaient pas une grande admiration pour leur cité, qu'ils qualifient souvent eux-mêmes de «monotone»: une caractéristique renforcée par une législation de 1906 qui interdit tout travail ou divertissement de toute sorte le jour du Seigneur, d'ailleurs scrupuleusement respectée par les habitants. Les Torontois doivent attendre 1950 avant de pouvoir assister, le dimanche, à des événements sportifs tels que le hockey ou le baseball. C'est aussi dans le plus pur esprit britannique que les nantis de la société torontoise vont former de nombreux clubs et sociétés privés, comme l'Albany Club, le National Club, le Royal Yacht Club et le Toronto Cricket Club. Cette notoriété incite aussi de nombreux intellectuels et artistes renommés, tels Charles Jefferys et Tom Thomson, ainsi que J.E.H. MacDonald, Arthur Lismer, Lawren S. Harris, Frederick Varley et A.Y. Jackson, plus souvent associés au fameux Groupe des Sept (Group of Seven), à s'établir à Toronto. La célèbre revue *Maclean's* va aussi lancer sur le marché de l'édition ses premiers numéros dès l'année 1896. Bien que la ville ait bien changé depuis, Toronto a encore de la difficulté aujourd'hui à faire oublier sa réputation de ville puritaine et monotone.

Au cours des années qui précèdent la Première Guerre mondiale, l'immigration à Toronto va connaître un second souffle. Cette fois, les Italiens, les Juifs et les Ukrainiens en forment la majeure partie, comptant pour près de 13% de la population totale. Attirés par l'économie florissante de la ville, ces immigrants vont établir les premiers quartiers ethniques et transformer lentement le caractère culturel de Toronto.

En 1914, à l'aube de la Première Guerre mondiale, Montréal, plus ancienne que Toronto, est la plus grande ville canadienne. L'importance de Toronto sera augmentée pendant la **Première Guerre mondiale**, qui va avoir des répercussions considérables sur la vie sociale et économique qu'on y mène. La ville utilise son pouvoir industriel pour participer, d'une certaine manière, à la guerre en implantant des usines de fabrication de munitions et de transformation de viande, deux industries favorisées par Sir Joseph Flavelle. D'autre part, un manque d'ouvriers masculins se fait cruellement sentir, et les usines doivent dès lors recourir à la main-d'œuvre féminine, donnant aux femmes du Canada un rôle social qu'elles n'avaient jamais connu précédemment. Cependant, si, au lendemain du conflit, la plupart des femmes reprennent leur place traditionnelle au sein de la société, leurs attentes n'en demeurent pas moins plus élevées qu'auparavant. Alors en 1917, avant même que le conflit ne se termine, les gouvernements canadien et ontarien doivent déjà se résoudre à leur accorder le droit de vote, une revendication des femmes qui n'avait longtemps eu aucun écho. D'autre part, l'interdiction de la vente et de la consommation d'alcool en Ontario, une mesure qui n'avait été adoptée que pour la durée du conflit, semblait maintenant avoir bien des adeptes dans la population. Ainsi, alors qu'on se préparait à vivre les années exaltantes de l'après-guerre (les Années folles) la majorité de la population ontarienne vote par référendum en 1919 pour que la loi sur l'interdiction de la vente et de la consommation d'alcool soit maintenue.

L'économie ontarienne ressort plus forte à la suite du premier conflit mondial, et la décennie suivante est marquée par une croissance économique constante, qui ne sera ralentie que par la crise américaine de 1929. Au cours de la période comprise entre 1920 et 1930, l'expansion de Toronto se poursuit, alors que de nouvelles municipalités viennent s'ajouter à sa banlieue; la population compte alors à cette époque environ 500 000 habitants. Tout comme ailleurs aux États-Unis et au Canada, Toronto voit naître des sentiments d'hostilité envers les immigrants au cours des années 1920 et 1930. Avec l'après-guerre, puis les effets de la «grande dépression», les immigrants ne sont pas les bienvenus dans un pays où l'on n'a pas vraiment besoin d'eux. Le gouvernement canadien resserre ses frontières et pratique une immigration sélective où les Américains et les sujets britanniques sont favorisés au détriment des Juifs, des Noirs et des Européens du Sud et de l'Est. Il ira même jusqu'à imposer une taxe à tous les immigrants chinois afin de réduire leur nombre, et, face au succès mitigé de cette politique, il décidera d'exclure tout simplement l'immigration chinoise de 1923 à 1947. Cette xénophobie qui

s'empare, si l'on peut dire, des Torontois comme du reste des Canadiens varie selon les conditions économiques. Lorsque tout va bien, les immigrants qui ne font pas partie des peuples anglo-saxons sont tolérés tant et aussi longtemps qu'ils ne sont pas trop visibles.

Au cours de toute la période de crise qui suit le **krach de 1929**, le Canada tout entier en subit les conséquences. Toronto demeure cependant moins gravement touchée par la dépression que la plupart des autres villes canadiennes. Son arrière-pays plus diversifié et beaucoup mieux développé lui permet d'amortir les effets de la crise américaine et de conserver une économie plus vive, alors que le reste de l'économie canadienne, très dépendante des marchés extérieurs, s'effondre avec le ralentissement des échanges internationaux. Afin de faire face à la misère qui affecte la population, le gouvernement ainsi que certaines entreprises privées vont mettre en place un réseau d'assistance pour aider les plus démunis. Ce lent virage vers la gauche va lentement transformer le Canada en État providence dès l'après-guerre.

Les années d'après-guerre

Après 10 années de crise économique, la **Deuxième Guerre mondiale** vient ranimer l'économie canadienne et fait renaître Toronto grâce à l'avènement de nouvelles technologies de pointe telles que l'électronique et l'avionique. Du côté des ressources naturelles, au cours des années 1950, on découvre, près du lac Elliot, l'un des plus riches gisements d'uranium au monde. Ces nouveaux atouts dont bénéficie la ville sont couronnés par l'ouverture en 1959 de la **Voie maritime du Saint-Laurent**, qui facilite beaucoup l'exportation de différents produits torontois vers de nouveaux marchés, et ce, malgré le fait que les eaux du port de Toronto gèlent au cours des mois d'hiver. Toronto va accroître son contrôle sur le secteur des services et des finances canadiennes, et diminuer l'écart qui la sépare de Montréal à la tête des villes canadiennes. Même si les secteurs de l'agriculture et de l'industrie deviennent de moins en moins importants, alors que les grands centres de production se déplacent en Asie, où les coûts de production sont beaucoup moindres, les finances, la vente au détail, le développement urbain et les télécommunications prennent rapidement la relève. Les gouvernements provincial et fédéral s'impliquent de plus en plus dans l'économie et dans les programmes sociaux, créant la base du nouvel État providence. En plus d'être un centre manufacturier et financier important, la ville de Toronto abrite aussi les sièges sociaux de plusieurs syndicats nationaux. Elle est en effet au centre du développement des syndicats au Canada, et ce, depuis le début de l'ère industrielle. Depuis la Deuxième Guerre mondiale, la main-d'œuvre syndiquée constitue une force économique très importante.

Après 1945, Toronto connaît une autre poussée démographique, alors qu'une nouvelle vague d'immigrants la submerge. La fin de la guerre ramène l'optimiste et la prospérité, tandis que le racisme qui eut cours pendant les années 1920 et 1930 disparaît, et que le pays ouvre de nouveau ses portes à l'immigration. Britanniques au départ et Italiens dès les années 1960 se succèdent, alors qu'Allemands, Polonais, Hongrois, Slaves, Grecs et Portugais continuent d'affluer.

Toronto et l'époque actuelle

En 1951, la grande région de Toronto manque de revenus, ce qui se fait surtout sentir en banlieue où sévit une pénurie de services. Pour régler cette situation, le premier gouvernement métropolitain du Canada est créé en 1954: la Municipality of Metropolitan Toronto. Constitué de gens de Toronto et des 12 municipalités environnantes, ce conseil aura la responsabilité des domaines comme l'éducation, les finances, les transports publics, la gestion des eaux ainsi que les services policiers. Il sera sous la domination, à partir de 1954, d'un certain **Frederick Gardi-**

ner, un avocat devenu politicien, qui, grâce à sa personnalité agressive et imposante, en prendra rapidement le contrôle pour en devenir son plus grand représentant. Lors de son arrivée au conseil de ville, Gardiner doit répondre aux besoins de toute la région entourant Toronto, qui se retrouve aux prises avec des problèmes d'eaux usées et d'eau potable, ainsi qu'aux besoins de Toronto elle-même, qui souffre d'un important problème de circulation au centre-ville. En effet, cette période coïncide avec la croissance marquée de la circulation entre la banlieue et Toronto. Un premier pas dans la bonne direction est accompli lors du parachèvement, au cours de 1953, du métro de Toronto, ce qui en fait le premier métro au Canada.

Cependant, la véritable solution à ce problème qu'éprouvaient tous les automobilistes ne se trouvait pas dans les transports en commun, mais plutôt dans l'amélioration et l'expansion du réseau routier, car Toronto, qui possédait déjà un port de commerce et un réseau ferroviaire bien établi, avait grand besoin d'être reliée au reste de l'Ontario. Le projet de la construction d'une voie rapide traversant la ville le long du lac Ontario fut donc très rapidement adopté par le conseil de la Municipality of Metropolitan Toronto, quelques mois seulement après la création de cette dernière en 1953. Le chantier débuta dès 1954 et se poursuivit jusqu'en 1966. La construc-

tion d'une autoroute traversant le cœur de la ville ne plaisait pas, bien sûr, à toute la population, mais on s'entendait cependant sur la nécessité d'améliorer la circulation au centre-ville. Malgré toute l'opposition qu'a connue le projet de l'autoroute Gardiner, seule une coalition de citoyens décidés à protéger le site historique du fort York a réussi à faire modifier le tracé de l'autoroute. À la suite du refus de la coalition de déplacer le fort sur les rives du lac Ontario, le conseil dut se résigner à contourner le fort. Aujourd'hui, l'autoroute Gardiner est en mauvais état: la structure métallique qui la soutient rouille rapidement à cause du sel utilisé en hiver pour faire fondre la neige et la glace sur la chaussée. Désormais, on utilise du métal enduit de résine époxy afin de juguler la corrosion prématurée de la structure, mais cela n'empêche pas plusieurs Torontois de détester cette autoroute qui leur bloque l'accès au lac Ontario; et pourtant c'est un mal nécessaire.

Dès les premières années de l'après-guerre, l'auréole qui entoure *Toronto the Good* va commencer à se ternir. En effet, dès 1947, les premiers bars de cocktail vont commencer à faire leur apparition un peu partout à travers la ville, ce qui soulève des tollés de la part de nombreux citadins. D'autre part, l'arrivée massive d'immigrants venus d'un peu partout en Europe accentue le caractère multiethnique de la cité. En 1960, Toronto franchit une autre étape vers la modernité et une plus grande liberté lorsque l'interdiction sur des activités comme le cinéma, le théâtre et d'autres événements culturels le dimanche est enfin levée. Cependant, la construction du nouvel hôtel de ville, terminée au mois de septembre 1965, va vraiment confirmer le vent de changement qui va bouleverser toute la ville. L'édifice conçu par l'architecte finlandais Viljo Revell brise le moule conservateur qui étouffait la ville et démontre les bénéfices de l'architecture moderne, mais peut-être avec un peu trop d'enthousiasme. Au cours des années qui suivent, plusieurs individus vont détruire, au nom du progrès et du modernisme, des édifices historiques pour faire place à de nouvelles constructions. Heureusement, ces promoteurs ont eu à faire face à une opposition farouche de la part de citoyens déterminés à sauver de la destruction tous ces témoins d'un passé pas si lointain. Parmi les nombreux édifices qui échappèrent aux pics des démolisseurs, figurent quelques-uns des plus beaux attraits de la ville: l'Union Station, le vieil hôtel de ville (Old City Hall) et la Holy Trinity Church. Il est ironique de constater que les Torontois ont finalement pris conscience de la valeur architecturale de tous ces anciens édifices, qui donnent tant de charme aux nombreux quartiers de la ville, que lorsqu'ils furent sous la menace directe des démolisseurs. Un certain

équilibre entre le conservatisme du XIXe siècle et l'engouement envers tout ce qui est nouveau au cours des années 1950 et 1960 est atteint avec l'élection de **David Crombie** à la mairie. Ce dernier va amener la ville à se diriger vers un développement plus harmonieux, en fixant une hauteur limite aux nouveaux édifices, et va encourager la revitalisation de nombreux vieux quartiers par la restauration d'anciens bâtiments.

La domination de l'Ontario sur l'économie canadienne est indiscutable lorsque au milieu des années 1970 Toronto devient la métropole canadienne, surpassant en taille et en population sa rivale de toujours, Montréal. Les remarquables performances de l'économie ontarienne et torontoise sont largement tributaires de la proximité des États-Unis, d'abord pour l'exportation des produits, plus des trois quarts étant envoyés vers les États-Unis, mais aussi pour l'établissement au Canada de filiales de grandes entreprises américaines.

En effet, après avoir connu une activité portuaire, ferroviaire et industrielle intense, Toronto se tourne lentement vers une économie de services qui prend de l'ampleur avec l'application de l'informatique, en même temps que son pouvoir financier continue à s'imposer comme le plus important du Canada. Le tourisme occupe aussi une part importante des revenus de la ville.

Yonge Street

Selon le *Livre des records Guinness*, Toronto est le point de départ de la rue la plus longue du monde. En effet, Yonge Street (prononcer *young*), qui, en 1996, a fêté ses 200 ans, se déroule sur 1 178,3 milles (1 896 km), des rives du lac Ontario jusqu'à la ville de Rainy River, dans le nord-ouest de l'Ontario, et fut tout d'abord un sentier utilisé par les Hurons, puis par l'explorateur français Étienne Brûlé.

La construction de cette route fut commencée dans les années 1790 sous les ordres du gouverneur John Graves Simcoe afin de faciliter la communication entre la nouvelle ville de York (Toronto) et la baie Georgienne en cas de conflit avec les Américains. Une fois le risque d'une guerre avec le voisin du Sud éliminé, Yonge Street devint pour les Torontois, au cours du XIXe siècle, une artère plus commerçante que par les années passées, mais boueuse.

Aujourd'hui, elle demeure aussi bourdonnante d'activités, et l'on y retrouve de nombreuses boutiques de toutes sortes.

En 1976, afin de résoudre les problèmes de communication provoqués par la présence des gratte-ciel, le Canadien National (CN) construit la tour qui portera son nom. Symbole de Toronto, la tour du CN attire désormais nombre de visiteurs.

Population

Au cours des années 1960, le centre-ville de Toronto attire de nouveau la population, qui délaisse un moment la banlieue pour venir s'installer en plein cœur de la ville et y rénover des quartiers entiers, dont certains abritent une myriade de bâtiments typiques de style victorien. Un bon exemple de ce genre de quartier est Yorkville, qui fut pendant quelques années au centre du mouvement hippie avant de s'embourgeoiser, tout comme les hippies de l'époque, et de devenir le lieu de rencontre

Little Italy

ns forment le groupe
le plus important de la
eur «havre spirituel»
re que la Petite Italie
ly), située sur College
l'ouest de Bathurst
à où les trattorias et les
es confèrent une aura
peu méditerranéenne
e torontoise. Ces der-
nnées, la Petite Italie
e redéfinie par une
ion plus jeune qui en a
uartier branché, ce qui
é l'ouverture de bon
e de bars et de restau-
a mode (et pas tous
. Il en résulte un mé-
aissant de commerces
tionnels et de petits
nts italiens entrecoupés
s salles de billard et de
ables bars à vins. L'en-
st tout indiqué pour
un cappuccino ou pour
er un *gelato*. En été, la
talie devient par ailleurs
centres de vie nocturne
s animés dans la ville,
ue ses rues s'encom-
de terrasses extérieures
antes, affairées jusqu'aux
s heures du matin.

Greektown

artier grec, The Greek-
est aussi connu sous le
de "The Danforth",
e qui le traverse.
ndant entre Broadview et
vell (près de la station de
Chester), il est parsemé
ulangeries-pâtisseries
ues (où vous trouverez le
ur pâté en croûte aux

épinards et au fromage feta en
ville), de boutiques variées et
de *tavernas*. Même les plaques
de rue y sont rédigées en anglais et en grec, et certains des
plus petits restaurants appartenant à des habitants du quartier
ferment leurs portes pour la
saison estivale, leurs propriétaires choisissant de retourner en
Grèce à cette époque de
l'année. Outre les petits établissements traditionnels, vous y
trouverez toutefois un certain
nombre de restaurants grecs
branchés convenant parfaitement à un dîner animé en ville.
The Danforth, qui s'impose
comme un des quartiers de
restaurants les plus prisés, vous
réserve de tout, des tapas cubains aux sushis, quoique les
mets grecs dominent incontestablement les tables du secteur,
et The Greektown, avec ses
marchés de fruits, ses comptoirs d'aliments recherchés, ses
tavernes et ses cafés estivaux
ouverts tard le soir, constitue
une expérience culinaire unique
en son genre.

Little Poland

Entre le Lakeshore et Dundas
Street West, l'avenue Roncesvalles devient la Petite Pologne
(Little Poland), un agréable
quartier parsemé d'arbres majestueux et d'imposantes maisons victoriennes. Profitez-en
pour voir un film de l'Europe
de l'Est ou pour déguster les
traditionnelles roulades de chou
farci et les pirojkis maison dans
un des nombreux cafés du
quartier.

branché qu'il est aujourd'hui.
L'état de prospérité dont bénéficie alors le Canada, et qui se
prolongera jusqu'aux années
1980, a pour effet de relancer
l'immigration, qui s'était pratiquement interrompue au cours
des années de crise et de guerre. Dans le quart de siècle qui
suit la Deuxième Guerre mondiale, près de deux millions
d'immigrants vont s'établir en
Ontario, soit près des deux
tiers accueillis au Canada durant
cette période. La plupart de ces
nouveaux arrivants s'installe à
Toronto. Ces derniers ne proviennent plus en majorité des
îles Britanniques comme ce fut
le cas auparavant; ce sont plutôt
des gens originaires d'Europe
du Sud et de l'Est, amenés à
s'exiler en raison des difficiles
conditions de vie qui font suite
à la guerre en Europe. En l'espace de quelques décennies
seulement, le visage culturel de
Toronto se transforme radicalement avec l'ajout de différents
quartiers ethniques qui contribuent, par la culture et la cuisine qu'on y trouve, à faire de
cette ville la plus cosmopolite
du Canada. Au cours des années 1970 et 1980, de nombreux immigrants en provenance d'Asie viennent à leur tour
s'établir à Toronto.

N'étant plus frappée d'interdiction, ainsi que l'avait décrété
le gouvernement canadien
entre les années 1923 et 1947,
l'immigration chinoise reprend
de plus belle. L'afflux de cette
«minorité visible» va complètement changer le visage de Toronto. La ville comptera dès

lors non seulement un Chinatown, mais aussi deux autres
quartiers chinois, tous accolés
les uns aux autres et regroupant la deuxième communauté
chinoise en importance après
celle de Vancouver. Le long de
Dundas Street, entre Spadina
Avenue et Bay Street, c'est une
véritable ville dans la ville où
l'on peut facilement vivre sans
jamais prononcer un seul mot
d'anglais. Plus tard, au cours des
années 1970, des immigrants
en provenance des Antilles et
de différents pays asiatiques s'y
établiront à leur tour. Cette
immigration va une fois de plus,
en l'espace d'une décennie,
complètement transformer
l'image de Toronto, en lui conférant cette saveur internationale propre aux grandes métropoles. La ville est encore aujourd'hui majoritairement administrée par les Anglo-Saxons,
qui forment toujours l'élite de la
société locale et qui accèdent à
la plupart des postes clés dans
les principales institutions financières de la ville.

Les changements en profondeur qu'a connus le Québec, à
partir des années 1960, puis,
d'une façon encore plus marquée, au cours des années
1970, ont également contribué
à transformer le visage de Toronto. En effet, à mesure que
les Québécois francophones se
rapproprient peu à peu le contrôle de leur économie et que
le gouvernement du Québec
légifère en vue de protéger et
de promouvoir la langue de sa
majorité, certaines grandes
firmes dont les affaires se font

traditionnellement en anglais jugent non rentables de s'adapter aux nouvelles règles du jeu et choisissent de se déplacer à Toronto. Cet exode vient donc alimenter l'économie de la Ville reine, et sa Bourse devient de plus en plus importante. Du fait de cette activité économique en pleine effervescence, la ville de Toronto est devenue le terrain du plus gros marché immobilier canadien, avec les maisons et les loyers les plus onéreux du Canada.

Aujourd'hui, l'agglomération de Toronto englobe une population d'environ 5,2 millions d'habitants, ce qui en fait la plus grande ville canadienne.

Toronto: ville de quartiers

Toronto est une des villes d'Amérique du Nord qui ont le mieux réussi le mariage des cultures, les immigrants des quatre coins du globe étant parvenus à s'y intégrer tout en maintenant l'identité et les traditions culturelles qui leur sont propres. C'est d'ailleurs précisément cette fusion harmonieuse des cultures qui fait de Toronto la plus grande et la plus diversifiée des villes canadiennes, une véritable mosaïque culturelle qui contraste nettement avec le creuset ethnique caractéristique de la société de nos voisins du sud de la frontière. Aussi vaste et étendue qu'elle puisse paraître, Toronto s'impose, somme

toute, comme une ville de quartiers. De Rosedale à Cabbagetown, des Beaches (les plages) à la Little Italy (Petite Italie), d'un Chinatown à l'autre, chacun des quartiers de Toronto possède un caractère unique. S'il est vrai que certains secteurs se distinguent par leurs excentricités architecturales, les plus intéressants demeurent ceux que façonnent les gens mêmes qui y vivent. De fait, la diversité ethnique de Toronto est pour le moins étourdissante, puisque plus de 70 nationalités s'y côtoient et y parlent plus de 100 langues, pour le plus grand bonheur des amateurs de restaurants!

Chinatown

Le quartier ethnique le mieux connu de Toronto est le Chinatown. Fascinant et animé, il est délimité par University Street, Spadina Avenue, Queen Street et College Street. Le jour, les légumes frais encombrent les trottoirs autour de l'intersection de Spadina Avenue et de Dundas Street, au cœur même du quartier, tandis que, le soir venu, les brillantes lumières jaunes et rouges qui scintillent un peu partout font penser à Hong Kong. Le pittoresque Kensington Market voisin est par ailleurs souvent associé au quartier chinois, et ses étalages de vêtements anciens, de même que ses épiceries européennes, antillaises, moyen-orientales et asiatiques, valent incontestablement le coup d'œil.

Le Toronto chino[is]

L'immigration chinoise à Toronto remonte au milieu du XIXe siècle. Avec plus de 400 000 membres, elle constitue aujourd'hui l'une des plus importantes communautés chinoises en Amérique du Nord. Les premiers arrivants, qui se lancent dans l'industrie de la blanchisserie et de la restauration, s'installent sur Yonge Street entre Queen Street et King Street. Pourtant, le premier véritable Chinatown, cœur de la vie commerciale et sociale de la communauté, se crée dans le secteur de Dundas Street entre Bay Street et University Avenue. On y comptait une grande concentration de salons de thé, de restaurants mais surtout de blanchisseries, service indispensable à la vie urbaine durant cette période antérieure à l'invention de la machine à laver. La construction d'un nouvel hôtel de ville, dans les années 1950, force la communauté à se déplacer vers l'ouest, aux environs de Dundas Street et de Spadina Avenue. Ce secteur demeure aujourd'hui le cœur de la communauté sino-torontoise. Le prix

galopant [...] nouveaux [...] s'installer [...] plus excer[...] tes. C'est [...] autour de [...] de Broadv[...] second cer[...] pour les C[...] années 197[...] cette décen[...] vante, à l'in[...] groupes eth[...] to, la popula[...] commence [...] les banlieue[...] Ainsi, des ce[...] Scarborough [...] grâce notam[...] d'immigrants [...] Hong Kong. [...] l'immigration [...] continue de [...] l'accroisseme[...] tion torontois[...] moins du tier[...] nauté habite [...] centre-ville, le [...] Spadina Aven[...] das Street den[...] économique e[...] communauté. [...] cence y règne [...] sept, pratique[...] jour. Un endro[...] manquer.

Les Itali[...] ethniqu[...] ville, et [...] n'est au[...] (Little I[...] Street [...] Street, [...] boutiqu[...] quelqu[...] à la scè[...] nières [...] s'est v[...] popula[...] fait un [...] a entra[...] nomb[...] rants à [...] italiens [...] lange [...] conve[...] restau[...] de ch[...] confo[...] droit [...] sirote[...] dégus[...] Petite [...] un de[...] les pl[...] alors [...] bren[...] trépi[...] petite

Le q[...] town[...] nom[...] l'arte[...] S'éte[...] Cox[...] mét[...] de t[...] grec[...] mei

Portugal Village

Les légendaires azulejos (carreaux de céramique) et un verre de porto vous transporteront au Portugal lorsque vous visiterez le secteur délimité par Dundas Street West, Ossington Avenue, Augusta Avenue et College Street, un quartier connu sous le nom de "Portugal Village". Les boulangeries d'ici vendent des pains parmi les meilleurs en ville, mais il ne faut pas non plus oublier les fromageries, les poissonneries et les boutiques de crochet et de dentelle qui surgissent de toute part.

Little India

La Petite Inde (Little India), qui s'étire le long de la rue Gerrard entre Greenwood et Coxwell, révèle tout le caractère de New Delhi (chaos en moins). Des guirlandes d'ampoules colorées ornent les façades des restaurants et embrasent la rue comme s'il y avait fête tous les soirs. Les «palais du sari» abondent, leurs vitrines remplies de vêtements scintillants; les supermarchés empiètent sur la rue avec leurs paniers débordant de graines de moutarde, de *pappadams*, de noix de coco et de cannes à sucre, et des haut-parleurs éraillés crachent partout les plus récents succès du palmarès indien. À moins que vous ne soyez à la recherche d'un bouddha doré ou de quelque autre souvenir, la principale raison pour visiter la Petite Inde (hormis son atmosphère) tient sans aucun doute à ses restau-rants. Un commerce sur deux semble d'ailleurs en être un, et chacun se spécialise dans une variété différente de cuisine indienne, la plupart offrant un buffet à volonté pour environ 15$.

Caribbean Community

Le quartier qui s'étend autour de Bathurst Street, au nord de Bloor Street, est le district commercial de la communauté antillaise (Caribbean Community). De merveilleuses boutiques d'alimentation y proposent toutes sortes de délices des îles, y compris des bouchées salées (*savoury patty*, ou chausson feuilleté farci de viande épicée) et du *roti* (galette garnie de viande, de poisson ou de légumes).

The Ghetto

Toronto accueille la plus dense population de gays et lesbiennes au Canada, envers qui elle fait d'ailleurs preuve d'une grande tolérance et d'un appui senti. Le village gay (affectueusement désigné du nom de "Ghetto") s'est établi sur Church Street entre les rues Carlton et Bloor. Des drapeaux aux couleurs de l'arc-en-ciel flottent aux mâts de ses lampadaires, et des couples de gays s'y promènent la main dans la main. À l'occasion du festival et du défilé de la Fierté gay de Toronto, à la fin de juin, les rues du village sont fermées à la circulation pendant trois jours et s'emplissent de comptoirs à bières sous la tente, de vendeurs de rue et, bon an mal an, de quelque 700 000 personnes (aussi bien gays qu'hétéros). À n'en point douter, il s'agit là d'une des plus grandes fêtes de la ville. Church Street s'avère animée et trépidante, surtout pendant l'été, avec ses bars, ses cafés, ses restaurants, ses boutiques et ses nombreuses terrasses extérieures. Cela dit, Hanlan's Point, dans les îles de Toronto, est un autre rendez-vous fort prisé des gays au cours de la belle saison, si bien qu'en mai 1999 elle a été officiellement désignée comme plage nudiste.

Rosedale

Les deux quartiers les plus riches et les plus huppés de Toronto se trouvent immédiatement au nord du centre-ville. Rosedale est délimité par Yonge Street à l'ouest, l'autoroute de la Don Valley à l'est, Bloor Street au sud et St. Clair Avenue au nord. Rosedale était à l'origine le domaine du shérif William Jarvis, et ce nom lui fut donné par son épouse Mary en raison des roses sauvages qui y poussaient en abondance à l'époque. Les roses sauvages et la maison qui dominait le ravin ne sont plus, puisqu'elles font place aujourd'hui à une série de rues en lacet bordées d'exquises demeures rendant hommage à une variété intéressante de styles architecturaux.

Forest Hill

Au nord de St. Clair Avenue débute le chic quartier de Forest Hill, qui s'étend au nord jusqu'à Eglinton Avenue, à l'est

jusqu'à Avenue Road et à l'ouest jusqu'à Bathurst Street. Sans doute pour lui permettre de rester fidèle à son nom, l'un des premiers règlements de cet ancien village, promulgué dans les années 1920, stipulait qu'un arbre devait être planté sur chaque parcelle de terrain. Ce havre de verdure accueille certaines des résidences les plus prestigieuses de la ville, plusieurs d'entre elles pouvant être admirées sur Old Forest Hill Road. Cette communauté est en outre le siège d'une des écoles privées canadiennes les plus réputées, l'Upper Canada College, où ont étudié des sommités telles que les écrivains Stephen Leacock et Robertson Davies.

Cabbagetown

Cabbagetown fut à une certaine époque décrit comme le «plus grand quartier pauvre anglo-saxon», un secteur à éviter pendant de nombreuses années. Cabbagetown s'est toutefois transformé depuis quelque temps et incarne aujourd'hui le summum de l'embourgeoisement torontois. Son nom lui vient des immigrants écossais qui s'y installèrent au milieu du XIXe siècle et qui cultivaient des choux directement devant leur maison. Vous y verrez de beaux grands arbres et de pittoresques maisonnettes victoriennes dont plusieurs portent des plaques commémoratives. Les rues Winchester, Carlton, Spruce et Metcalfe sont quant à elles flanquées de véritables perles architecturales.

The Annex

Au nord et à l'ouest de l'intersection de Bloor Street et d'Avenue Road, une zone annexée à la ville de Toronto en 1887 s'étend jusqu'aux rues Dupont et Bathurst, et porte le nom on ne peut plus approprié de "The Annex". Comme il s'agit là d'une banlieue tracée sur plan, il n'est guère étonnant d'y voir prédominer une certaine homogénéité architecturale, à tel point que les pignons, tourelles et corniches distinctives sont tous alignés ici à égale distance de la rue. Ce quartier sert aujourd'hui de lieu de résidence à des professeurs et étudiants d'université, à des journalistes et à des gens de tout horizon. The Annex est un autre quartier de restaurants et de boutiques, tout indiqué pour faire des achats, manger ou simplement se promener pour s'imprégner de l'atmosphère de la ville.

Maisons victoriennes

The Beaches

Le dernier, mais non le moindre: le quartier des plages (Toronto a vraiment de tout!). Connu des résidants sous le nom de "The Beaches" ou tout simplement The Beach, c'est un des secteurs les plus charmants de Toronto, et pour des raisons évidentes, puisque le soleil, le sable, une promenade lacustre, de classiques cottages recouverts de bardeaux et de clins de bois, et l'eau à perte de vue, ne se trouvent qu'à courte distance de tramway (sur Queen Street) du rythme effréné du centre-ville. Délimité par Kingston Road, Woodbine Road, Victoria Park Avenue et le lac Ontario, The Beach, plus qu'un simple quartier, est un mode de vie en soi. De part et d'autre de son axe principal, Queen Street, se dressent d'innombrables restaurants, cafés et boutiques, et vous y trouverez de tout, des vêtements signés pour enfants aux animaleries de luxe. Les trottoirs, la promenade et la piste cyclable qui borde la plage sont ici davantage envahis par les amateurs de patin à roues alignées, les cyclistes et les promeneurs accompagnés de leur chien que les rues ne le sont par les voitures. Les visiteurs apprécieront au plus haut point de pouvoir s'y gorger de soleil sur le sable chaud, de faire trempette dans les eaux rafraîchissantes du lac ou, à la tombée du jour, de faire du lèche-vitrine et de se prélasser sur une jolie terrasse.

Politique

En 1953, Toronto et 12 muni-cipalités voisines s'unissaient pour former le «Grand Toronto métropolitain» (Municipality of Metropolitan Toronto), soit la première entité administrative métropolitaine du Canada. Puis, lorsque Toronto amalgama, en 1998, les six municipalités qu'elle comptait en propre pour former une seule et unique ville de Toronto, un nou-veau conseil municipal fut créé, constitué de deux conseillers par quartier pour un total de 58 conseillers (plus le maire de Toronto).

Il y a quelques années, des fric-tions opposaient l'aggloméra-tion de Toronto et les habitants des îles de Toronto. Les îles appartiennent à la métropole, qui louait des lopins de terre à la population. Lorsque le con-seil décida après plusieurs an-nées de reprendre possession des terres et d'en chasser les habitants afin d'y construire un parc, ceux-ci se sont opposés à cette tentative du conseil en vue de s'approprier les îles de Toronto.

La politique municipale n'est reliée directement à aucun parti politique, mais il n'en demeure pas moins qu'elle exerce une influence non négligeable sur la scène provinciale et fédérale. L'agglomération de Toronto, avec ses 5,2 millions d'habitants représente une partie impor-tante de l'électorat provincial et fédéral, et influence souvent la politique canadienne. Toronto est, depuis la Confédération de 1867, la capitale de la province de l'Ontario.

Économie

Il y a une trentaine d'années, Toronto est passée au premier rang des villes canadiennes, qu'elle domine sur le plan de la population et de l'économie. Si les secteurs industriel et manu-facturier ont perdu quelque peu d'ardeur ces dernières années, Toronto est demeurée quand même une ville au rôle prépon-dérant grâce à son puissant sec-teur financier. Les plus grandes banques canadiennes y ont toutes d'importantes installa-tions, et la plupart des grandes firmes et compagnies d'assuran-ces y ont leur siège social. La Bourse de Toronto occupe elle aussi une place importante à l'intérieur du marché nord-américain, tout juste derrière la Bourse de New York. Dans le domaine industriel, la construc-tion automobile constitue une part vitale de l'économie toron-toise, suivie de la production de machinerie lourde, de la trans-formation du fer, des aciéries, des usines de produits chimi-ques et d'une industrie d'appa-reils électroniques en pleine expansion. La plupart de ces entreprises sont concentrées le long du lac Ontario, de Toron-to jusqu'à Hamilton, dans ce qui est plus communément appelé le "Golden Horseshoe", la région la plus industrialisée de branché qu'il est aujourd'hui. L'état de prospérité dont bénéficie alors le Canada, et qui se prolongera jusqu'aux années 1980, a pour effet de relancer l'immigration, qui s'était pratiquement interrompue au cours des années de crise et de guerre. Dans le quart de siècle qui suit la Deuxième Guerre mondiale, près de deux millions d'immigrants vont s'établir en Ontario, soit près des deux tiers accueillis au Canada durant cette période. La plupart de ces nouveaux arrivants s'installe à Toronto. Ces derniers ne proviennent plus en majorité des îles Britanniques comme ce fut le cas auparavant; ce sont plutôt des gens originaires d'Europe du Sud et de l'Est, amenés à s'exiler en raison des difficiles conditions de vie qui font suite à la guerre en Europe. En l'espace de quelques décennies seulement, le visage culturel de Toronto se transforme radicalement avec l'ajout de différents quartiers ethniques qui contribuent, par la culture et la cuisine qu'on y trouve, à faire de cette ville la plus cosmopolite du Canada. Au cours des années 1970 et 1980, de nombreux immigrants en provenance d'Asie viennent à leur tour s'établir à Toronto.

N'étant plus frappée d'interdiction, ainsi que l'avait décrété le gouvernement canadien entre les années 1923 et 1947, l'immigration chinoise reprend de plus belle. L'afflux de cette «minorité visible» va complètement changer le visage de Toronto. La ville comptera dès

lors non seulement un China-town, mais aussi deux autres quartiers chinois, tous accolés les uns aux autres et regroupant la deuxième communauté chinoise en importance après celle de Vancouver. Le long de Dundas Street, entre Spadina Avenue et Bay Street, c'est une véritable ville dans la ville où l'on peut facilement vivre sans jamais prononcer un seul mot d'anglais. Plus tard, au cours des années 1970, des immigrants en provenance des Antilles et de différents pays asiatiques s'y établiront à leur tour. Cette immigration va une fois de plus, en l'espace d'une décennie, complètement transformer l'image de Toronto, en lui conférant cette saveur internationale propre aux grandes métropoles. La ville est encore aujourd'hui majoritairement administrée par les Anglo-Saxons, qui forment toujours l'élite de la société locale et qui accèdent à la plupart des postes clés dans les principales institutions financières de la ville.

Les changements en profondeur qu'a connus le Québec, à partir des années 1960, puis d'une façon encore plus marquée, au cours des années 1970, ont également contribué à transformer le visage de Toronto. En effet, à mesure que les Québécois francophones se rapproprient peu à peu le contrôle de leur économie et que le gouvernement du Québec légifère en vue de protéger et de promouvoir la langue de sa majorité, certaines grandes firmes dont les affaires se font traditionnellement en anglais jugent non rentables de s'adapter aux nouvelles règles du jeu et choisissent de se déplacer à Toronto. Cet exode vient donc alimenter l'économie de la Ville reine, et sa Bourse devient de plus en plus importante. Du fait de cette activité économique en pleine effervescence, la ville de Toronto est devenue le terrain du plus gros marché immobilier canadien, avec les maisons et les loyers les plus onéreux du Canada.

Aujourd'hui, l'agglomération de Toronto englobe une population d'environ 5,2 millions d'habitants, ce qui en fait la plus grande ville canadienne.

Toronto: ville de quartiers

Toronto est une des villes d'Amérique du Nord qui ont le mieux réussi le mariage des cultures, des immigrants des quatre coins du globe étant parvenus à s'y intégrer tout en maintenant l'identité et les traditions culturelles qui leur sont propres. C'est d'ailleurs précisément cette fusion harmonieuse des cultures qui fait de Toronto la plus grande et la plus diversifiée des villes canadiennes, une véritable mosaïque culturelle qui contraste nettement avec le creuset ethnique caractéristique de la société de nos voisins du sud de la frontière. Aussi vaste et étendue qu'elle puisse paraître, Toronto s'impose, somme

toute, comme une ville de quartiers. De Rosedale à Cabbagetown, des Beaches (les plages) à la Little Italy (Petite Italie), d'un Chinatown à l'autre, chacun des quartiers de Toronto possède un caractère unique. S'il est vrai que certains secteurs se distinguent par leurs excentricités architecturales, les plus intéressants demeurent ceux que façonnent les gens mêmes qui y vivent. De fait, la diversité ethnique de Toronto est pour le moins étourdissante, puisque plus de 70 nationalités s'y côtoient et y parlent plus de 100 langues, pour le plus grand bonheur des amateurs de restaurants!

Chinatown

Le quartier ethnique le mieux connu de Toronto est le Chinatown. Fascinant et animé, il est délimité par University Street, Spadina Avenue, Queen Street et College Street. Le jour, les légumes frais encombrent les trottoirs autour de l'intersection de Spadina Avenue et de Dundas Street, au cœur même du quartier, tandis que, le soir venu, les brillantes lumières jaunes et rouges qui scintillent un peu partout font penser à Hong Kong. Le pittoresque Kensington Market voisin est par ailleurs souvent associé au quartier chinois, et ses étalages de vêtements anciens, de même que ses épiceries européennes, antillaises, moyen-orientales et asiatiques, valent incontestablement le coup d'œil.

Le Toronto chinois

L'immigration chinoise à Toronto remonte au milieu du XIXᵉ siècle. Avec plus de 400 000 membres, elle constitue aujourd'hui l'une des plus importantes communautés chinoises en Amérique du Nord. Les premiers arrivants, qui se lancent dans l'industrie de la blanchisserie et de la restauration, s'installent sur Yonge Street entre Queen Street et King Street. Pourtant, le premier véritable Chinatown, cœur de la vie commerciale et sociale de la communauté, se crée dans le secteur de Dundas Street entre Bay Street et University Avenue. On y comptait une grande concentration de salons de thé, de restaurants mais surtout de blanchisseries, service indispensable à la vie urbaine durant cette période antérieure à l'invention de la machine à laver. La construction d'un nouvel hôtel de ville, dans les années 1950, force la communauté à se déplacer vers l'ouest, aux environs de Dundas Street et de Spadina Avenue. Ce secteur demeure aujourd'hui le cœur de la communauté sino-torontoise. Le prix galopant des loyers force les nouveaux arrivants chinois à s'installer dans des secteurs plus excentrés et plus modestes. C'est ainsi que le quartier autour de Gerrard Street et de Broadview devient le second centre en importance pour les Chinois dans les années 1970. Au cours de cette décennie et de la suivante, à l'instar des autres groupes ethniques de Toronto, la population chinoise commence à regarder vers les banlieues nord et ouest. Ainsi, des centres fleurissent à Scarborough et Mississauga, grâce notamment à l'arrivée d'immigrants fortunés de Hong Kong. Aujourd'hui, l'immigration chinoise continue de contribuer à l'accroissement de la population torontoise. Bien que moins du tiers de la communauté habite désormais au centre-ville, le secteur de Spadina Avenue et de Dundas Street demeure le cœur économique et culturel de la communauté. Une effervescence y règne sept jours sur sept, pratiquement nuit et jour. Un endroit à ne pas manquer.

Portrait

Little Italy

Les Italiens forment le groupe ethnique le plus important de la ville, et leur «havre spirituel» n'est autre que la Petite Italie (Little Italy), située sur College Street à l'ouest de Bathurst Street, là où les trattorias et les boutiques confèrent une aura quelque peu méditerranéenne à la scène torontoise. Ces dernières années, la Petite Italie s'est vue redéfinie par une population plus jeune qui en a fait un quartier branché, ce qui a entraîné l'ouverture de bon nombre de bars et de restaurants à la mode (et pas tous italiens). Il en résulte un mélange saisissant de commerces conventionnels et de petits restaurants italiens entrecoupés de chics salles de billard et de confortables bars à vins. L'endroit est tout indiqué pour siroter un cappuccino ou pour déguster un *gelato*. En été, la Petite Italie devient par ailleurs un des centres de vie nocturne les plus animés dans la ville, alors que ses rues s'encombrent de terrasses extérieures trépidantes, affairées jusqu'aux petites heures du matin.

Greektown

Le quartier grec, The Greektown, est aussi connu sous le nom de "The Danforth", l'artère qui le traverse. S'étendant entre Broadview et Coxwell (près de la station de métro Chester), il est parsemé de boulangeries-pâtisseries grecques (où vous trouverez le meilleur pâté en croûte aux épinards et au fromage feta en ville), de boutiques variées et de *tavernas*. Même les plaques de rue y sont rédigées en anglais et en grec, et certains des plus petits restaurants appartenant à des habitants du quartier ferment leurs portes pour la saison estivale, leurs propriétaires choisissant de retourner en Grèce à cette époque de l'année. Outre les petits établissements traditionnels, vous y trouverez toutefois un certain nombre de restaurants grecs branchés convenant parfaitement à un dîner animé en ville. The Danforth, qui s'impose comme un des quartiers de restaurants les plus prisés, vous réserve de tout, des tapas cubains aux sushis, quoique les mets grecs dominent incontestablement les tables du secteur, et The Greektown, avec ses marchés de fruits, ses comptoirs d'aliments recherchés, ses tavernes et ses cafés estivaux ouverts tard le soir, constitue une expérience culinaire unique en son genre.

Little Poland

Entre le Lakeshore et Dundas Street West, l'avenue Roncesvalles devient la Petite Pologne (Little Poland), un agréable quartier parsemé d'arbres majestueux et d'imposantes maisons victoriennes. Profitez-en pour voir un film de l'Europe de l'Est ou pour déguster les traditionnelles roulades de chou farci et les pirojkis maison dans un des nombreux cafés du quartier.

Portugal Village

Les légendaires azulejos (carreaux de céramique) et un verre de porto vous transporteront au Portugal lorsque vous visiterez le secteur délimité par Dundas Street West, Ossington Avenue, Augusta Avenue et College Street, un quartier connu sous le nom de "Portugal Village". Les boulangeries d'ici vendent des pains parmi les meilleurs en ville, mais il ne faut pas non plus oublier les fromageries, les poissonneries et les boutiques de crochet et de dentelle qui surgissent de toute part.

Little India

La Petite Inde (Little India), qui s'étire le long de la rue Gerrard entre Greenwood et Coxwell, révèle tout le caractère de New Delhi (chaos en moins). Des guirlandes d'ampoules colorées ornent les façades des restaurants et embrasent la rue comme s'il y avait fête tous les soirs. Les «palais du sari» abondent, leurs vitrines remplies de vêtements scintillants; les supermarchés empiètent sur la rue avec leurs paniers débordant de graines de moutarde, de *pappadams*, de noix de coco et de cannes à sucre, et des haut-parleurs éraillés crachent partout les plus récents succès du palmarès indien. À moins que vous ne soyez à la recherche d'un bouddha doré ou de quelque autre souvenir, la principale raison pour visiter la Petite Inde (hormis son atmosphère) tient sans aucun doute à ses restau-

rants. Un commerce sur deux semble d'ailleurs en être un, et chacun se spécialise dans une variété différente de cuisine indienne, la plupart offrant un buffet à volonté pour environ 15$.

Caribbean Community

Le quartier qui s'étend autour de Bathurst Street, au nord de Bloor Street, est le district commercial de la communauté antillaise (Caribbean Community). De merveilleuses boutiques d'alimentation y proposent toutes sortes de délices des îles, y compris des bouchées salées (*savoury patty*, ou chausson feuilleté farci de viande épicée) et du *roti* (galette garnie de viande, de poisson ou de légumes).

The Ghetto

Toronto accueille la plus dense population de gays et lesbiennes au Canada, envers qui elle fait d'ailleurs preuve d'une grande tolérance et d'un appui senti. Le village gay (affectueusement désigné du nom de "Ghetto") s'est établi sur Church Street entre les rues Carlton et Bloor. Des drapeaux aux couleurs de l'arc-en-ciel flottent aux mâts de ses lampadaires, et des couples de gays s'y promènent la main dans la main. À l'occasion du festival et du défilé de la Fierté gay de Toronto, à la fin de juin, les rues du village sont fermées à la circulation pendant trois jours et s'emplissent de comptoirs à bières sous la tente, de vendeurs de rue et, bon an mal an, de quelque 700 000 personnes (aussi bien gays qu'hétéros). À n'en point douter, il s'agit là d'une des plus grandes fêtes de la ville. Church Street s'avère animée et trépidante, surtout pendant l'été, avec ses bars, ses cafés, ses restaurants, ses boutiques et ses nombreuses terrasses extérieures. Cela dit, Hanlan's Point, dans les îles de Toronto, est un autre rendez-vous fort prisé des gays au cours de la belle saison, si bien qu'en mai 1999 elle a été officiellement désignée comme plage nudiste.

Rosedale

Les deux quartiers les plus riches et les plus huppés de Toronto se trouvent immédiatement au nord du centre-ville. Rosedale est délimité par Yonge Street à l'ouest, l'autoroute de la Don Valley à l'est, Bloor Street au sud et St. Clair Avenue au nord. Rosedale était à l'origine le domaine du shérif William Jarvis, et ce nom lui fut donné par son épouse Mary en raison des roses sauvages qui y poussaient en abondance à l'époque. Les roses sauvages et la maison qui dominait le ravin ne sont plus, puisqu'elles font place aujourd'hui à une série de rues en lacet bordées d'exquises demeures rendant hommage à une variété intéressante de styles architecturaux.

Forest Hill

Au nord de St. Clair Avenue débute le chic quartier de Forest Hill, qui s'étend au nord jusqu'à Eglinton Avenue, à l'est jusqu'à Avenue Road et à l'ouest jusqu'à Bathurst Street. Sans doute pour lui permettre de rester fidèle à son nom, l'un des premiers règlements de cet ancien village, promulgué dans les années 1920, stipulait qu'un arbre devait être planté sur chaque parcelle de terrain. Ce havre de verdure accueille certaines des résidences les plus prestigieuses de la ville, plusieurs d'entre elles pouvant être admirées sur Old Forest Hill Road. Cette communauté est en outre le siège d'une des écoles privées canadiennes les plus réputées, l'Upper Canada College, où ont étudié des sommités telles que les écrivains Stephen Leacock et Robertson Davies.

Cabbagetown

Cabbagetown fut à une certaine époque décrit comme le «plus grand quartier pauvre anglosaxon», un secteur à éviter pendant de nombreuses années. Cabbagetown s'est toutefois transformé depuis quelque temps et incarne aujourd'hui le summum de l'embourgeoisement torontois. Son nom lui vient des immigrants écossais qui s'y installèrent au milieu du XIXᵉ siècle et qui cultivaient des choux directement devant leur maison. Vous y verrez de beaux grands arbres et de pittoresques maisonnettes victoriennes dont plusieurs portent des plaques commémoratives. Les rues Winchester, Carlton, Spruce et Metcalfe sont quant à elles flanquées de véritables perles architecturales.

The Annex

Au nord et à l'ouest de l'intersection de Bloor Street et d'Avenue Road, une zone annexée à la ville de Toronto en 1887 s'étend jusqu'aux rues Dupont et Bathurst, et porte le nom on ne peut plus approprié de "The Annex". Comme il s'agit là d'une banlieue tracée sur plan, il n'est guère étonnant d'y voir prédominer une certaine homogénéité architecturale, à tel point que les pignons, tourelles et corniches distinctives sont tous alignés ici à égale distance de la rue. Ce quartier sert aujourd'hui de lieu de résidence à des professeurs et étudiants d'université, à des journalistes et à des gens de tout horizon. The Annex est un autre quartier de restaurants et de boutiques, tout indiqué pour faire des achats, manger ou simplement se promener pour s'imprégner de l'atmosphère de la ville.

Maisons victoriennes

The Beaches

Le dernier, mais non le moindre: le quartier des plages (Toronto a vraiment de tout!). Connu des résidants sous le nom de "The Beaches" ou tout simplement The Beach, c'est un des secteurs les plus charmants de Toronto, et pour des raisons évidentes, puisque le soleil, le sable, une promenade lacustre, de classiques cottages recouverts de bardeaux et de clins de bois, et l'eau à perte de vue, ne se trouvent qu'à courte distance de tramway (sur Queen Street) du rythme effréné du centre-ville. Délimité par Kingston Road, Woodbine Road, Victoria Park Avenue et le lac Ontario, The Beach, plus qu'un simple quartier, est un mode de vie en soi. De part et d'autre de son axe principal, Queen Street, se dressent d'innombrables restaurants, cafés et boutiques, et vous y trouverez de tout, des vêtements signés pour enfants aux animaleries de luxe. Les trottoirs, la promenade et la piste cyclable qui borde la plage sont ici davantage envahis par les amateurs de patin à roues alignées, les cyclistes et les promeneurs accompagnés de leur chien que les rues ne le sont par les voitures. Les visiteurs apprécieront au plus haut point de pouvoir s'y gorger de soleil sur le sable chaud, de faire trempette dans les eaux rafraîchissantes du lac ou, à la tombée du jour, de faire du lèche-vitrine et de se prélasser sur une jolie terrasse.

Politique

En 1953, Toronto et 12 municipalités voisines s'unissaient
pour former le «Grand Toronto
métropolitain» (Municipality of
Metropolitan Toronto), soit la
première entité administrative
métropolitaine du Canada. Puis,
lorsque Toronto amalgama, en
1998, les six municipalités
qu'elle comptait en propre
pour former une seule et unique ville de Toronto, un nouveau conseil municipal fut créé,
constitué de deux conseillers
par quartier pour un total de 58
conseillers (plus le maire de
Toronto).

Il y a quelques années, des fric-
tions opposaient l'agglomération de Toronto et les habitants
des îles de Toronto. Les îles
appartiennent à la métropole,
qui louait des lopins de terre à
la population. Lorsque le conseil décida après plusieurs années de reprendre possession
des terres et d'en chasser les
habitants afin d'y construire un
parc, ceux-ci se sont opposés à
cette tentative du conseil en
vue de s'approprier les îles de
Toronto.

La politique municipale n'est
reliée directement à aucun parti
politique, mais il n'en demeure
pas moins qu'elle exerce une
influence non négligeable sur la
scène provinciale et fédérale.
L'agglomération de Toronto,
avec ses 5,2 millions d'habitants
représente une partie importante de l'électorat provincial et
fédéral, et influence souvent la
politique canadienne. Toronto
est, depuis la Confédération de
1867, la capitale de la province
de l'Ontario.

Économie

Il y a une trentaine d'années,
Toronto est passée au premier
rang des villes canadiennes,
qu'elle domine sur le plan de la
population et de l'économie. Si
les secteurs industriel et manu-
facturier ont perdu quelque peu
d'ardeur ces dernières années,
Toronto est demeurée quand
même une ville au rôle prépon-
dérant grâce à son puissant secteur financier. Les plus grandes
banques canadiennes y ont
toutes d'importantes installations, et la plupart des grandes
firmes et compagnies d'assuran-
ces y ont leur siège social. La
Bourse de Toronto occupe elle
aussi une place importante à
l'intérieur du marché nord-
américain, tout juste derrière la
Bourse de New York. Dans le
domaine industriel, la construction automobile constitue une
part vitale de l'économie torontoise, suivie de la production de
machinerie lourde, de la transformation du fer, des aciéries,
des usines de produits chimi-
ques et d'une industrie d'appareils électroniques en pleine
expansion. La plupart de ces
entreprises sont concentrées le
long du lac Ontario, de Toronto jusqu'à Hamilton, dans ce qui
est plus communément appelé
le "Golden Horseshoe", la
région la plus industrialisée de

Portrait

Toutes pour une...

En janvier 1998, six municipalités qui formaient la Greater Toronto Area ont été regroupées sous une seule et même administration municipale, lançant ainsi un mouvement de fusion municipale qui devait atteindre le Québec. Très impopulaire, cette fusion n'en fut pas moins imposée par le gouvernement conservateur de Mike Harris. Le maire de l'ancienne municipalité de North York, le coloré Mel Lastman, fut élu maire de cette mégacité en 1998. Il servira deux mandats avant d'être remplacé par le maire en poste, David Miller.

tout le Canada. Cette région est aussi favorisée par un accès à la Voie maritime du Saint-Laurent et à un réseau ferroviaire très étendu, de même que par un accès rapide aux voies de communication de tout l'Ontario. L'industrie touristique devient aussi de plus en plus importante dans cette ville tournée vers le futur.

Arts

Que ce soit en peinture, en littérature, en musique ou en cinéma, les artistes ontariens ont cherché, au fil des ans, à créer des œuvres à saveur canadienne tout en se distinguant des mouvements artistiques anglais et américains dont l'influence est incontestable. Cette quête, qui aura porté fruit, n'a sans nul doute pas toujours été aisée, bien que privilégiée par la création d'organismes gouvernementaux comme le Conseil des arts du Canada, qui a pour mission de subventionner les entreprises culturelles afin de mettre en valeur les artistes du pays.

La peinture

Ce n'est qu'avec l'avènement du XIXe siècle qu'il devient possible de commencer à parler de mouvements artistiques à Toronto. Dès les premiers jours de la colonisation émergent du lot des peintres de talent qui trouvent une source d'inspiration auprès de maîtres européens et délaissent ainsi leur petite colonie qui étouffe, selon eux, leur esprit créateur.

Ils ont alors pour principaux clients l'Église et la bourgeoisie, qui les incitent à ne réaliser que des œuvres à caractère religieux (autels, orfèvrerie) ou des portraits de famille.

Au cours des premières années du XXe siècle, de grands peintres paysagistes ontariens se font connaître en créant un art véritablement canadien. **Tom Thomson**, dont les toiles offrent une représentation bien particulière des paysages uniques du Bouclier canadien, est à l'origine de ce mouvement. Il meurt cependant prématurément en 1917, à l'âge de 40 ans. Son influence s'avère toutefois indéniable sur un des groupes de peintres les plus marquants en Ontario et au Canada, le **Groupe des Sept**, dont la première exposition se tient à Toronto en 1920. Ces artistes, Franklin Carmichael, Lawren S. Harris, Frank Johnston, Arthur Lismer, J.E.H. MacDonald, A.Y. Jackson et Frederick Varley, sont tous des paysagistes. Bien qu'ils collaborèrent étroitement, chacun va développer son propre langage pictural. Ils se démarquent par l'emploi de couleurs vives dans la composition de paysages typiques du Canada. Même si ces artistes ont connu une grande popularité au cours des années 1950, plusieurs artistes contemporains rejettent aujourd'hui leur travail qui, selon eux, propose une œuvre trop conformiste.

Un artiste qui a beaucoup marqué les arts à Toronto n'est même pas canadien: le sculpteur écossais **Henry Moore**. Sa sculpture *The Archer*, qui domine le Nathan Philips Square, est un des premiers exemples d'art public à Toronto et a contribué à la transformation de cette ville. Moore a fait don de ses œuvres complètes à l'Art Gallery of Ontario (AGO), où son curieux *Form* marque l'entrée.

La littérature

Puisqu'elle est la plus grande ville du Canada, il n'y a rien d'étonnant à ce que Toronto soit la Mecque de l'édition canadienne-anglaise. Siège d'un grand nombre d'éditeurs canadiens parmi les plus importants, et par ailleurs le théâtre de l'International Festival of Authors, Toronto possède une riche histoire littéraire.

Les premiers habitants de Toronto se percevaient comme des sujets britanniques. Ces loyalistes nourrissaient d'ailleurs des vues foncièrement anglaises dans leur essence, et ils s'évertuaient à les faire valoir dans la littérature de leur terre d'accueil. La rupture avec la Couronne et les traditions du Vieux Continent se serait bien effectuée d'elle-même en temps et lieu, mais la présence des Américains nouvellement indépendants au sud de la frontière contribua vraisemblablement à accélérer les choses. Aux États-Unis, nombre d'auteurs s'étaient fait connaître non seulement comme de simples écrivains de langue anglaise, mais aussi comme des écrivains américains à part entière, et cette émancipation suscitait l'envie des canadiens-anglais en général et des auteurs torontois en particulier.

Bien que l'écrivaine torontoise **Mazo de la Roche** (1879-1961) soit aujourd'hui bien connue en tant qu'auteure canadienne de grand talent, elle n'en réclamait pas moins de puissants liens avec l'Empire britannique. Ses romans de la série «Jalna» (1927-1960) décrivent la vie des habitants de la périphérie de Toronto.

L'écrivain et journaliste torontois **Morley Callaghan** (1903-1990) est réputé pour son roman *That Summer in Paris* (1963), qui raconte son été de 1929, passé en compagnie d'Ernest Hemingway et d'autres membres de la «génération perdue» (expatriés établis à Paris). En tant que collaborateur au *New Yorker* et récipiendaire du prix du Gouverneur général (1951) pour *The Loved and the Lost*, Callaghan a plus d'une fois choisi d'obscurcir son environnement dans ses œuvres de fiction, de sorte que sa production littéraire fait figure d'exception en regard des normes propres à la littérature canadienne, sans cesse en quête d'une solide identité qui lui soit propre. Sa fiction dépeint souvent la dure vie anonyme des citadins dans l'espoir de promouvoir un engagement social plus profond.

Les années 1970 voient naître à Toronto des mouvements modernes tels qu'Open Letter, qui cherche à donner du sang neuf à des idées anciennes.

La ville sert de toile de fond prédominante à de nombreuses œuvres de deux des plus éminents auteurs canadiens. Il s'agit en premier lieu de **Robertson Davies** (1913-1995), entre autres romancier et dramaturge. Sa "Deptford Trilogy" et sa "Cornish Trilogy", toutes deux campées dans le décor torontois, révèlent un regard analytique et réfléchi sur le passage de la ville du charme provincial à l'urbanisme recherché. *The Cunning Man* (1994), son dernier roman est particulièrement remarquable.

Le deuxième de ces auteurs est **Margaret Atwood**, une féministe, satiriste, nationaliste, poétesse et romancière qui se fit le porte-flambeau du modernisme au cours des années 1970. Ses productions littéraires et critiques ont énormément contribué aux efforts visant à définir la culture et la littérature canadiennes. Selon les canons de la littérature canadienne, Atwood est tenue pour l'un des plus grands écrivains du pays.

Toronto est aussi la capitale canadienne-anglaise du multiculturalisme. Il est donc tout à fait naturel que nombre d'immigrants aient choisi d'y élire domicile. Aussi l'écrivain d'origine sri-lankaise **Mickael Ondaatje** y habite-t-il désormais,

Margaret Atwood

Romancière, poète et critique, Margaret Atwood représente assurément le plus beau fleuron de la littérature canadienne-anglaise. Née à Ottawa en 1939, elle déménage à Toronto avec sa famille alors qu'elle n'a que sept ans. C'est à l'université de Toronto qu'elle entame des études littéraires qui se poursuivront à la prestigieuse université Harvard, aux États-Unis. Grande voyageuse, elle a vécu et travaillé à Vancouver, Boston, Montréal, Edmonton, ainsi qu'en Angleterre, en France, en Allemagne et en Italie. Depuis 1992, elle habite Toronto.

Ses nombreuses œuvres littéraires et poétiques ont été traduites dans plus de 20 langues et ont été acclamées à la fois par la critique et le grand public. La qualité et la précision de son langage, qui donnent une résonance particulière à ses mots, sont unanimement reconnues dans toutes ses œuvres.

La qualité de ses œuvres et son engagement social se sont vus récompensés par l'obtention de plusieurs prix littéraires et autres récompenses, notamment le prix du Gouverneur général du Canada (1966 et 1985), le prix du *Los Angeles Times* (1985), le Toronto Arts Award (1986), Ms Magazine's Woman of the Year (1986), le Ida Nudel Humanitarian Award du Congrès juif canadien (1986), l'American Humanist of the Year Award (1987), le prix des Commonwealth Writers (1992), le prix du *Sunday Times* (1994) et le *Booker Prize* en 2000.

Son dernier roman, *Oryx and Crake*, paru en 2003, fut bien reçu par la critique internationale.

Parmi ses autres romans largement acclamés, figurent *The Edible Woman* (1969), *Surfacing* (1978), *The Handmaid's Tale* (1985), dont on fit un film, et *Alias Grace* (1996), qui était en nomination pour le Booker Prize. Elle est, de plus, Compagnon de l'Ordre du Canada.

et son roman *In the Skin of the Lion* (1987) se déroule dans la Ville reine. La construction du viaduc de la rue Bloor et l'aménagement de l'usine de filtration Harris ont tous deux leur place dans son roman et ajoutent à l'intérêt de sa lecture. Le roman d'Ondaatje, *The English Patient*, qui lui a d'ailleurs valu le prix Booker en 1993, fait en quelque sorte suite à *In the Skin of a Lion*, et fut la trame du film gagnant aux Oscars en 1996 sous le même titre. **Austin Clark** réside également à Toronto, et son roman *The Meeting Point* dépeint la vie antillaise dans la métropole. Finalement, mentionnons aussi **Timothy Findley** (1930-2002), lauréat du prix du Gouverneur général en 1977 pour son roman *The Wars*, inspiré des expériences de son oncle comme soldat pendant la Première Guerre mondiale.

Le théâtre

Toronto est la capitale théâtrale du Canada et la troisième scène théâtrale anglophone derrière celles de Londres et de New York. On y présente de tout, des grands classiques au théâtre expérimental. Pendant une bonne partie du XXe siècle, Toronto offrait une scène théâtrale plutôt limitée. En effet, jusqu'en 1960, la ville ne possédait que deux théâtres professionnels. Maintenant, Toronto compte plus de 200

compagnies de théâtre et de danse professionnelles qui donnent chaque année plus de 10 000 représentations. Plus de sept millions de personnes assistent annuellement aux différentes pièces: music-hall, drames, comédies... il y en a pour tous les goûts. Il n'est donc pas étonnant de constater qu'en 1993 l'UNESCO a désigné Toronto comme «la ville la plus culturellement diversifiée du monde». On y trouve des centaines de théâtres dont certains ont été construits au début du XXe siècle. Le Royal Alexandra Theatre en est un excellent exemple. Sauvé de la destruction par **Ed Mirvish**, «le roi du magasin bon marché», le théâtre fut rénové à grands frais et aujourd'hui a retrouvé toute sa splendeur d'antan. Plusieurs anciennes usines et casernes de pompiers ont aussi été reconverties en salles pouvant accueillir au total plus de 43 000 spectateurs.

Royal Alexandra Theatre

De nombreux festivals, comme le Fringe of Toronto Festival, le FFIDA (Fringe Festival of Independent Dance Artists), le Summer Works et le World Stage Festival, mettent en vedette de nouveaux talents locaux ainsi que plusieurs autres en provenance de l'extérieur.

Le cinéma

Tout au long de la première moitié du XXᵉ siècle, le cinéma canadien a été, à quelques exceptions près, inexistant. Pour beaucoup de Canadiens, il était tout à fait inutile et même futile de s'opposer au cinéma américain, le cinéma le plus populaire et de loin celui qui connaît la plus grande réussite. Cependant, à partir des années 1950, le cinéma canadien va commencer à se développer et à se trouver une identité propre. Mais il faut attendre 1963 avec le film *Nobody Waved Goodbye* pour que Toronto se donne une identité cinématographique et, par la même occasion, ouvre la voie à une culture cinématographique canadienne. Des personnages comme **Norman Jewison**, mieux connu pour avoir produit des films comme *Moonstruck* et *Fiddler on the Roof*, vont faire leur apparition et influencer de façon importante le développement de l'industrie cinématographique torontoise. Le cinéma canadien demeure quand même très marginal par rapport au géant américain. Aujourd'hui, la proportion de films

canadiens à l'affiche dans les différentes salles du Canada constitue à peine 2,5 %. Il n'est donc pas étonnant que plusieurs artistes torontois comme **Rick Moranis** et **David Cronenberg** soient attirés par l'énorme industrie cinématographique américaine.

Plusieurs jeunes réalisateurs acquièrent de plus en plus de notoriété, tant au Canada qu'au niveau international, tout en continuant d'œuvrer à Toronto. Des productions aussi variées et personnelles que celles d'**Atom Egoyan** (*Exotica, The Sweet Hereafter, Ararat*), de **Bruce McDonald** (*Roadkill, Route 61, Hard Core Logo*) et **Don McKellar** (*Last Night*) témoignent bien de la vitalité du cinéma torontois.

Toronto n'en demeure pas moins une ville très active en matière de cinéma. Surnommée la «Hollywood du Nord» à l'instar de Vancouver, Toronto est une ville recherchée par de nombreux réalisateurs pour sa diversité, pour la qualité des centres de production et pour les nombreux talents locaux. De toute l'Amérique du Nord, seulement Hollywood et New York surpassent Toronto sur le plan de la production. Grâce à la quantité et à la diversité de ses quartiers, Toronto est en mesure d'offrir une variété de sites utilisés pour doubler des villes comme Boston, New York, Tokyo, Philadelphie et même Vienne. De nombreux producteurs américains décident d'utiliser Toronto comme lieu de tournage pour l'économie que cela représente, car tourner un film à Toronto s'avère beaucoup moins cher qu'aux États-Unis. Il va sans dire que le festival international du film de Toronto (Toronto International Film Festival), qui a lieu chaque année au mois de septembre, attire de nombreux cinéphiles. Non seulement s'agit-il d'un forum pour le cinéma mondial, incluant bien sûr le colossal cinéma américain.

La musique

Nombre d'artistes torontois se sont fait connaître sur la scène internationale; voici une courte rétrospective de quelques-uns d'entre eux, parmi les plus connus.

Né à Toronto le 25 septembre 1932, **Glen Gould** est sans aucun doute un des plus célèbres. Dès sa plus tendre enfance, il a été bercé dans un univers de musique. Apparentée au compositeur Edvard Grieg, sa mère lui enseignera jusqu'à l'âge de 10 ans les premiers rudiments du piano et de l'orgue. Mais le jeune Glen Gould deviendra très rapidement un élève exceptionnellement doué qui, dès l'âge de cinq ans, apprend la composition musicale.

La virtuosité de Glen Gould fut unanimement reconnue lors de son premier concert donné en public, en 1945. Un an plus tard à peine, il fit ses débuts en tant que soliste lors d'un concert à la Royal Academy, où il interpréta le *Quatrième Concerto pour piano* de Beethoven (1806); dès l'âge de 14 ans, il fit son entrée à l'orchestre symphonique de Toronto.

Amené à travailler avec les plus grands musiciens, notamment Herbert von Karajan, qui dirigeait l'orchestre philharmonique de Berlin, ou Leonard Bernstein et l'orchestre philharmonique de New York, Glen Gould s'imposa sur la scène mondiale comme l'un des plus talentueux musiciens de son époque. Davantage attiré par la composition et l'enregistrement en studio que par les concerts à grand spectacle, Glen Gould décida de faire ses adieux prématurément à la scène le 10 avril 1964, lors d'un récital à Los Angeles, et de consacrer le reste de son existence à la création et à l'enregistrement de nombreuses œuvres. Il est mort à Toronto le 4 octobre 1982.

C'est à Toronto, le 12 novembre 1945, que naissait **Neil Young**. Il n'y passe cependant qu'une partie de sa jeunesse avant de déménager avec sa mère à Winnipeg, au Manitoba, où il débute sa carrière de musicien, pour finalement s'installer en Californie. D'abord membre de différents groupes, notamment les Squires, The Buffalo Springfield et surtout Crosby, Stills, Nash and Young, il débute sa carrière solo en 1969 avec un album éponyme. En 1972, il enregistre *Harvest*, son microsillon le plus vendu et le plus connu, qu'il considère lui-même comme son enregistrement le plus réussi. Il fait aussi partie, depuis 1994, du Temple de la renommée du rock.

L'avenue Yorkville de Toronto a vu naître quelques-uns des plus grands talents des années 1960. Le chanteur de charme **Gordon Lightfoot** et les fameux chanteurs folks **Ian and Sylvia** sont de ceux et de celles qui ont débuté leur carrière dans les boîtes et les cafés de l'avant-gardiste Yorkville.

The Band est un autre fameux nom dans l'histoire du rock-and-roll. Originaire de Toronto, ce groupe de musiciens a acquis une grande popularité vers la fin des années 1960, à la suite d'une réussite remarquable sur la scène musicale folk de Toronto et comme groupe accompagnateur de Bob Dylan. Après le succès de la chanson "The Weight" et du film *The Last Waltz*, The Band a cessé d'exister.

Plus récemment, les **Barenaked Ladies** composent et jouent de la musique qui oscille entre le rock, le jazz et la musique folk; originaire de Toronto, tout comme les musiciens précédents, le quatuor des **Cowboy Junkies** a connu un grand succès avec son album Trinity Sessions, enregistré à l'intérieur de la Holy Trinity Church, à deux pas du centre Eaton.

La scène musicale torontoise est particulièrement fertile

depuis la fin des années 1990. Des groupes aux styles très variés comme **Broken Social Scene**, **Do Make Say Think**, **Ron Sexsmith**, **The Constantines** et **Tangiers** connaissent un succès tant critique que commercial et commencent même à percer l'important marché américain.

L'architecture

Ce sont des préoccupations d'ordre militaire qui, en 1793, ont donné naissance à la ville de Toronto (alors baptisée "York"). On traça rapidement des rues de manière à former une dizaine de quadrilatères autour de l'intersection de King Street et de Sherbourne Street, à l'est du port et du fort York, donnant ainsi le jour à «York la boueuse». Cette petite agglomération n'en avait pas moins été désignée comme la capitale du Haut-Canada, si bien qu'elle devait se doter d'un certain air de civilité. Les constructions de bois alignées à la hâte le long de ses rues furent donc tout aussi rapidement remplacées par des édifices georgiens, et un palais de justice, une prison, une église, un bureau de poste et des aménagements portuaires en vinrent bientôt à compter parmi les structures permanentes de cette ville embryonnaire et peu étendue. C'est ainsi que les gentilshommes venus s'établir dans cet avant-poste militaire parvinrent à le façonner à l'image ordonnée de l'Empire britannique.

Au-delà des rues accolées les unes aux autres, plus ou moins au nord de l'actuelle Queen Street, le gouverneur divisa en lots de longues et étroites bandes de parc de manière à attirer l'aristocratie dans les colonies de la Couronne. L'époque georgienne s'achevait à peine, et le style d'une solidité vigoureuse qui le caractérise fut la première signature architecturale de la ville. Il laissa bien sûr son empreinte sur des églises et divers bâtiments publics et commerciaux, mais un de ses legs les plus saisissants fut à l'époque une résidence privée, **The Grange** (voir p 21), construite en 1817 sur le lot n° 13. Quant aux nantis de l'ère victorienne, ils retinrent qui le style gothique, qui le style roman, italianisant ou Queen-Anne dans le but de faire valoir leur rang social.

L'utilisation de la brique fit l'objet de la première loi adoptée par la nouvelle municipalité de Toronto en 1834. Non seulement conférait-elle à la ville une allure durable, qui à son tour inspirait confiance aux nouveaux arrivants de l'aristocratie anglaise, mais aussi elle se voulait un gage de sécurité, la prévention des incendies figurant au premier plan des préoccupations des nouveaux pères de la ville. La présence de glaisières à proximité assurait un approvisionnement inépuisable en briques rouges et jaunes, la brique jaune étant devenue au fil des ans un élément distinctif de l'architecture torontoise. D'abord dite «blanche» au

XIXe siècle, elle constituait une solution de rechange peu coûteuse par rapport au granit et au calcaire qui devaient être importés.

Vers la fin du XIXe siècle, Toronto travaillait à l'annexion de plusieurs villages voisins, une initiative qui eut pour effet d'accroître considérablement sa population, mais aussi d'introduire de nouveaux éléments dans son architecture. La fusion de Yorkville, Brockton, Riverdale, The Annex, Seaton Village et Parkdale avec Toronto permit très rapidement à la capitale ontarienne d'élargir à souhait ses quartiers résidentiels. Ces secteurs étaient alors caractérisés par des rangées de maisons régulières et classiques, tantôt détachées et tantôt semi-détachées, qui arboraient souvent le style Queen Anne ou roman de Richardson.

Les lignes lourdes et massives du style roman de Richardson bénéficiaient d'une certaine popularité dans les toutes dernières années du XIXe siècle. L'architecte torontois E.J. Lennox eut d'ailleurs recours à cette signature, due à l'Américain Henry Hobson Richardson, pour la réalisation de beaucoup de ses œuvres parmi les plus notoires, tant à titre privé qu'à titre public, entre autres l'édifice du Parlement et l'ancien hôtel de ville.

À l'aube du XXe siècle, contrairement à Paris et à Londres, le conseil municipal de Toronto résolut de n'imposer aucune hauteur limite aux constructions de son centre-ville. Une série d'édifices érigés après cette décision de 1905 en vinrent ainsi à être les plus hauts de tout le Commonwealth britannique, le dernier d'entre eux étant celui de la **Canadian Bank of Commerce** (voir p 110), qui date de 1929 et compte 34 étages.

Au cours de la deuxième moitié du XXe siècle, les plus importantes avancées de l'architecture torontoise se sont produites dans le cœur même de la ville. Le style international en vigueur au cours de cette période contraste violemment avec la pittoresque image de ville victorienne demeurée presque entièrement intacte depuis sa création. Des slogans tels que «la forme s'assujettit à la fonction» et «moins veut dire plus», sans oublier l'accent mis sur le purisme, caractérisent ce sous-produit du mouvement moderniste, lancé en Amérique du Nord par Ludwig Mies van der Rohe. Le Toronto-Dominion Centre s'impose comme la «structure ennuyeuse» par excellence de la Ville reine; il s'agit en effet de l'étonnant édifice qui inspira l'érection de tours de verre partout dans le monde. Il annonçait dès lors la transformation du quartier des affaires de Toronto, finalement critiqué pour sa façon d'isoler les gens de leur environnement. De nos jours, la tendance s'éloigne de ces gigantesques tours impersonnelles, et, depuis l'émergence du postmodernisme, on retourne plus volontiers aux généreuses formes du passé, à tel point que les nouvelles constructions font appel à des éléments du passé et que les vieux bâtiments eux-mêmes sont restaurés et rénovés plutôt que remplacés.

La période d'après-guerre a en outre été caractérisée par un exode urbain généralisé, les citadins préférant s'établir dans la nouvelle banlieue aux rangées d'arbres et de maisons identiques, synonyme d'«utopie». Par ailleurs, Toronto a largement participé à ce phénomène, la plus grande partie de sa banlieue se trouvant à bonne distance du centre-ville. Les secteurs résidentiels d'origine, situés entre les anciens et les nouveaux quartiers domiciliaires et de moins en moins prisés, ont heureusement servi à loger à peu de frais les communautés croissantes d'immigrants. Ces quartiers regorgent de caractère et d'authenticité, et aujourd'hui certains convoitent tout autant une adresse en ces lieux qu'à Rosedale ou Forest Hill.

De récents chefs-d'œuvre architecturaux confèrent une silhouette unique à Toronto. Cela dit, peut-être est-ce la nature diversifiée de son histoire architecturale, alliant l'ancien et le nouveau, qui distingue le mieux la métropole canadienne? Pour s'en convaincre, il suffit de se balader entre Cabbagetown, The Annex, Rosedale et le Financial District (le quartier des affaires).

Renseignements généraux

Le présent chapitre
s'adresse aux voyageurs qui désirent bien planifier leur séjour à Toronto.

Formalités d'entrée

Passeport et visa

Pour la plupart des citoyens des pays de l'Europe de l'Ouest, un passeport valide suffit, et aucun visa n'est requis pour un séjour de moins de trois mois au Canada. Il est possible de demander une prolongation de trois mois. Un billet de retour ainsi qu'une preuve de fonds suffisants pour couvrir le séjour peuvent être requis. Pour connaître la liste des pays dont le Canada exige un visa de séjour, consultez le site Internet de **Citoyenneté et Immigration Canada** *(www.cic.gc.ca)* ou prenez contact avec l'ambassade canadienne la plus proche.

La plupart des pays n'ayant pas de convention avec le Canada en ce qui concerne l'assurance maladie-accident, il est conseillé de se munir d'une telle couverture. Pour plus de renseignements, voir la section «Santé» (voir p 74).

La visite de certaines régions à l'extérieur de la ville même, notamment les chutes du Niagara ou certaines îles des Mille-Îles, pourrait vous mener aux États-Unis; sachez alors que les citoyens canadiens n'ont pas besoin de visa.

Tableau des distances (km)
par le chemin le plus court

	Hamilton	Kingston	Kitchener-Waterloo	London	Montréal (QC)	New York (NY)	Niagara Falls	Ottawa	Sault-Sainte-Marie	Sudbury	Toronto	Thunder Bay	Windsor/Detroit (MI)
Chicago (IL)	788	1100	767	661	1383	1294	896	1242	780	1079	855	1058	460
Hamilton		338	69	140	621	765	77	480	748	460	75	1469	318
Kingston			369	451	299	583	408	203	894	609	263	1623	626
Kitchener-Waterloo				110	650	838	156	511	777	490	123	1496	306
London					738	911	227	600	699	572	198	1414	191
Montréal (QC)						618	689	202	1003	700	547	1638	912
New York (NY)							690	719	1498	1212	829	2212	1018
Niagara Falls								544	814	529	144	1534	413
Ottawa									806	508	410	1516	773
Sault-Sainte-Marie										302	696	723	584
Sudbury											411	1019	751
Toronto												1421	386
Thunder Bay													1310
Windsor/Detroit (MI)													

Exemple: la distance entre Montréal et Toronto est de 547 km.

Toronto

5km
2,5
0

Le visiteur **français** ou **suisse** en voyage de tourisme ou d'affaires n'a plus besoin d'être en possession d'un visa pour entrer aux États-Unis à condition de:

• avoir un billet d'avion aller-retour;

• présenter un passeport en cours de validité (les enfants de moins de 15 ans peuvent être inscrits sur le passeport de leurs parents);

• présenter un passeport individuel à lecture optique (y compris pour les enfants, quel que soit leur âge): à défaut, l'obtention d'un visa sera obligatoire;

• projeter un séjour de 90 jours maximum (le séjour ne peut être prolongé sur place: le visiteur ne peut changer de statut, accepter un emploi ou étudier);

• présenter des preuves de solvabilité (carte de crédit, chèques de voyage);

• remplir le formulaire de demande d'exemption de visa (formulaire I-94W) remis par la compagnie de transport pendant le vol.

Les citoyens **belges** qui souhaitent se rendre aux États-Unis dans le cadre du Programme d'exemption de visa doivent présenter un passeport à lecture optique délivré par le Gouvernement belge. Les citoyens belges encore en possession d'un passeport ancien modèle,

toujours valide, peuvent continuer à l'utiliser à condition toutefois d'obtenir un visa pour se rendre aux États-Unis.

Notez que les États-Unis imposent des prises d'empreintes digitales et de photographies d'identité à **tous les ressortissants étrangers**, y compris ceux des pays occidentaux n'ayant pas besoin de visa pour entrer aux États-Unis, **sauf les Canadiens** (et les Mexicains). Cette mesure, qui sera en vigueur au moins jusqu'en 2007, mettra fin à une disposition qui permettait aux ressortissants de 27 pays pour la plupart européens d'entrer aux États-Unis pour des séjours de moins de trois mois sans avoir à se soumettre à une prise d'empreintes digitales et de photographies d'identité.

Prolongation sur place

Il faut adresser sa demande **par écrit** au moins un mois **avant** l'expiration du visa (date généralement inscrite dans le passeport) à l'un des centres de Citoyenneté et Immigration Canada. Votre passeport valide, un billet de retour, une preuve de fonds suffisants pour couvrir le séjour ainsi que 75$ pour les frais de dossier (non remboursables) vous seront demandés. Avertissement: dans certains cas (études, travail), la demande doit obligatoirement être faite **avant** l'arrivée au Canada. Communiquez avec **Citoyenneté et Immigration Canada** (☎416-973-4444, *www.cic.gc. ca*).

Douane

Si vous apportez des cadeaux à des amis canadiens, n'oubliez pas qu'il existe certaines restrictions.

Pour les fumeurs (l'âge minimal en Ontario est de 19 ans), la quantité maximale est de 200 cigarettes, 50 cigares, 200 g de tabac ou 400 bâtonnets de tabac.

Pour les alcools, le maximum permis est de 1,5 litre de vin (en pratique, on tolère deux bouteilles par personne), 1,14 litre de spiritueux et, pour la bière, 24 canettes ou bouteilles de 355 ml. L'âge minimal pour consommer de l'alcool en Ontario est de 19 ans.

Végétaux et nourriture: il existe des règles très strictes concernant l'importation de plantes ou de fleurs; aussi est-il préférable, en raison de la sévérité de la réglementation, de ne pas apporter ce genre de cadeau. Si toutefois cela s'avère «indispensable», il est vivement conseillé de s'adresser au service de Douane-Agriculture de l'ambassade du Canada de votre pays **avant** de partir.

Animaux: si vous êtes un étranger et que vous voyagiez avec un animal de compagnie, il vous sera demandé un certificat de santé (document fourni par un vétérinaire) ainsi qu'un certificat de vaccination contre la rage. Avertissement: la vaccination de l'animal devra avoir été faite **au moins 30 jours avant** votre départ et ne devra pas être plus ancienne qu'un an.

Remboursement de taxes aux visiteurs: il existe une possibilité de vous faire rembourser les taxes perçues sur vos achats (voir p 79).

Ambassades et consulats

Ambassades du Canada à l'étranger

Belgique
Avenue de Tervueren, 2
1040 Bruxelles, métro Mérode
☎ *741 06 11*
⇄ *741 06 43*

France
35 av. Montaigne, 75008 Paris
métro Franklin Roosevelt
☎ *01.44.43.29.00*
⇄ *01.44.43.29.99*

Suisse
Kirchenfeldstrasse, 88,
P.O. Box 3005, Berne
☎ *357 32 00*
⇄ *357 32 10*

Consulats et ambassades en Ontario

Les consulats et ambassades en Ontario peuvent fournir une aide précieuse aux visiteurs qui se trouvent en difficulté (par exemple en cas d'accident ou

Renseignements généraux

de décès, fournir le nom de médecins ou d'avocats, etc.). Toutefois, seuls les cas urgents sont traités. Il faut noter que les coûts relatifs à ces services ne sont pas défrayés par les missions consulaires.

Belgique
Ambassade de Belgique
80 Elgin Street, 4e étage, Ottawa, K1P 1B7
☎*(613) 236-7267*
⇄*(613) 236-7882*

Consulat de Belgique
2 Bloor Street West, bureau 2006, Toronto, N4W 3E2
☎*(416) 944-1422*
⇄*(416) 944-1421*

France
Ambassade de France
42 Sussex Drive, Ottawa, K1M 2C9
☎*(613) 789-1795*
⇄*(613) 562-3704*
www.ambafrance-ca.org

Consulat de France
130 Bloor Street West, bureau 400, Toronto, M5S 1N5
☎*(416) 925-8041*
⇄*(416) 925-3076*
www.consulfrance-toronto.org

Suisse
Ambassade de Suisse
5 Malborough Avenue, Ottawa, K1N 8E6
☎*(613) 235-1837*
⇄*(613) 563-1394*

Consulat de Suisse
154 University Avenue, bureau 601, Toronto, M5H 3Y9
☎*(416) 593-5371*
⇄*(416) 593-5083*

Renseignements touristiques

L'indicatif régional de Toronto est le 416, sauf indication contraire.

À l'étranger

Quelques représentations diplomatiques canadiennes possèdent également, au sein de leur ambassade, un département de tourisme qui peut fournir des brochures d'ordre général sur l'Ontario.

France
Ambassade du Canada
Service tourisme
35 av. Montaigne, 75008 Paris
métro Franklin Roosevelt
lun-ven 14h à 17h
☎*01.44.43.29.00*
⇄*01.44.43.29.99*
Minitel: *3615 Canada*
Au ☎*01.44.43.25.07*, un système automatisé permet d'obtenir rapidement de l'information touristique 24 heures sur 24.

À Paris, vous pourrez également vous procurer des livres et des guides de voyage aux adresses suivantes:

Librairie Canadienne
Abbey Bookshop
29 rue de la Parcheminerie
☎*01.46.33.16.24*
⇄*01.46.33.03.33*

Librairie du Québec
30 rue Gay-Lussac
☎*01.43.54.49.02*
≈*01.43.54.39.15*

Suisse
Welcome to Canada!
Freihofstrasse, 22, 8700 Künacht
☎*913 32 30*
≈*913 32 23*

À Toronto

Tourism Toronto
lun-ven 8h30 à 17h30
207 Queen's Quay W., Suite 590,
M5J 1A7
☎*(613) 203-2500 ou*
800-363-1990
www.torontotourism.com
Le personnel de ce bureau
d'information touristique se
montre très serviable, et il se
fera un plaisir de répondre à
vos questions. On y trouve une
bonne sélection de brochures.
Toutefois, pour de l'information
complète, contactez:

**Ontario Travel Information
Centre**
*toute l'année lun-ven 10h à 21h,
sam 9h30 à 18h, dim 12h à 17h*
à l'étage inférieur de l'Eaton Centre, à
l'angle des rues Queen et Yonge
☎*800-668-2746*
www.ontariotravel.net

Travellers' Aid Society
Union Station
☎*366-7788*
Coach Terminal
☎*596-8647*
Pearson International Airport
Terminal 1
☎*(905) 676-2868*

Terminal 2
☎*(905) 676-2869*
Terminal 3
☎*776-5890*
La Travellers' Aid Society est un
organisme géré par des béné-
voles qui peut vous renseigner
sur les hôtels, les restaurants,
les attraits et les transports dans
la ville.

L'accès à la ville

En avion

Aéroport international
Pearson de Toronto

Le **Toronto Pearson International Airport** (☎*247-7678 ou
416-airport, www.gtaa.com*)
accueille les vols internationaux,
ainsi que divers vols nationaux
en provenance des autres provinces canadiennes. Il s'agit du
plus grand et du plus achalandé
des aéroports canadiens.

Outre les services courants
offerts dans les aéroports internationaux (boutiques hors
taxes, cafétéria, restaurants,
postes Internet, etc.), vous
pourrez y trouver un bureau de
change. Plusieurs entreprises de
location de voitures y sont
également représentées. Des
autobus font la navette entre les
trois aérogares de l'aéroport.

**Si vous désirez des renseigne-
ments concernant un vol:**

Terminal 1
☎*247-7678*

Renseignements généraux

Terminal 2
☎247-7678

Terminal 3
☎776-5100

Accès au centre-ville par voiture

L'aéroport est situé à 27 km du centre-ville. En voiture, prenez soit l'autoroute 427 en direction sud ou l'autoroute 409 en direction ouest, jusqu'à la Queen Elizabeth Way East, que vous emprunterez jusqu'à la Gardiner Expressway. Prenez ensuite la sortie York, Yonge ou Bay vers le centre-ville.

Location de voitures à l'aéroport

Avis
Terminal 1
☎(905) 676-1032
Terminal 2
☎(905) 676-1057
Terminal 3
☎(905) 676-1034

Budget
Terminal 1
☎(905) 676-1500
Terminal 2
☎(905) 676-0521
Terminal 3
☎(905) 676-0522

Hertz
☎674-2020

Thrifty
☎(905) 673-8811

National
☎(905) 676-2647

Pour de l'information sur la conduite automobile et la location de voitures, voir p 64.

Accès au centre-ville par taxi

Si vous ne disposez pas d'une voiture, sachez qu'une course en taxi jusqu'au centre-ville coûte environ 45$.

Accès au centre-ville par autocar

Vous pouvez également profiter du service de navette par autocar, l'***Airport Express*** *(15,50$ aller simple, 26,75$ aller-retour;* ☎*905-564-6333 ou 800-387- 6787, www.torontoair portexpress.com)* reliant l'aéroport à divers points du centre-ville, y compris certains des grands hôtels. Il s'agit là d'un moyen économique pour se rendre en ville, même si vous ne logez pas dans un des hôtels que l'autocar croise sur sa route. Cette navette assure jour et nuit la liaison entre les trois aérogares de l'aéroport et le centre-ville, et vice versa. De l'aéroport, les départs se font aux 20 min ou 30 min; du centre-ville, le même horaire s'applique, avec des arrêts à divers points comme le Delta Chelsea, le Sheraton Centre, le Fairmont Royal York Hotel et le Toronto Bus Terminal. Ces autocars ont en outre l'avantage d'être équipés pour transporter les voyageurs à mobilité réduite; on a prévu un espace suffisant pour deux fauteuils roulants, des inscriptions en braille et des signaux visuels pour annoncer les arrêts.

Accès au centre-ville par limousine

Enfin, vous avez la possibilité d'effectuer le trajet entre l'aéroport et la ville en limousine par l'entremise d'**Official Airport Limousine** *(☎905-624-2424 ou 800-465-3434)*.

Toronto City Centre Airport

Cet aéroport local se trouve sur Hanlan's Point, aux îles de Toronto. Vous pouvez l'atteindre grâce à une navette spéciale dont l'embarcadère se trouve au pied de Bathurst Street. Les départs se font aux 15 min. Pour de l'information, composez le ☎(416) 203-6942.

Cet aéroport est desservi par des vols en provenance de Newark, Montréal, Ottawa et London, Ontario.

En voiture

La plupart des visiteurs qui arrivent de l'est ou de l'ouest en voiture entreront à Toronto par l'autoroute 401, qui traverse la portion nord de la ville. Si vous venez de l'ouest, prenez la route 427 vers le sud jusqu'au Queen Elizabeth Way (QEW) Eastbound. Poursuivez par cette voie (qui devient par la suite la Gardiner Expressway) et sortez à la rue York, Bay ou

Yonge pour aller au centre-ville. Si vous venez de l'est par la 401, empruntez la Don Valley Parkway vers le sud jusqu'à la Gardiner Expressway, que vous suivrez vers l'ouest jusqu'à la sortie York, Bay ou Yonge. Quant à ceux qui arrivent des États-Unis, ils doivent suivre la QEW vers l'est, sur les rives du lac Ontario, jusqu'à ce qu'elle devienne la Gardiner Expressway, pour ensuite sortir à la rue York, Bay ou Yonge. Notez que la circulation peut être très dense aux heures de pointe sur les grands axes routiers de Toronto.

En autocar

Les services d'autocars en direction et en provenance de Toronto sont assurés par Greyhound. Les départs sont fréquents aussi bien vers les villes éloignées que vers celles qui se trouvent plus près de Toronto. Voilà un moyen pratique et abordable d'atteindre la Ville reine si vous ne disposez pas d'une voiture, quoique certains trajets puissent être longs. À titre d'exemple, la durée du trajet est de 6 heures 45 min au départ de Montréal et de 5 heures 30 min au départ d'Ottawa.

Sur toutes les lignes, les animaux ne sont pas admis. En général, les enfants de cinq ans et moins sont transportés gratuitement. Les personnes de 60 ans et plus ont droit à des rabais.

Renseignements généraux

La gare routière de Toronto (Toronto Coach Terminal) se trouve en plein centre-ville, au 610 Bay Street; pour de l'information sur les horaires et les villes desservies par autocar, adressez-vous à:

Greyhound Lines of Canada
610 Bay St.
☎*(416) 594-1010*
www.greyhound.ca

En train

VIA Rail est la seule compagnie qui assure la liaison par train entre les provinces canadiennes, et elle dessert plusieurs villes du nord et du sud de l'Ontario. Des départs se font chaque jour de Montréal, Ottawa et Windsor vers Toronto.

Tous les trains arrivent à l'**Union Station** *(65-75 Front St. W., entre York St. et Bay St.,* ☎*800-361-1235).*

VIA Rail offre un trajet de nuit entre Montréal et Toronto, et vice versa. La classe Constellation est le nom donné à ce service de train qui part de chacune de ces villes à 23h, avec arrivée à 8h. Elle comprend la couchette, la douche et le petit déjeuner, et l'aller-retour coûte entre 262$ et 383$ (plus taxes) si les billets sont achetés au moins sept jours d'avance.

Vos déplacements à Toronto

La communauté urbaine de Toronto regroupe six municipalités: la ville de Toronto, la municipalité d'East York et les villes de York, North York, Scarborough et Etobicoke. L'agglomération de Toronto englobe également des municipalités qui débordent des cadres de l'agglomération proprement dite, comme Mississauga et Markham. Toronto s'impose comme la plus grande ville canadienne avec une agglomération de 5,2 millions d'habitants.

Le quadrillage des rues de Toronto facilitera vos déplacements. La rue Yonge (prononcer *young*) est la principale artère nord-sud, et elle divise les parties est et ouest de la ville. Elle s'étire en outre sur une distance de 1 896 km, soit des rives du lac Ontario à Rainy River, ce qui en fait la plus longue rue du monde.

Le suffixe «East» ou «E.», qui s'attache au nom de certaines rues, indique que les adresses en question se trouvent à l'est de Yonge Street; inversement, une adresse se lisant «299 Queen Street W.» se trouve quelques rues à l'ouest de Yonge Street. Le centre-ville de Toronto est généralement identifié comme le quartier qui s'étend au sud de Bloor Street entre Spadina Avenue et Jarvis Street.

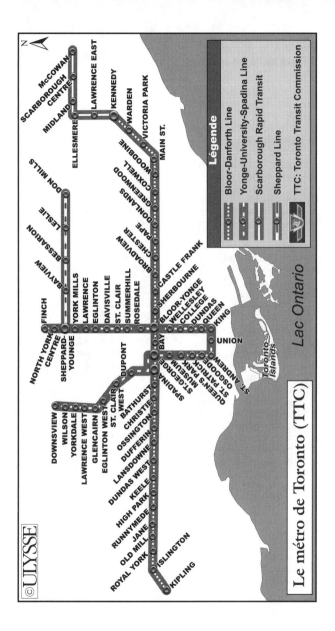

Le métro de Toronto (TTC)

Légende

Bloor-Danforth Line
Yonge-University-Spadina Line
Scarborough Rapid Transit
Sheppard Line
TTC: Toronto Transit Commission

Lac Ontario

Toronto Islands

N

McCOWAN
SCARBOROUGH CENTRE
LAWRENCE EAST
MIDLAND
KENNEDY
ELLESMERE
LAWRENCE EAST
WARDEN
VICTORIA PARK
MAIN ST.
WOODBINE
COXWELL
GREENWOOD
DONLANDS
PAPE
CHESTER
BROADVIEW
CASTLE FRANK
SHERBOURNE
BLOOR-YONGE
WELLESLEY
COLLEGE
DUNDAS
QUEEN
KING
UNION

DON MILLS
LESLIE
BESSARION
BAYVIEW
FINCH
NORTH YORK CENTRE
SHEPPARD-YONGE
YORK MILLS
LAWRENCE
EGLINTON
DAVISVILLE
ST. CLAIR
SUMMERHILL
ROSEDALE

DOWNSVIEW
WILSON
YORKDALE
LAWRENCE WEST
GLENCAIRN
EGLINTON WEST
ST. CLAIR WEST
DUPONT
SPADINA
ST. GEORGE
MUSEUM
QUEEN'S PARK
ST. PATRICK
OSGOODE
ST. ANDREW

BATHURST
CHRISTIE
OSSINGTON
DUFFERIN
LANSDOWNE
DUNDAS WEST
KEELE
HIGH PARK
RUNNYMEDE
JANE
OLD MILL
ROYAL YORK
ISLINGTON
KIPLING

BAY

Transports en commun

Les transports en commun de Toronto, qu'il s'agisse du métro, des autobus ou des tramways, sont gérés par la **Toronto Transit Commission** (TTC). Il existe trois lignes de métro: la ligne jaune (Yonge-University – Spadina Line) forme un *U* et épouse un tracé nord-sud, la courbe inférieure du *U* correspondant à l'Union Station; la ligne verte (Bloor-Danforth Line) court d'est en ouest le long de Bloor Street et de Danforth Street entre Kennedy Road et Kipling Road; la ligne bleue (Scarborough Rapid Transit) file vers le nord et l'est jusqu'à Ellesmere Road. Il y a en outre le Harbourfront LRT, qui part de l'Union Station et longe le Queen's Quay jusqu'à Spadina Avenue. Quant au train de la banlieue est et ouest, on le désigne du nom de *GO*. Tous accessibles de la station Union sur Bay Street et Front Street, ces trains sont sûrs et propres. Les autobus et les tramways sillonnent pour leur part les principales artères de la ville. Vous pouvez effectuer des correspondances entre autobus, tramways et métro sans avoir à payer de nouveau, mais n'oubliez pas de vous munir d'un billet de correspondance. Procurez-vous également un exemplaire du *TTC's Ride Guide*, qui identifie la majorité des attraits principaux et vous indique comment y aller en transport en commun.

Il est à noter que les panneaux d'arrêt du métro de surface sont petits et souvent délavés, donc difficiles à repérer de loin. Ouvrez bien les yeux!

La TTC propose par ailleurs un service de transport pour les usagers en fauteuil roulant, connu sous le nom de "Wheel-Trans". Les coûts sont les mêmes que pour les transports réguliers, et le service est assuré de porte à porte. Il suffit de réserver sa place une journée à l'avance au ☎ 393-4222.

Un titre de passage unique coûte 2,25$ pour un adulte, 1,50$ pour un aîné ou un étudiant (vous devez posséder une carte d'étudiant de la TTC) et 0,50$ pour un enfant de moins de 12 ans. Un jeu de cinq billets ou jetons pour adulte vous coûtera 9$, un jeu de 10 billets ou jetons pour étudiant ou aîné 12$ et un jeu de 10 billets ou jetons pour enfant 4$. Si vous songez à faire plusieurs déplacements à l'intérieur d'une même journée, procurez-vous un laissez-passer d'un jour (*day pass*) au coût de 7,50$; vous pourrez ainsi vous déplacer autant de fois que vous le voudrez sans avoir à payer de nouveau. L'économie devient encore plus évidente le dimanche, lorsque le laissez-passer en question peut être utilisé par deux adultes ou par une famille (deux adultes et quatre enfants ou un adulte et cinq enfants). Un laissez-passer mensuel se vend 93,50$ pour un adulte et 80$ pour un étudiant ou un aîné.

Toronto sur les rails

Dans les années 1820, la situation du transport en commun à Toronto était plutôt chaotique. Neuf systèmes et réseaux différents, administrés par quatre compagnies, offraient des services de qualité bien moyenne. Les usagers devaient payer des tarifs différents selon les réseaux utilisés, lesquels ne couvraient pas tout le territoire et, surtout, n'étaient même pas reliés entre eux.

La plus importante des compagnies, la **Toronto Railway Company**, disposait de véhicules désuets et refusait de desservir les nouveaux territoires qui se développaient à une rythme incessant. Malgré ces débuts difficiles, le premier service de véhicules tirés par des chevaux est institué sur Yonge Street en 1861. Trente ans plus tard, le 15 août 1891, le premier tramway électrique parcourt Church Street. Malgré ces améliorations techniques, le service demeurait fort boiteux

et attirait le mécontentement des usagers. Face aux pressions croissantes de la population, le gouvernement de l'Ontario crée la **Toronto Transit Commission** en 1920. La flotte des tramways est changée et le service uniformisé et grandement amélioré. Le transport urbain dans le florissant Toronto était dorénavant sur les rails.

Aujourd'hui le tramway fait toujours partie du paysage torontois, et bien malin celui qui pourrait trouver un de ses habitants qui n'ait jamais utilisé ce mode de transport, par ailleurs disparu de la plupart des grandes villes nord-américaines.

Renseignements généraux

Les conducteurs d'autobus et de tramway ne font pas de la monnaie; vous pouvez au besoin vous procurer vos billets aux comptoirs du métro et dans certains commerces (Shopper's Drug Mart).

Pour tout renseignement concernant les trajets et les horaires, composez le ☎ 393-4636; pour les tarifs en vigueur ou toute autre information, composez plutôt le ☎ 393-8663.

En voiture

Toronto étant bien desservie par les transports publics et le taxi, il n'est pas nécessaire d'utiliser une voiture pour la visiter. D'autant plus que la majorité des attraits touristiques sont relativement rapprochés les uns des autres et que toutes les promenades que nous vous proposons se font à pied, sauf celles de l'est, du nord et des chutes du Niagara. Il est néanmoins aisé de se déplacer en voiture. Au centre-ville, les places de stationnement, bien qu'assez chères, sont nombreuses. Il est possible de se garer dans la rue, mais il faut être attentif aux panneaux limitant les périodes de stationnement. Le contrôle des véhicules mal garés est fréquent et sévère.

Quelques conseils

Permis de conduire: le permis de conduire du Québec et des pays d'Europe de l'Ouest est valide tant au Canada qu'aux États-Unis.

L'hiver: bien que les routes soient en général très bien dégagées, il faut tout de même considérer les dangers que peuvent entraîner les conditions climatiques, en particulier la chaussée glissante et la visibilité réduite.

Le code de la route: il n'y a pas de priorité à droite. Ce sont les panneaux de signalisation qui indiquent, à chaque intersection, la priorité. Les panneaux marqués «STOP» sur fond rouge sont à respecter scrupuleusement! Il faut que vous marquiez l'arrêt complet même s'il vous semble n'y avoir aucun danger apparent.

Les feux de signalisation: ils sont le plus souvent situés de l'autre côté de l'intersection. Donc, faites attention où vous marquez l'arrêt.

Sauf indication contraire, il est permis de **tourner à droite an feu rouge** lorsque la voie est libre.

Lorsqu'un **autobus scolaire** (de couleur jaune) est à l'arrêt (feux clignotants allumés), **vous devez vous arrêter, quelle que soit la voie où vous circulez**. Tout manquement à cette règle est considéré comme une faute grave!

Le port de la **ceinture de sécurité est obligatoire**, même pour les passagers arrière.

Le bateau touristique *Maid of the Mist* entraîne ses passagers dans la rivière Niagara où se déversent les eaux agitées des chutes éponymes. *Patrick Escudero*

Les édifices patrimoniaux de l'University of Toronto avoisinent de beaux jardins paysagers dont les fleurs éclatent de couleurs durant la belle saison.
-Patrick Escudero

Dans le quartier des affaires, les contrastes architecturaux s'offrent discrètement aux passants qui osent admirer les corniches anciennes.
Patrick Escudero

Les autoroutes sont gratuites partout en Ontario (à l'exception de l'autoroute 407), et la vitesse y est limitée à 100 km/h. Sur les routes principales, la limite de vitesse est de 90 km/h et de 50 km/h dans les zones urbaines.

Les postes d'essence: le Canada étant un pays producteur de pétrole, l'essence est nettement moins chère qu'en Europe. À certains postes d'essence (surtout en ville), il se peut qu'après 23h on vous demande de payer d'avance par simple mesure de sécurité.

Location de voitures

Un forfait incluant avion, hôtel et voiture ou simplement hôtel et voiture peut être moins cher que la location sur place. Nous vous conseillons de comparer. De nombreuses agences de voyages travaillent de concert avec les firmes les plus connues (Avis, Budget, Hertz et autres) et proposent des promotions avantageuses.

Sur place, vérifiez si le contrat comprend le kilométrage illimité ou non, et si l'assurance proposée vous couvre complètement (accident, dégâts matériels, frais d'hôpitaux, passagers, vols).

Certaines cartes de crédit vous assurent automatiquement contre les collisions et le vol du véhicule; avant de louer un véhicule, vérifiez que votre carte vous offre bien ces deux protections.

Il faut avoir un minimum de 21 ans et posséder son permis depuis **au moins un an** pour louer une voiture. De plus, si vous avez entre 21 et 25 ans, certaines entreprises de location imposeront une franchise collision de 500$ et parfois un supplément journalier. À partir de l'âge de 25 ans, ces conditions ne s'appliquent plus.

Une carte de crédit est indispensable pour le dépôt de la garantie si vous ne voulez pas bloquer d'importantes sommes d'argent.

Dans la majorité des cas, les voitures louées sont dotées d'une transmission automatique.

Les sièges de sécurité pour enfants sont en supplément dans la location.

Entreprises de location

Pour les entreprises de location situées à l'aéroport international Lester B. Pearson, voir p 58.

Avis
☎ *800-879-2847*
BCE Place, 161 Bay St.
☎ *777-2847*
Hudson Bay Centre, 80 Bloor St. E.
☎ *964-2051*

Budget
141 Bay St.
☎ *364-7104*
1319 Bay St.
☎ *961-3932*
150 Cumberland St.
☎ *927-8300*

Renseignements généraux

Hertz
128 Richmond St. E.
☎363-9022
80 Bloor St. W.
☎961-3320

Thrifty
Eaton Centre, 220 Yonge St.
☎591-0861
100 Front St. W.
☎947-1385
7 Erskine Ave.
☎482-1400

National Car Rental
à l'angle de Yonge St. et de Bloor St.
☎925-4551
Union Station
☎364-4191

Accidents et pannes

En cas d'accident grave, d'incendie ou d'autre urgence, faites le ☎911 ou le **0**. Si vous vous trouvez sur l'autoroute, rangez-vous sur l'accotement et faites fonctionner vos feux de détresse.

S'il s'agit d'une voiture de location, vous devrez avertir au plus tôt le centre de location. N'oubliez jamais de remplir une déclaration d'accident (constat à l'amiable). En cas de désaccord, demandez l'aide de la police.

Si vous projetez de faire un long voyage et que vous ayez résolu d'acheter une voiture, sachez qu'il serait sage de devenir membre de la Canadian Automobile Association (CAA), qui offre un service d'assistance aux automobilistes partout en Ontario et dans le reste du Canada. Si vous êtes déjà membre d'une association comparable dans votre pays d'origine (Automobile Club de Suisse, Royal Automobile Touring Club de Belgique, etc.), vous pourrez également vous prévaloir de certains des services du CAA. Pour de plus amples renseignements, adressez-vous directement à votre association ou encore au **CAA** (☎800-268-3750).

En taxi

Co-op Cabs
☎504-2667

Metro/Yellow Cab
☎504-4141

À pied

La ville souterraine de Toronto, appelée **PATH**, est une des plus vastes du Canada. Ses ramifications s'étendent sous les rues de l'Union Station (Front Street) jusqu'à l'Atrium on Bay (Dundas Street). Refuge idéal par les froides journées d'hiver, son réseau de couloirs donne accès entre autres à plusieurs magasins et restaurants.

À vélo

L'un des moyens les plus agréables pour se déplacer en été est sans doute la bicyclette. Des pistes cyclables ont été aménagées pour permettre aux cyclistes de se déplacer ou d'explorer différents quartiers de la ville. L'une des plus intéressantes est la **Martin Goodman Trail**, qui longe la rive du lac Ontario entre High Park et The Beaches.

Il existe deux plans gratuits des pistes cyclables de Toronto. L'un d'eux est publié par le magasin **Sports Swap**, et vous pouvez vous le procurer sur place *(2045 Yonge St.,* ☎*481-0246)* de même qu'au comptoir d'information touristique de l'hôtel de ville de Toronto ou du Metro Hall. L'autre est publié par **Metro Parks and Culture** et est offert à l'hôtel de ville ou au Metro Hall *(pour de plus amples renseignements, composez le* ☎*392-8186).*

Étant donné que les automobilistes ne sont pas toujours attentifs, les cyclistes doivent se montrer alertes, respecter la signalisation (ainsi que la loi les y oblige) et faire preuve de prudence aux intersections, surtout qu'il est permis aux automobilistes de tourner à droite au feu rouge lorsque la voie est libre. Notez par ailleurs que le port du casque protecteur est obligatoire à Toronto. Pour connaître les endroits où vous pouvez louer une bicyclette, reportez-vous au chapitre «Activités de plein air», p 190.

En patin à roues alignées

La popularité croissante du patin à roues alignées s'est installée de façon spectaculaire à Toronto. Malheureusement,

selon le code de la sécurité routière, faire du patin à roues alignées dans les rues des villes canadiennes est formellement interdit. Toutefois, la pratique du patin à roues alignées est permise sur les pistes cyclables de la ville, de même qu'aux îles de Toronto, où les amateurs de patin peuvent s'adonner à cette activité à loisir sans risquer d'être frappés par une voiture. Cet engouement pour le patin s'est traduit par l'ouverture de nombreuses boutiques spécialisées qui vendent ou louent des patins ainsi que tout l'équipement nécessaire pour pratiquer ce sport, et qui souvent proposent des cours d'initiation. Voir le chapitre «Activités de plein air» pour des adresses de location, p 190.

Tours organisés

Plusieurs entreprises organisent des balades à Toronto, proposant aux visiteurs de partir à la découverte de la ville d'une façon différente. Ainsi, les visites à pied permettent de découvrir des quartiers bien précis de la ville, alors que les visites en bus en donnent une vue d'ensemble. Avec les croisières, on peut observer une facette nouvelle de la ville, soit une perspective à partir du lac. Bien que les options soient multiples, il convient de mentionner quelques-unes d'entre elles qui valent particulièrement le déplacement.

Toronto souterrain

N

DUNDAS
Dundas Street
QUEEN
OSGOODE
Queen Street
Richmond Street
Adelaide Street
ST. ANDREW
King Street
KING
Wellington Street
Front Street
UNION

Simcoe St.
University Ave.
Bay St.
Yonge St.

Lac Ontario

○ Station de métro

● ATTRAITS

1. First Canadian Place
2. Sun Life Centre
3. MetroCentre
4. Roy Thompson Hall
5. SkyDome
6. CN Tower
7. Royal York Hotel
8. Union Station
9. Royal Bank Plaza
10. BCE Place
11. Hockey Hall of Fame
12. T-D Centre
13. Commerce Court
14. Scotia Plaza
15. Eaton Centre
16. The Hudson's Bay Company
17. Atrium on Bay
18. City Hall
19. Air Canada Centre

©ULYSSE

À pied ou à vélo

A Taste of the World – Neighbourhood Bicycle Tours & Walks
P.O. Box 659, Station P, M5S 2Y4
☎923-6813
Abordant des thèmes culinaires, littéraires et fantasmagoriques, des circuits autour du Chinatown, de Cabbagetown et des Beaches vous sont proposés par Shirley Lum, une énergique Torontoise qui partagera avec vous certains secrets bien gardés sur les quartiers de la ville. Le circuit du Chinatown, avec *dim sum*, compte parmi les favoris.

Royal Ontario Museum (ROM)
100 Queen's Park
☎586-5549
Le ROM propose des visites historiques à pied dans la ville.

Toronto Historical Board (Heritage Toronto)
205 Yonge St.
☎392-6827, poste 233
Les circuits organisés par Heritage Toronto sont tout indiqués pour les amateurs d'histoire puisqu'ils donnent l'occasion de visiter certains des sites les plus fascinants de la ville à ce chapitre.

En autobus

Gray Line
☎594-3310
Gray Line organise plusieurs visites de la ville (d'une durée de deux heures à trois heures et demie) de même qu'une excursion à Niagara Falls. On cueille les passagers en divers points du centre-ville avant le départ comme tel, qui s'effectue de la gare routière située à l'angle de Bay Street et de Dundas Street.

En bateau

Mariposa Cruise Line
207 Queen's Quay W., Suite 415, M5J 1A7
☎203-0178 ou 800-976-2442
Les croisières quotidiennes que cette entreprise propose autour du port présentent une autre perspective de la trépidante métropole. Des croisières déjeuner et dîner sont aussi organisées.

Great Lakes Schooner Company
249 Queen's Quay W., Suite 11, M5J 2N5
☎260-6355
Cette agence de tourisme propose toute une gamme de circuits à Toronto même et dans les environs. Vous pourrez aussi bien profiter d'une croisière prolongée sur le lac Ontario que d'une visite du port à bord d'un authentique grand voilier.

Banques et change

Banques

On peut retirer de l'argent dans n'importe quel guichet automatique, partout au Canada, grâce aux réseaux Interac et Cirrus. La majorité des guichets sont

Renseignements généraux

Taux de change

1$CA	=	0,61€ (euro)	1€ (euro)	=	1,63$CA
1$CA	=	0,81$US	1$US	=	1,22$CA
1$CA	=	0,94FS	1FS	=	1,06$CA

N.B. Les taux de change peuvent fluctuer en tout temps.

ouverts en tout temps. La plupart des guichets automatiques accepteront les cartes de banques européennes, et vous pourrez alors retirer de votre compte directement. Il est possible d'obtenir de l'argent à partir de la carte de crédit, mais il s'agit alors d'une avance de fonds, et le taux d'intérêt sur la somme ainsi prêtée est élevé.

De nombreuses banques offrent aux touristes la plupart des services courants, attention cependant aux commissions. Pour ceux et celles qui ont choisi un long séjour, notez qu'une personne **non résidente** ne peut ouvrir un compte bancaire courant. Dans ce cas, pour avoir de l'argent liquide, la meilleure solution demeure encore d'être en possession de chèques de voyage. Le retrait de votre compte à l'étranger s'avère coûteux, car les frais de commission sont élevés. Les personnes qui ont obtenu le statut de résident, permanent ou non (immigrants, étudiants), peuvent ouvrir un compte de

banque. Il leur suffira, pour ce faire, d'apporter leur passeport ainsi qu'une preuve de leur statut de résident.

Les banques sont ouvertes du lundi au vendredi de 10h à 15h. La plupart d'entre elles sont ouvertes les jeudis et les vendredis jusqu'à 18h et même 20h.

Cartes de crédit

Considérées par certains comme le symbole même du continent nord-américain, la plupart des cartes de crédit sont acceptées, tant pour les achats de marchandises que pour régler la note d'hôtel ou l'addition au restaurant. Le principal avantage d'une carte de crédit réside surtout dans l'absence de manipulation d'argent, mais également dans le fait qu'elle vous permettra (par exemple, lors de la location d'une voiture) de constituer une garantie et d'éviter

ainsi un dépôt important en espèces. Les plus utilisées sont Visa (Carte Bleue), MasterCard et American Express.

Pour les cartes de crédit et les chèques de voyage perdus ou volés:

American Express
☎*800-221-7282*

MasterCard
☎*232-8020 ou 800-263-2263*

Visa
☎*800-336-8472*

Diners Club
☎*800-363-3333*

Chèques de voyage

N'oubliez pas que les dollars canadiens et américains sont différents. Aussi, si vous ne songez pas à vous rendre aux États-Unis lors d'un même voyage, il serait préférable de faire émettre vos chèques en dollars canadiens. Cela vous évitera de perdre au change. Les chèques de voyage sont généralement acceptés dans la plupart des grands magasins et dans les hôtels, mais il vous sera plus économique de les encaisser dans les endroits indiqués plus haut. À Toronto, on peut se procurer des chèques de voyage en devises canadiennes ou américaines dans la plupart des banques.

Bureaux de change

Au centre-ville, se trouvent plusieurs banques proposant un service de change des devises étrangères. Dans la majorité des cas, ces institutions demandent des frais de change à moins que vous changiez de l'argent comptant. Les bureaux de change, quant à eux, n'en exigent pas toujours, mais offrent parfois un taux moins compétitif; il faut se renseigner sur place. Mentionnons que la majorité des banques changent les dollars américains et que la plupart sont en mesure de changer les euros.

Thomas Cook Foreign Exchange
9 Bloor St. W.
☎*923-6549 ou 923-6872*
218 Yonge St. (Eaton Centre)
☎*979-1590*

American Express
50 Bloor St. W. (niveau Concourse)
☎*967-3411*
100 Front St. W. (Fairmont Royal York Hotel)
☎*363-3883*

Monnaie

L'unité monétaire est le dollar ($), lui-même divisé en cents. Un dollar = 100 cents (¢).

La Banque du Canada émet des billets de 5, 10, 20, 50 et 100 dollars, et des pièces de 1, 5, 10, et 25 cents, et de 1 et 2 dollars.

Renseignements généraux

Il se peut que vous entendiez parler de *pennies*, *nickels*, *dimes*, *quarters*, *loonies* et même parfois de *toonies*. Il s'agit en fait respectivement des 1¢, 5¢, 10¢, 25¢ et 1$ et 2$.

Poste et télécommunications

Poste

Postes Canada offre des services postaux fiables partout à travers le pays. Au moment de mettre sous presse, il en coûtait 0,49$ pour expédier une lettre au Canada, 0,80$ aux États-Unis et 1,40$ outre-mer.

Vous trouverez des bureaux de poste dans tous les quartiers de la ville. Vous pouvez vous procurer des timbres aux bureaux de poste même ou aux comptoirs postaux aménagés dans certaines pharmacies et certains magasins à rayons.

Information générale
☎979-8822

Succursales
31 Adelaide St. E.
595 Bay St.
1117 Queen St. W.

Téléphone

La plus grande partie de la ville de Toronto utilise l'indicatif régional ☎416, tandis que les villes voisines: Ajax, Kleinberg,

Malton, Mississauga et Oakville, utilisent le ☎905. Notez toutefois que, dans la majorité des cas, il n'y a pas de frais d'interurbain entre ces localités. Pour plus de précisions, consultez les premières pages d'un annuaire téléphonique (que vous trouverez dans n'importe quelle cabine téléphonique).

Sauf indication contraire, l'indicatif régional applicable aux numéros de téléphone mentionnés dans ce guide est le ☎416.

Sachez qu'un numéro de téléphone débutant par 1-800, 877 ou 888, n'entraîne pas de frais de communication, et ce, généralement peu importe où vous vous trouvez au Canada.

Les appareils téléphoniques se trouvent à peu près partout. Certains fonctionnent même avec une carte de crédit. Pour les appels locaux, la communication coûte 0,25$ pour une durée illimitée. Pour les interurbains, munissez-vous de pièces de 25 cents, ou bien procurez-vous une carte à puce d'une valeur de 10$, 15$ ou 20$ en vente dans les kiosques à journaux.

Internet

Grâce au réseau Internet, communiquer avec ceux et celles qui sont restés à la maison n'a jamais été aussi facile. En fait, les cartes postales seraient-elles sur le point de disparaître? Tout ce

Urgences

- Police, ambulance et pompiers: ☎911
- Urgence médicale 24 heures sur 24: ☎392-2000
- Urgence dentaire: ☎485-7121 ou 967-5649
- Hôpital pour enfants: 555 University: ☎813-1500
- Rape Crisis Hotline (viols): ☎597-8808
- Toronto Hospital (urgences): 150 Gerrard St. W., ☎340-3944

Renseignements généraux

que vous avez à faire, c'est d'obtenir une adresse électronique avant de partir. Quelque hôtels peuvent recevoir et envoyer du courrier électronique, mais généralement les frais qu'ils exigent sont supérieurs à ceux des cybercafés. Voici une adresse où naviguer au centre-ville:

Kinko
7,50$/h
459 Bloor St. W.
☎*928-0110*

Heures d'ouverture et jours fériés

Heures d'ouverture

Commerces

La loi sur les heures d'ouverture permet aux commerces d'ouvrir aux heures suivantes. Tel n'a pas toujours été le cas cependant, puisque l'Ontario respectait autrefois une loi (Lord's Day Act, ou «loi du jour du Seigneur») qui interdisait toute activité commerciale le dimanche.

● Du lundi au mercredi, de 8h à 21h; cependant, la plupart ouvrent à 10h et ferment à 18h.

● Le jeudi et le vendredi, de 8h à 21h; la majorité ouvrent à 10h.

● Le samedi, de 8h à 18h; plusieurs d'entre eux ouvrent à 10h.

● Le dimanche, de 8h à 17h; la plupart ouvrent à midi.

Jours fériés

Voici la liste des jours fériés en Ontario. À noter que la plupart des banques et des services administratifs sont fermés ces jours-là.

Nouvel An: *1ᵉʳ janvier* (plusieurs établissements sont aussi fermés le 2 janvier)

Vendredi saint ou **lundi de Pâques**

Fête de la Reine: *le lundi précédant le 25 mai*

Fête du Canada: *1ᵉʳ juillet*

Congé civique général: *premier lundi d'août*

Fête du Travail: *premier lundi de septembre*

Action de grâce: *deuxième lundi d'octobre*

Armistice: *11 novembre* (seuls les services gouvernementaux fédéraux et les banques sont fermés)

Noël: *25 décembre* (plusieurs établissements sont aussi fermés le 26 décembre).

Climat

Toronto bénéficie d'un climat relativement doux, du moins lorsqu'on compare la ville au reste du Canada. En été, le mercure peut grimper à plus de 30°C, et en hiver il peut descendre aux environs de −10 ou −15°C, bien que la température moyenne gravite plutôt autour de −6°C. De plus, les chutes de neige sont fréquentes.

Vous pourrez obtenir des renseignements sur la météo en composant le numéro suivant: ☎661-0123.

L'une des caractéristiques de l'Ontario par rapport à l'Europe est que les saisons y sont très marquées. Chacune des saisons en Ontario a son charme et influe non seulement sur les paysages, mais aussi sur le mode de vie des Ontariens et leur comportement.

Santé

Pour les personnes en provenance de l'Europe, aucun vaccin n'est nécessaire. En ce qui concerne l'assurance-maladie, il est vivement recommandé pour toutes les personnes qui résident en dehors de l'Ontario de souscrire à une assurance maladie-accident. Divers types d'assurances sont disponibles, et nous vous conseillons de les comparer. Emportez vos médicaments, surtout ceux qui exigent une ordonnance. Sauf indication contraire, l'eau est potable partout en Ontario.

Hébergement

Un vaste choix de lieu d'hébergement (dont 35 000 chambres d'hôtel pour tous les budgets) s'offre à vous dans la région de Toronto, les tarifs variant selon les saisons. L'été constitue la haute saison, bien que Toronto soit à longueur d'année une importante ville de congrès, de sorte qu'il vaut toujours mieux réserver à l'avance, quelle que soit la saison au cours de laquelle vous comptez y séjourner. Les fins de semaine du festival Caribana et du festival du film se révèlent particulièrement fréquentées, de même que les longues fins de semaine fériées canadiennes et américaines. Retenez toutefois que les prix sont généralement moins élevés les fins de semaine qu'en semaine.

Le choix est grand, et, suivant le genre de tourisme que l'on recherche, on choisira l'une ou l'autre des nombreuses formules proposées. En général, le niveau de confort est élevé, et plusieurs services sont souvent disponibles. Les prix varient selon le type d'hébergement choisi; sachez cependant qu'aux prix affichés il faut ajouter une taxe de 8% (la TPS: taxe fédérale sur les produits et les services) et la taxe de vente de l'Ontario de 7%. La TPS est toutefois remboursable aux non-résidents (voir p 79). Dans la mesure où vous souhaitez réserver (fortement conseillé en été!), une carte de crédit

s'avère indispensable car, dans plusieurs établissements, on vous demandera de payer à l'avance la première nuitée.

Vous trouverez un service de réservation à l'office de tourisme dans l'Eaton Centre. Vous pouvez également réserver une chambre par l'intermédiaire de **Tourism Ontario** (☎800-668-2746) ou de **Tourism Toronto** (☎800-363-1990). Des forfaits combinant hébergement et billets de spectacle sont souvent disponibles lorsque vous réservez par le biais de ces organismes.

Prix et symboles

Les tarifs mentionnés dans ce guide s'appliquent, sauf indication contraire, à une chambre pour deux personnes en haute saison.

$	50$ et moins
$$	50,01$ à 100$
$$$	100,01$ à 150$
$$$$	150,01$ à 200$
$$$$$	200,01$ et plus

Les tarifs d'hébergement sont souvent inférieurs aux prix mentionnés dans le guide, particulièrement si vous y séjournez en basse saison. De plus, plusieurs hôtels et auberges offrent des rabais substantiels aux professionnels (par l'entremise de leur association) ou aux membres de clubs automobiles (CAA). Donc, n'hésitez pas à demander au personnel des

Renseignements généraux

établissements hôteliers si vous pouvez bénéficier de rabais.

Les divers services offerts par chacun des établissement hôteliers sont indiqués à l'aide d'un petit symbole qui est expliqué dans la liste des symboles se trouvant dans les premières pages de ce guide. Rappelons que cette liste n'est pas exhaustive quant aux services offerts par chacun des établissements hôteliers, mais qu'elle représente les services les plus demandés par leur clientèle.

Il est à noter que la présence d'un symbole ne signifie pas que toutes les chambres du même établissement hôtelier offrent ce service; vous aurez à payer quelquefois des frais supplémentaires pour avoir, par exemple, une baignoire à remous dans votre chambre. De même, si le symbole n'est pas attribué à l'établissement hôtelier, cela signifie que celui-ci ne peut pas vous offrir ce service. Il est à noter que, sauf indication contraire, tous les établissements hôteliers inscrits dans ce guide offrent des chambres avec salle de bain privée.

Le bateau Ulysse

Le pictogramme du bateau Ulysse est attribué à nos établissements favoris (hôtels et restaurants). Bien que chacun des établissements inscrits dans ce guide s'y retrouve en raison de ses qualités ou particularités, en plus de son rapport qualité/prix, de temps en temps un établissement se distingue parmi d'autres. Ainsi il mérite qu'on lui attribue un bateau Ulysse. Les bateaux Ulysse peuvent se retrouver dans n'importe lesquelles des catégories d'établissements: supérieure, moyenne-élevée, petit budget. Quoi qu'il en soit, dans chacun de ces établissements, vous en aurez pour votre argent. Repérez-les en premier!

Hôtels

Ils sont nombreux, modestes ou luxueux. Dans la majorité des cas, les chambres sont louées avec salle de bain.

Gîtes touristiques

Contrairement aux hôtels, les chambres de ce type d'hébergement ne sont pas toujours louées avec salle de bain. Il existe plusieurs de ces établissements à Toronto, où ils sont connus sous le nom de *bed and breakfasts*. Ils offrent l'avantage, outre le prix, de pouvoir partager une ambiance plus familiale. Cependant, la carte de crédit n'est pas acceptée partout. Les associations suivantes peuvent vous dénicher un gîte touristique selon vos besoins.

Associations de bed and breakfasts

Bed & Breakfast Homes of Toronto
P.O. Box 46093, College Park Post Office
☎ *363-6362*

Toronto Bed & Breakfast Inc.
P.O. Box 269, 253 College St., M5T 1R5
☎ *588-8800 ou (705) 738-9449*
⇄ *927-0838*

Abodes of Choice Bed & Breakfast Associationof Toronto
102 Burnside Dr., M6G 2M8
☎ *537-7629*
⇄ *537-0747*

Downtown Toronto Association of Bed & Breakfast Guest Houses
P.O. Box 190, Station B, M5T 2W1
☎ *368-1420*
⇄ *368-1653*

Metropolitan Bed & Breakfast Registry of Toronto
322 Palmerston Blvd., M6G 2N6
☎ *964-2566*
⇄ *960-9529*
www.virtualcities.com

Motels

Bien qu'on les retrouve en grand nombre, les motels sont souvent situés en banlieue. Ils sont relativement peu chers, mais ils manquent souvent de charme. Cette formule convient plutôt lorsqu'on manque de temps ou que l'on désire séjourner près des grands centres sans y demeurer.

Universités

Cette formule reste assez compliquée à cause des nombreuses restrictions qu'elle implique: elle ne fonctionne qu'en été (de la mi-mai à la mi-août), et il faut réserver plusieurs mois à l'avance et posséder une carte de crédit afin de payer la première nuitée à titre de réservation.

Toutefois, ce type d'hébergement demeure moins cher que les formules «classiques», et, si l'on s'y prend à temps, cela peut s'avérer agréable. Toute personne peut y loger; cependant, il en coûte moins pour les étudiants (environ 25$). La literie est fournie, et, en général, une cafétéria sur place permet de prendre le petit déjeuner (non compris dans le prix).

Restaurants et cafés

Restaurants

Toronto vous plongera dans l'embarras du choix au moment de déterminer le restaurant unique où vous allez manger. L'éclosion des communautés ethniques de la ville, qui ont réussi à préserver leurs cultures et leurs espaces respectifs à l'intérieur de la cité, a en effet

Renseignements généraux

donné naissance à des établissements plus intéressants les uns que les autres proposant à qui mieux mieux des mets des quatre coins du globe. Qui plus est, les restaurants de Toronto, qui comptent parmi les plus variés du pays, comptent une myriade de joyaux uniques pour tous les budgets. Les choix se multiplient presque sans fin, avec des établissements spécialisés non seulement dans les mets japonais, vietnamiens, chinois, italiens, grecs et indiens, mais aussi dans les cuisines de l'Éthiopie, des îles Maurice et du Sri Lanka, pour ne mentionner que celles-là.

Cafés

Ces dernières années, la «culture du café» a connu une véritable explosion à Toronto, et la ville s'est laissé emporter de tout cœur par une vague d'engouement pour cette boisson. C'est ainsi que, partout dans la ville, mais plus particulièrement dans les quartiers branchés, vous trouverez des cafés servant de riches et fraîches moutures aussi bien que des cafés européens tel le café au lait et les cafés glacés tel le *mocaccino*. Outre les multinationales telle Starbucks (originaire de Seattle) et les canadiennes telle Second Cup, des douzaines de cafés indépendants constellent les rues de la ville, et c'est là que vous trouverez le cœur battant de chaque quartier. Sur Queen Street

West, les artistes, les acteurs et les écrivains s'attardent aux tables disposées sur les trottoirs, et, même dans le quartier des affaires du centre-ville, les employés de bureau passent volontiers leur heure de déjeuner à siroter des mélanges parmi les plus raffinés. Par ailleurs, nombre de cafés servent des salades fraîches et des sandwichs «gastronomiques», quoique certains ne proposent que des biscuits et des muffins.

Prix et symboles

Sauf indication contraire, les prix mentionnés dans ce guide s'appliquent à un repas pour une personne, excluant les boisson,s les taxes et le service.

$	10$ et moins
$$	10,01$ à 20$
$$$	20,01$ à 30$
$$$$	30,01$ et plus

Pour comprendre la signification du bateau Ulysse qui est accolé à nos restaurants favoris, reportez-vous à la page 76.

Bars et discothèques

Toronto a toujours fait une place de choix aux musiciens alternatifs, et ce milieu n'a cessé de prospérer ces dernières années. N'importe quel soir de la semaine, vous pourrez ainsi assister à des concerts mettant en vedette de grands noms de la scène aussi bien que des talents locaux dans les nombreux bars en vue de la ville. Les boîtes de nuit ont également connu un essor renouvelé ces derniers temps, si bien que les établissements aux extérieurs rutilants gardés par des cerbères costauds font partout fureur dans le centre-ville. La plupart des bars n'exigent aucun droit d'entrée, sauf lorsqu'il y a un spectacle ou un concert, tandis que les boîtes de nuit vous demandent le plus souvent entre 5$ et 10$ à l'entrée.

Happy Hour

Les bars du centre-ville offrent un «deux-pour-un» pendant le 5 à 7 quotidien, dénommé *Happy Hour* en anglais. Durant ces heures, vous pourrez acheter deux bières au prix d'une et d'autres boissons à prix réduit. Quelques casse-croûte et salon de thé offrent le même rabais.

Taxes et pourboire

Taxes

Contrairement à l'Europe, les prix affichés le sont **hors taxes** dans la majorité des cas. Il y a deux taxes: la TPS de 8% (taxe fédérale sur les produits et services) et la taxe provinciale de 7%. Elles sont cumulatives, et il faut donc ajouter le total des taxes sur les prix affichés pour la majorité des produits

ainsi qu'au restaurant et dans les lieux d'hébergement.

Il y a quelques exceptions à ce régime de taxation, principalement l'alimentation, qui n'est pas taxé (sauf le prêt-à-manger).

Droit de remboursement de la taxe pour les non-résidents

Les non-résidents peuvent récupérer la TPS payée sur leurs achats. Il est important de garder ses factures. Le remboursement de la taxe se fait à la frontière ou en retournant un formulaire de remboursement de la TPS.

● Les formulaires sont disponibles à la douane (aéroport) et dans certains grands magasins.

● Pour de plus amples renseignements, composez le ☎800-668-4748 sans frais pour la TPS et la taxe provinciale ou visitez le site *www.ccra adrc.gc.ca/visitors*.

Pourboire

Le pourboire s'applique à tous les services rendus à table, c'est-à-dire dans les restaurants et les autres endroits où l'on vous sert à table (la restauration rapide n'entre donc pas dans cette catégorie). Il est aussi de rigueur dans les bars, les boîtes de nuit et les taxis.

Renseignements généraux

Selon la qualité du service rendu, il faut compter environ 15% de pourboire sur le montant avant les taxes. Il n'est pas, comme en Europe, inclus dans l'addition, et le client doit le calculer lui-même et le remettre à la serveuse ou au serveur. Service et pourboire sont une même et seule chose en Amérique du Nord.

Vins, bières et alcools

L'âge légal pour boire de l'alcool en Ontario est de 19 ans. On ne peut acheter de la bière que dans les Beer Stores exploités par le gouvernement provincial, tandis que vins et spiritueux se trouvent dans les Liquor Stores. On peut aussi se procurer des vins ontariens chez Wine Rack, une chaîne de magasins ayant pignon sur rue dans le centre-ville et dans certains supermarchés. Différentes succursales affichent des heures d'ouverture variables, mais il convient de retenir que, du lundi au samedi, la plupart des magasins de bières sont ouverts jusqu'à 21h ou 23h, que la plupart des commerces de vins et spiritueux le sont jusqu'à 21h ou 22h et que toutes les succursales de Wine Rack le sont jusqu'à 21h. Ces trois catégories d'établissements ouvrent par ailleurs leurs portes de 11h à 18h le dimanche.

Bière

LCBO est LA référence en matière de vins, bières et alcools. Pour obtenir les adresses de toutes les succursales à Toronto, consultez leur site Web (*www.lcbo.com*).

L'Ontario peut être fier de ses microbrasseries florissantes, sources de quelques bières dignes de mention. Assurez-vous de goûter, entre autres, les produits de Sleeman, de l'Upper Canada Brewing Company, de Creemore et d'Amsterdam. Attention, on ne peut acheter la bière que dans les Beer Stores.

Vin

Le vin ontarien a acquis une certaine réputation ces dernières années. Les vignobles de la région de Niagara sont les plus productifs. Le vin ontarien le plus connu est probablement le curieux *ice wine*, qui accompagne très bien les desserts. Recherchez-le car il fait un merveilleux souvenir.

Avis aux fumeurs

Le tabagisme est tenu pour tabou à Toronto, de sorte qu'il est interdit de fumer à peu près partout. Il est en outre illégal de fumer dans les immeubles de bureaux de même que dans les transports en commun.

Depuis le 1er juin 2004, il est interdit de fumer dans tous les restaurants de Toronto, sauf sur les terrasses extérieures et dans certains lieux désignés. Le règlement s'applique également aux bars.

L'âge minimal pour acheter des cigarettes est de 19 ans en Ontario.

Sécurité

La violence s'avère beaucoup moins présente à Toronto que dans la majorité des grandes villes américaines. De fait, la Ville reine affiche le plus faible taux de criminalité en Amérique du Nord, ce qui ne veut pas dire pour autant que vous ne devez pas prendre les précautions d'usage.

En cas d'urgence, faites le ☎*911*.

Vie gay

Toronto est une grande ville, de sorte qu'il n'est pas étonnant d'y trouver d'innombrables organismes voués au service des communautés gays. Ceux-ci se regroupent pour la plupart dans le quartier connu sous le nom de **The Ghetto**, qui rayonne autour de l'intersection des rues Church et Wellesley. On y retrouve aussi plusieurs bars, restaurants et librairies s'adressant particulièrement à la clientèle de la communauté gay.

Deux publications gratuites diffusent tous les renseignements voulus sur les activités gays dans la ville même et dans ses environs. Vous en trouverez des exemplaires dans nombre de bars et restaurants du centre-ville. Le plus populaire est *XTRA!*, publié aux deux semaines; le deuxième se nomme le *Fab*.

Si vous avez besoin de renseignements généraux, sachez que le personnel d'*XTRA!* est très amical et qu'il se fera un plaisir de répondre à vos questions, quelles qu'elles soient, ou de vous référer à quelqu'un qui peut vous aider. Il vous suffit de composer le ☎*925-6665*.

Enfin, deux répertoires de professionnels et professionnelles comblent les besoins de la communauté gay. Le premier, le *Rainbow Book*, est publié par le **519 Community Centre** *(519 Church St.,* ☎*392-6874)*, qui organise divers événements et activités, et le second, *The Pink Pages (80 Bloor St. W., Suite 1102,* ☎*972-7418)*, est disponible dans les librairies et les bars.

La Gay Pride, tenue à la fin de juin, est un événement monstre. Cette semaine de célébrations regroupe une foule d'activités et se termine par une fin de semaine de trois jours pendant lesquels les rues du Ghetto sont fermées à la circulation pour faire place à des tentes à l'intérieur desquelles on sert de la bière, à des scènes accueillant des musiciens et des comédiens, à des vendeurs de rue et aux quelque 750 000 personnes (gays et hétéros) qui, bon an mal an, participent aux festivités et assistent au grand défilé du dimanche. Il s'agit d'ailleurs d'un des plus importants défilés de la ville, et d'une des journées de la Fierté gay les plus colossales en Amérique du Nord, comparable à celles de New York et de San Francisco.

Toronto organise en outre chaque année, à la fin de mai, un impressionnant festival de films gays et lesbiens connu sous le nom d'**Inside Out**. Pour de plus amples renseignements, appelez *XTRA!* (☎925-6665).

Personnes à mobilité réduite

Tourism Toronto (☎800-363-1990) a préparé une petite brochure destinée à faciliter les déplacements des voyageurs en fauteuil roulant. Vous pourrez vous la procurer au kiosque d'information de Queen's Quay (voir p 57).

Pour de l'information sur les établissements accessibles:

Beyond Ability International
24 McClure Court, Georgetown, L7G 5X6
☎410-3748
www.beyond-ability.com

Une autre plaquette, *Toronto With Ease*, est disponible chez **March of Dimes** (10 Overlea Blvd., M4H 1A4, ☎425-3463, ⇌425-1920), qui vous renseignera sur les différents services offerts aux personnes à mobilité réduite à travers la ville.

La Toronto Transit fait circuler un autobus conçu à l'intention des personnes qui se déplacent en fauteuil roulant (voir p 58), et l'autocar *Airport Express* de l'aéroport international L.B. Pearson peut également accueillir les personnes à mobilité réduite (voir p 58).

Pour tout renseignement d'ordre général, adressez-vous au **Centre for Independent Living in Toronto** (☎599-2458).

Enfants

En Ontario, les enfants sont rois. Aussi, où que vous vous rendiez, des services vous seront offerts, que ce soit pour les transports ou les loisirs. Dans les transports, en général, les enfants de cinq ans et moins ne paient pas; il existe aussi des rabais pour les 12 ans et moins. Pour les activités ou les spectacles, la même règle s'applique parfois; renseignez-vous avant d'acheter vos billets. Dans la plupart des restaurants, des chaises pour enfants sont disponibles, et certains établissements proposent même des menus pour enfants. Quelques grands magasins disposent aussi d'un service de garderie. Autrement, adressez-vous au **Daycare and Babysitting Info Line** (☎392-0505).

Animaux domestiques

Si vous avez décidé de voyager avec votre animal de compagnie, sachez qu'en règle générale les animaux sont interdits dans plusieurs commerces, notamment les magasins d'alimentation, les restaurants et les cafés. Certaines personnes optent donc pour attacher leur chien devant l'établissement où elles ont des courses à faire. Il est toutefois possible d'utiliser le service de transport public; les animaux de petite taille peuvent être amenés en autobus ou en métro s'ils sont dans une cage ou dans vos bras. Enfin, il est possible de promener votre chien dans tous les parcs, en autant qu'il soit tenu en laisse et que vous ramassiez ses besoins.

Tourisme responsable

L'aventure du voyage risque d'être fort enrichissante pour vous. En sera-t-il autant pour vos hôtes? La question de savoir si le tourisme est bon ou mauvais pour la terre qui l'accueille soulève bien des débats. On peut facilement dénombrer plusieurs avantages (développement d'une région, mise en valeur d'une culture, échanges, etc.), mais aussi plusieurs inconvénients (aggravation de la criminalité, accroissement des inégalités, destruction de l'environnement, etc.) à l'industrie touristique. Une chose est sûre: votre passage ne restera pas sans conséquence, même si vous voyagez seul.

Bien sûr, cela est évident quand on parle d'environnement. Vous devriez être aussi attentif à ne pas polluer en voyage qu'à la maison. On nous le répète assez: nous vivons tous sur la même planète! Mais lorsqu'il s'agit des aspects sociaux, culturels ou même économiques, il est difficile parfois d'en évaluer l'impact. Sachez rester sensible à la réalité qui vous entoure. Interrogez-vous sur les répercussions possibles avant de commettre une action. Souvenez-vous que l'on risque d'avoir de vous une perception fort différente de celle que vous désirez projeter.

Bref, il appartient à chaque voyageur, peu importe le type de voyage qu'il choisit, de développer une conscience sociale, de se sentir responsable par rapport aux gestes qu'il fait en pays étranger. Une bonne dose de bon sens, suffisamment d'altruisme et une touche de modestie devraient être des outils utiles pour vous mener à un tourisme responsable. C'est aussi ça, le plaisir de mieux voyager!...

Poids et mesures

Bien qu'au Canada les poids et mesures relèvent du système métrique depuis plusieurs années, il est encore courant de

Renseignements généraux

Poids et mesures

Le système officiellement en vigueur est le système métrique.
Cependant, les commerçants utilisent fréquemment le système
impérial.

Poids
1 livre (lb) = 454 grammes

Mesures de longueur
1 pied (pi) = 30 centimètres
1 mille (mi) = 1,6 kilomètre
1 pouce (po) = 2,5 centimètres

Mesures de superficie
1 acre = 0,4 hectare
10 pieds carrés (pi^2) = 1 mètre carré (m^2)

Mesures de capacité
1 gallon américain (gal) = 3,79 litres

Température

Pour convertir des °F en °C:
soustraire 32, puis diviser par 9 et
multiplier par 5.

Pour convertir des °C en °F:
multiplier par 9, puis diviser par 5 et
ajouter 32.

voir les gens utiliser le système impérial.

Décalage horaire

La plus grande partie de l'Ontario, y compris Toronto, adopte l'heure normale de l'Est, ce qui représente trois heures de plus que sur la côte ouest du continent. Il y a six heures de différence entre Toronto et l'ensemble des pays continentaux d'Europe, et cinq heures avec le Royaume-Uni. L'heure d'été (heure avancée de l'Est) entre en vigueur en Ontario le dernier dimanche d'avril et prend fin le premier dimanche d'octobre. Tout l'Ontario (exception faite de sa partie la plus occidentale) occupe un seul et unique fuseau horaire.

Divers

Drogues

Les drogues sont absolument interdites au Canada (même les drogues dites «douces»). Aussi bien les consommateurs que les distributeurs risquent de très gros ennuis s'ils sont trouvés en possession de drogues.

Électricité

Partout au Canada, la tension est de 120 volts. Les fiches d'électricité sont plates, et l'on peut trouver des adaptateurs sur place, dans la plupart des quincailleries ou des commerces d'électronique présents dans les centres commerciaux.

Langue

Même si l'anglais y règne, Toronto est une ville où plus de 100 langues sont parlées.

Laveries

On retrouve des laveries automatiques à peu près partout dans les centres urbains. Dans la majorité des cas, le savon est vendu sur place. Bien qu'on y

trouve parfois des changeurs de monnaie, il est préférable d'en apporter une quantité suffisante.

Cinéma

Il n'y a pas d'ouvreuses et donc pas de pourboire à donner. Le prix des billets est réduit les mardis. La liste des films figure dans les journaux principaux et les hebdos gratuits (*Now* et *Eye*) disponibles dans les boîtes de distribution au coin des rues du centre-ville.

Musées

Dans la majorité des cas, les musées sont payants. Toutefois quelques musées et expositions sont gratuits les mercredis soir. Des rabais sont possibles pour les 60 ans et plus, les étudiants et les enfants. Renseignez-vous!

Pharmacies

À côté de la pharmacie classique, il existe de grosses chaînes (sorte de supermarchés). Ne soyez pas étonné d'y trouver des chocolats ou de la poudre à lessiver en promotion à côté de boîtes de bonbons pour la toux ou de médicaments pour les maux de tête.

Quelques pharmacies, incluant les succursales de la chaîne Shoppers Drug Mart, sont ouvertes 24 heures sur 24. Voici les coordonnées de trois

Renseignements généraux

pharmacies ouvertes jour et nuit:

3089 Dufferin St.
☎787-0238

700 Bay St.
☎979-2424

2345 Yonge St.
☎487-5411

Journaux

Vous trouverez facilement des journaux internationaux dans les kiosques de Toronto de même que dans les librairies Chapters et Indigo, et dans les magasins de revues tels que The Great Canadian News Company et La Maison de la Presse Internationale. Toronto publie quatre grands quotidiens:

le *Toronto Star*, le *Toronto Sun*, le *Globe and Mail* et le *National Post*, les deux derniers étant d'envergure nationale quoique Toronto constitue leur plus important marché. Il y a en outre deux hebdomadaires gratuits voués aux arts et spectacles, *Now* et *Eye*, que vous pourrez vous procurer dans les restaurants et cafés, ou encore dans les boîtes de distribution installées à l'angle des rues de la ville.

Toilettes

Il y a des toilettes dans la plupart des centres commerciaux. N'hésitez pas cependant, si vous n'en trouvez pas, à entrer dans un bar, un casse-croûte ou un restaurant.

Tramway

Attraits touristiques

Voici 10 circuits

pédestres ainsi que deux circuits plus étendus au nord et à l'est, à parcourir à bicyclette ou en voiture, pour découvrir Toronto et quelques municipalités avoisinantes.

Finalement, un treizième circuit vous fera découvrir les chutes du Niagara.

Dans ce chapitre, les principaux attraits touristiques, suivis d'une description historique et culturelle, sont abordés. Les attraits sont cotés selon un système d'étoiles pour vous permettre de faire un choix si le temps vous y oblige:

★	Intéressant
★★	Vaut le détour
★★★	À ne pas manquer

Le nom de chaque attrait est suivi d'une parenthèse qui vous donne ses heures d'ouverture et ses coordonnées. Le prix qu'on y retrouve est le prix d'entrée pour un adulte. Informez-vous, car plusieurs endroits offrent des réductions aux enfants, aux étudiants, aux aînés et aux familles. Plusieurs de ces attraits sont accessibles seulement pendant la saison

Les attraits favoris
des enfants à Toronto

La vie de pionnier a toujours fasciné les enfants. Pourquoi, dès lors, ne pas faire une excursion au **Black Creek Pioneer Village** (voir p 173)?

Les couloirs souterrains et les étables à l'ancienne de la **Casa Loma** (voir p 163) ne manqueront pas de captiver vos plus jeunes.

Les occasions de découvertes n'ont de limite que l'horizon à la **CN Tower** (voir p 95), d'où la vue s'étend parfois jusqu'aux chutes du Niagara. Le plancher vitré du second étage de la plate-forme d'observation s'avère particulièrement ahurissant pour les tout-petits.

Des soldats costumés, d'authentiques bâtiments militaires et une bataille en règle rendent le **Fort York** (voir p 96) et le **Fort George** (voir p 182) tout à fait excitants pour les enfants.

Le **Harbourfront** (promenade du port) (voir p 91) saura satisfaire tous les goûts. Outre les festivals qui s'y tiennent, comme le Zoom! International Children's Film Festival (festival du film) et le Milk International Children's Festival (festival du lait), l'un comme l'autre spécialement conçus à l'intention des enfants, vous y trouverez le Craft Studio, où il est possible d'observer des artistes à l'œuvre.

Le hockey sur glace est le sport national du Canada, et tous les enfants ont pour ainsi dire leur équipe favorite et leur joueur préféré. Il n'y a donc pas mieux pour combler les futurs grands de ce sport que de leur faire visiter le vestiaire des Canadiens de Montréal et de leur faire voir la véritable Coupe Stanley. Tout cela est possible au **Hockey Hall of Fame** (Temple de la renommée du hockey) (voir p 112).

Les amateurs de sport ne voudront pas non plus manquer la chance de visiter les vestiaires des Blue Jays de Toronto au **SkyDome** (voir p 94) ainsi que des Maple Leafs et des Raptors de

Toronto au **Air Canada Centre** (voir p 95).

Outre ses exceptionnelles collections d'animaux de tous les coins du globe, qui ne manqueront certes pas d'enthousiasmer les plus jeunes, le **Toronto Metropolitan Zoo** (voir p 178) renferme également une zone désignée du nom de "Littlefootland", où les tout-petits pourront se familiariser davantage avec des espèces parfaitement inoffensives, entre autres des lapins, des poneys et des moutons.

Le **Metropolitan Toronto Police Museum & Discovery Centre** (voir p 146) permet aux enfants de se transformer en superdétectives d'un jour en leur donnant l'occasion d'analyser des prélèvements de sang et de poussière pour ensuite tenter de résoudre un crime.

Le **Nathan Phillips Square** (voir p 128) s'anime avec des concerts variés, des marchés de toutes sortes et une patinoire en hiver.

L'**Ontario Place** est un parc de divertissement pourvu d'un cinéma Imax, de manèges et d'attractions, entre autres un village pour enfants, un terrain de jeu et un parc aquatique pourvu d'un toboggan nautique (voir p 97).

L'**Ontario Science Centre** compte plus de 800 bornes interactives réparties sous une douzaine de catégories, entre autres "Science Arcade", "The Human Body", et bien d'autres encore. Une journée bien remplie de divertissements éducatifs pour les petits comme pour les grands. L'Ontario Science Centre abrite également un cinéma Imax à écran bombé (voir p 165).

Parc thématique de plus de 120 ha, **Paramount Canada's Wonderland** (voir p 173) comporte plus de 180 attractions, notamment des montagnes russes à vous faire dresser les cheveux sur la tête, des spectacles sur scène et un village pour enfants.

Goûtez des échantillons de sucre gratuits au **Redpath Sugar Museum** (voir p 91), où les enfants apprendront comment sont fabriquées leurs friandises favorites.

La **Riverdale Farm** (voir p 155) se trouve tout près du centre-ville, et les tout-petits apprécieront particulièrement ses animaux de basse-cour.

De merveilleux mystères mis en lumière, comme ceux qui planent au-dessus des dinosaures et des momies, ne sont que quelques-uns des atouts du **Royal Ontario Museum (ROM)** (voir p 144).

La plage, les mouettes, les canards, la Far Enough Farm et le Centreville Amusement Area (parc d'attractions) font des **Toronto Islands** (voir p 97) un rendez-vous rêvé pour les parents comme pour les enfants.

Le **Lorraine Kimsa Theatre for Young People** (voir p 118) présente, pour sa part, des productions conçues spécialement à l'intention des enfants.

touristique, tel qu'indiqué dans cette même parenthèse. Cependant, même hors saison, certains de ces endroits vous accueillent sur demande, surtout si vous êtes en groupe.

Circuit A: Le Waterfront

La proximité d'un plan d'eau majeur détermine souvent l'emplacement d'une ville, et Toronto ne fait pas exception à la règle. Cependant, la ville de Toronto a négligé pendant plusieurs années le quartier qui borde les rives du lac Ontario. L'autoroute Gardiner, les vieux rails de chemin de fer et les nombreux entrepôts qui le défiguraient ne présentaient d'ailleurs aucun attrait aux yeux des citadins. Fort heureusement, des sommes importantes ont été investies dans ce faubourg afin de lui redonner vie. Le Waterfront vibre désormais au rythme des événements culturels et artistiques du Harbourfront Centre, des passants qui magasinent au terminal de Queen's Quay ou qui déambulent simplement dans les sentiers piétonniers aménagés en bordure de l'eau. Un projet de revitalisation est actuellement en cours afin d'y développer des espaces verts.

Ce circuit suit un tracé d'est en ouest le long du Waterfront (les quais) de Toronto, depuis les chantiers d'usines jusqu'au mégaprojet immobilier de l'Ontario Place. Partez du Redpath

Sugar Museum, à l'intersection de Queen's Quay East et de Cooper Street.

Le **Redpath Sugar Museum ★★** *(entrée libre; informations et horaires par téléphone; 95 Queen's Quay E., ☎933-8341)*, ce petit musée perdu au beau milieu des installations de la raffinerie de sucre Redpath, relate l'histoire laborieuse de cette denrée dont la culture exige une main-d'œuvre importante. Vous y apprendrez, entre autres choses, que l'industrie sucrière compte parmi les premières à avoir fait venir des esclaves africains en Amérique, et vous y aurez un aperçu des techniques de récolte et de production de cette douce substance cristallisée. En fait, ce musée fascinant traite à peu près de tout ce qui a trait au sucre et à la famille Redpath. Vous y verrez même des dégustateurs à l'œuvre!

Au pied de Bay Street, une navette lacustre vous conduira vers les **Toronto Islands ★★★**. L'accès à la navette se trouve juste derrière l'hôtel Harbour Castle Westin. Les îles de Toronto constituent l'endroit idéal pour se relaxer, prendre un peu de soleil, faire du vélo, marcher ou se baigner. Un circuit vous est proposé pour mieux découvrir ces îles (voir p 97).

Facilement accessible grâce à la nouvelle ligne de tramway qui relie la station de métro Union aux rives du lac Ontario et qui poursuit ensuite sa route vers Spadina Avenue, le **Harbourfront Centre ★** *(entrée libre; 410 Queen's Quay W., ☎973-4000, ou 973-3000 pour de l'information sur les événements spéciaux, www.harbourfront. on.ca)* est un bon exemple de ces changements qui ont touché le Waterfront de Toronto. Depuis que le gouvernement fédéral a racheté 40 ha de terres situées sur les rives du lac Ontario, les vieilles usines et les entrepôts délabrés du Harbourfront ont été rénovés, si bien que les environs s'imposent aujourd'hui comme un des endroits les plus fascinants de Toronto. Outre les jolis petits cafés et les nombreuses boutiques, on peut même y assister à l'un des nombreux spectacles et événements culturels qui font désormais la fierté des riverains.

À quelques pas de là, au pied de York Street, avance le **Queen's Quay Terminal ★★★** *(207 Queen's Quay)*, d'où des bateaux proposent des promenades dans la baie et autour des îles de Toronto. En fait, le Queen's Quay est un ancien entrepôt qu'on a modifié pour y aménager un théâtre exclusivement consacré à la danse ainsi qu'une centaine de restaurants et de boutiques.

Du Queen's Quay Terminal, dirigez-vous vers le lac Ontario et la **Power Plant Contemporary Art Gallery ★** *(4$, entrée libre mer 17h à 20h; mar-dim 12h à 18h, mer 12h à 20h; 231 Queen's Quay W., ☎973-4949)*, une ancienne centrale hydro-électrique désormais vouée à l'exposition de peinture, sculpture et photographies, ainsi qu'à la projection d'œuvres vidéographiques et de films avant-gardistes, où se trouve également le **Du Maurier Theatre Centre** *(231 Queen's Quay W., ☎973-3000)*. Derrière cette construction en briques rouges se trouve la **Tent in the Park**, où l'on présente différents concerts et pièces de théâtre tout au long de la saison estivale. Un peu plus loin vers l'ouest, vous apercevrez le **York Quay Centre ★** *(231 Queen's Quay W., ☎973-3000)*, ponctué entre autres de quelques restaurants; quoi qu'il en

Centre), où vous pourrez observer des artisans travaillant le verre, le métal, la céramique et le textile, et en profiter pour faire quelques achats.

Tout près du lac Ontario, des bateaux à voiles et à moteur peuvent être loués au **Harbourside Boating Centre** *(50$ et plus pour 3 heures; 283 Queen's Quay W., ☎203-3000)*, les prix variant selon la taille et le type de l'embarcation. Des cours de voile sont aussi proposés sur place. En hiver, la baie est transformée en une gigantesque patinoire. Vous pourrez vous reposer à l'un des nombreux bars et restaurants du **Bathurst Pier 4** ayant pour

● ATTRAITS

1.	Redpath Sugar Museum	8.	SkyDome
2.	Harbourfront Centre	9.	Air Canada Centre
3.	Queen's Quay Terminal	10.	CN Tower
4.	Power Plant Contemporary Art Gallery	11.	Fort York
5.	Du Maurier Theatre Centre	12.	Ontario Place
6.	York Quay Centre	13.	Cinesphere / IMAX Cinema
7.	Harbourfront Antique Market	14.	HMCS Haida
		15.	Children's Village

○ HÉBERGEMENT

1. Radisson Plaza Hotel Admiral
2. SkyDome Hotel
3. Westin Harbour Castle

● RESTAURANTS

1.	360 Restaurant	6.	Susur
2.	Captain John's Seafood	7.	The Boathouse Bar and Grill
3.	Hard Rock Cafe	8.	Wayne Gretzky's
4.	Pearl Harbourfront	9.	Whistling Oyster Seafood Cafe
5.	Planet Hollywood		

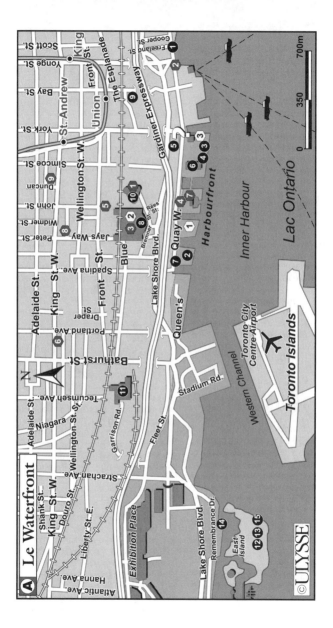

A Le Waterfront

Scott St. · **King** · **Yonge St.** · **Bay St.** · **York St.** · **Simcoe St.** · **Duncan** · **John St.** · **Widmer St.** · **Peter St.** · **Spadina Ave.** · **Portland Ave.** · **Bathurst St.** · **Tecumseh Ave.** · **Niagara** · **Shank St.** · **Douro St.** · **Hanna Ave.** · **Atlantic Ave.**

Freeland St. · Cooper St. · The Esplanade · Front St. · King St. W. · Adelaide St. · Wellington St. W. · Draper St. · Adelaide St. · Wellington St. W. · King St. W. · Liberty St. E.

Gardiner Expressway

Lake Shore Blvd. · Blue Jays Way · Rees St. · Bremner Blvd. · Front St. · Queen's · Garrison Rd. · Strachan Ave. · Fleet St. · Stadium Rd. · Exhibition Place · Lake Shore Blvd. · Remembrance Dr.

Union · St. Andrew

Quay W. · Harbourfront

Inner Harbour

Lac Ontario

Western Channel · Toronto City Centre Airport · Toronto Islands

East Island

0 · 350 · 700m

N

© ULYSSE

thème les sports nautiques, ou encore visiter les différents clubs de voile.

On peut aussi visiter le très populaire **Harbourfront Antique Market ★★** *(mai à oct mar-sam 11h à 18h, dim 8h à 14h; nov à avr mar-sam 11h à 17h, dim 8h à 14h; 390 Queen's Quay W., ☎260-2626)*, sans doute un des arrêts les plus intéressants que l'on puisse faire. Vous passerez des heures à parcourir ses innombrables boutiques d'antiquités débordant d'objets de valeur, ou bien vous y découvrirez de petites merveilles dont vous ne pourrez vous passer.

Du Harbourfront Centre, vous n'avez que quelques pas à faire pour vous rendre au SkyDome et à la tour du CN.

Le **SkyDome ★★** *(12,50$; visites guidées tlj 9h à 16h; l'horaire des visites peut varier selon les événements; 1 Blue Jay Way, ☎341-3663)*, le centre sportif de Toronto, fait la fierté de ses habitants. Il s'agit du premier stade au monde à posséder un toit entièrement rétractable. En cas de mauvais temps, ses quatre panneaux montés sur rails peuvent en effet se refermer en 20 min malgré leurs 11 000 tonnes. Depuis son ouverture en 1989, ce remarquable édifice abrite l'équipe locale de baseball, les Blues Jays, de même que l'équipe de football, les Argonauts de la CFL (Canadian Football League).

Suivant les exigences des différents événements sportifs, le SkyDome peut rapidement se transformer et accueillir 52 000 amateurs de baseball ou 53 000 fanatiques de football. Pour les événements spéciaux, il peut même recevoir jusqu'à 70 000 personnes. Lors des concerts et autres événements qui ne requièrent pas autant d'espace, on a même recours à une toile (SkyTent) afin de diviser le stade et d'améliorer la qualité sonore. Finalement, les spectateurs qui n'ont pas eu la chance d'obtenir de bons sièges sont assurés de ne rien manquer grâce au JumboTron, un énorme écran de projection qui mesure 10 m sur 33 m.

Pour ceux qui désirent en apprendre davantage sur les différents aspects techniques du SkyDome, une **visite guidée** de 90 min est proposée tous les jours *(information: ☎341-2770)*. Il faut compter environ 1 heure 30 min pour en faire le tour. Vous pourrez voir entre autres une série d'objets mis au jour au moment de creuser les fondations du nouveau stade en 1986 et un documentaire d'une quinzaine de minutes sur la construction du SkyDome intitulé *The Inside Story*, qui révèle avec un peu trop d'emphase la façon dont l'architecte Roderick Robbie et l'ingénieur Michael Allen ont mis au point le concept du toit rétractable. Vous verrez aussi la passerelle des journalistes et les loges corporatives (SkyBox), qui sont louées pour 10 ans contre la modique somme d'un million de dollars; et cette somme ne comprend évidemment pas le prix des billets, des rafraîchissements ou de la nourriture!

Au début de 1999, l'**Air Canada Centre** *(9,50$; visites aux heures lun-sam 10h à 15h, dim 11h à 15h; 40 Bay St.,* ☎*815-5500)* a ouvert ses portes près du SkyDome, dans l'ancien édifice de la poste (Postal Delivery Building). Il accueille les Raptors de Toronto (l'une des deux équipes de basket-ball canadiennes à faire partie de la NBA, soit la National Basketball Association), de même que les Maple Leafs de Toronto (une des équipes de la National Hockey League).

La **CN Tower** ★ ★ ★ *(plate-forme d'observation, 20$; en été, tlj 8h à 23h, reste de l'année tlj 9h à 22h, l'horaire reste variable en fonction des saisons: mieux vaut alors téléphoner avant de s'y rendre; Front St. W.,* ☎*360-8500 ou 888-684-3268),* sans aucun doute l'édifice le plus représentatif de la ville de Toronto, domine la ville du haut de ses 553,33 m, ce qui en fait la tour

d'observation la plus élevée du monde. Construite à l'origine par le CN (Canadian National Railways) pour faciliter la transmission des ondes radio et télé au-delà des nombreux édifices du centre-ville, elle est aujourd'hui devenue l'un des principaux attraits de la ville. Pour éviter les longues files, il est préférable de s'y rendre tôt le matin ou vers la fin de la journée, surtout au cours de la saison estivale et la fin de semaine; par temps nuageux, il vaut mieux remettre à plus tard sa visite de la tour du CN.

Côté divertissement, on y trouve le **Simulator Theatre** *(8$)* et ses deux manèges simulateurs de mouvement. Quant à elle, **The Edge Arcade** *(8$, forfaits disponibles)* offre ses salles de jeux électroniques aux jeunes et aux moins jeunes.

Vous pouvez ensuite facilement atteindre la plate-forme d'observation grâce à un ascenseur qui vous arrache du sol à une vitesse de 6 m par seconde, une vitesse équivalente à celle d'un avion à réaction lors du décollage. Située à 335,25 m de hauteur et aménagée sur quatre étages, la plate-forme d'observation constitue le centre névralgique de la tour. Le premier étage abrite du matériel de télécommunication, alors que le deuxième offre une plate-forme d'observation extérieure et un plancher de verre, pour ceux qui n'ont pas peur du vide. Le troisième étage est doté d'un salon d'observation

CN Tower

Attraits touristiques

intérieur et d'un accès aux ascenseurs vers le **Space Deck**, lequel flotte à 447 m d'altitude et s'impose comme le poste d'observation public le plus élevé du monde. Il faut débourser un léger supplément de 2,25$ pour y avoir accès. Évidemment, la vue depuis le sommet est splendide (par temps clair, vous pouvez voir sur une distance de 160 km et même distinguer les chutes du Niagara). Enfin, le quatrième étage s'enorgueillit d'un bar et d'un restaurant pouvant accueillir jusqu'à 400 personnes. Compte tenu de l'altitude à laquelle vous vous trouverez, vous sentirez la tour osciller sous l'effet du vent! Cette oscillation est d'ailleurs tout à fait normale et a pour effet d'accroître la résistance de la structure tout entière.

Pour poursuivre la visite du Waterfront, dirigez-vous maintenant vers l'ouest en direction du fort York. En voiture, vous pouvez rejoindre le fort York en empruntant Lakeshore Boulevard; tournez à droite dans Strachan, encore à droite dans Fleet Street, puis à gauche dans Garrison Road. Le tramway de Bathurst (n° 511) permet également de s'y rendre facilement.

C'est au **Fort York** ★ *(5$; été lun-ven 10h à 17h, sam-dim 12h à 17h; reste de l'année mar-ven 10 à 16h, sam-dim 12h à 17h; 100 Garrison Rd., ☎392-6907)* que Toronto a vu le jour sur les rives du lac Ontario. Érigé en 1783 par le gouverneur Simcoe pour faire face à la menace américaine, le fort York fut détruit par ces derniers en 1813, puis reconstruit peu de temps après. Les relations avec les États-Unis s'adoucissant rapidement, il perdit peu à peu sa raison d'être. Dans les années 1930, il fit l'objet d'une importante restauration par la municipalité de Toronto, qui avait décidé d'en faire un attrait touristique. Aujourd'hui, le fort York est devenu le site de la plus importante collection canadienne de bâtiments datant de la guerre de 1812. Outre la visite des baraques meublées illustrant le style de vie des officiers et des soldats qui y habitaient, vous pouvez découvrir un petit musée qui présente un court métrage sur son histoire. En été, vous pourrez aussi y voir des acteurs se livrer à des manœuvres militaires en costumes d'époque.

Fort York

Le fort York a également été au centre d'un autre combat, celui-ci mettant aux prises la Ville de Toronto et des promoteurs immobiliers qui voulaient déplacer le site pour faire place à l'autoroute Gardiner. La décision de préserver l'authenticité du fort York a fait prendre conscience à la municipalité qu'elle devait protéger ces morceaux d'histoire éparpillés un peu partout sur son territoire, comme par exemple le splendide réseau de tramways. Malgré tout, il se dégage une impression étrange du fort York, aujourd'hui entouré par la ville et à proximité d'une voie ferrée et d'une autoroute.

Toujours par Lakeshore Boulevard, dirigez-vous légèrement plus à l'ouest vers l'Ontario Place.

L'**Ontario Place** ★ *(9$ accès au parc d'attractions seulement, 22$ laissez-passer d'une journée donnant accès illimité aux différentes attractions, gratuit pour enfants de moins de 4 ans; mai à sept 10h à 24h; 955 Lakeshore Blvd. W.,* ☎*314-9900; de la fin mai au début septembre, un service d'autobus relie l'Union Station à l'Ontario Place),* conçue par Eberhard Zeidler, est formée de trois îles reliées entre elles par des ponts. On peut aussi y distinguer cinq structures suspendues plusieurs mètres au-dessus de l'eau qui regorgent d'activités pour les jeunes et les moins jeunes. Vous remarquerez certainement l'énorme sphère blanche qui se démarque des autres

bâtiments et qui abrite le **Cinesphere**: un **cinéma Imax** (☎*965- 7711*) possédant un impressionnant écran d'une hauteur de six étages.

L'Ontario Place possède aussi une marina à même d'accueillir environ 300 bateaux autour du ***HMCS Haida***, un destroyer de la Deuxième Guerre mondiale. Si vous avez des enfants, rendez-vous au **Children's Village**, où vous attendent des terrains de jeu, une piscine, des toboggans nautiques, des fusils à eau, des bateaux tamponneurs, un centre Nintendo, le LEGO Creative Centre, un cinéma et d'autres attractions encore. Les moins jeunes pourront pour leur part apprécier l'amphithéâtre extérieur, le **Forum**, qui présente chaque été divers spectacles de musique.

★★★

Circuit B: Les îles de Toronto

À l'origine, les îles de Toronto n'étaient guère qu'une péninsule sablonneuse, baptisée en amérindien par les Mississaugas *«l'endroit où les arbres émergent de l'eau».* Cette barre protégeait néanmoins les eaux du port, ce qui influa sur la décision de faire de York le centre naval et militaire du Haut-Canada. Un violent orage survenu en 1858 sépara les îles de la terre ferme, et l'érosion, le dragage, le remblaiement et les courants ont depuis fait doubler leur

Attraits touristiques

superficie. Partie prenante des îles de Toronto depuis 1950, ces 17 îles — dont 8 seulement portent un nom — présentent une collection à faire rêver de sentiers, de plages et de cottages appartenant aux 250 familles qui habitent les îles. Quelque 1,2 million de visiteurs fréquentent chaque année cet environnement où les véhicules sont interdits.

Un court trajet d'une dizaine de minutes en **navette lacustre** vous mènera aux îles en partant des **Toronto Ferry Docks** *(aller-retour adultes 6$; en service toute l'année; au pied de Bay St., sur Queens Way, pour information générale et horaires:* ☎*392-8193).* Trois navettes lacustres, qui partent toutes du Mainland Ferry Terminal, au pied de Bay Street, desservent les trois plus grandes îles, c'est-à-dire Hanlan's Point, Centre Island et Ward's Island; des ponts relient les autres îles entre elles. Les bicyclettes sont autorisées à bord, sauf, à l'occasion, sur la navette lacustre de Centre Island, qui peut s'avérer très bondé les fins de semaine. La navette lacustre est également en service pendant l'hiver (quoique moins fréquemment), de sorte qu'il est possible de visiter les îles toute l'année.

Vous pouvez explorer les îles à pied, à vélo, en patins à roues alignées ou à bord d'un mini-train sur roues qui circule régulièrement entre le débarcadère de Centre Island et Hanlan's Point. Profitez du bon air car le train compte parmi les rares véhicules motorisés des îles. En été, cette balade vous permettra de faire gratuitement une visite historique guidée à partir de Centre Island jusqu'à Hanlan's Point.

La saison hivernale a par ailleurs un cachet particulier sur les îles, alors que le ski de fond et la raquette remplacent la marche et la bicyclette dans un décor féerique, sans parler des merveilleuses occasions de patin à glace. L'été demeure toutefois la saison la plus fertile de l'année, alors que les sentiers panoramiques revêtus qui sillonnent les îles font les délices des marcheurs, des joggeurs, des cyclistes et des amateurs de patin à roues alignées. Rappelez-vous néanmoins que la baignade est interdite dans les canaux et lagons. Des courts de tennis, un terrain de «frisbee-golf», un terrain de balle molle et des pataugeoires complètent les installations de plein air.

En somme, l'un des points forts de cette oasis urbaine tient à n'en point douter à la vue spectaculaire de Toronto qu'offrent ses rivages, alors que la ville scintille au loin le jour comme le soir.

Quelque moyen de transport que vous reteniez, si vous êtes accompagné d'enfants en bas âge, arrêtez-vous d'abord à la **Centreville Amusement Area** *(accès libre au site, manèges payants, possibilité de laissez-passer d'une journée)* et à la

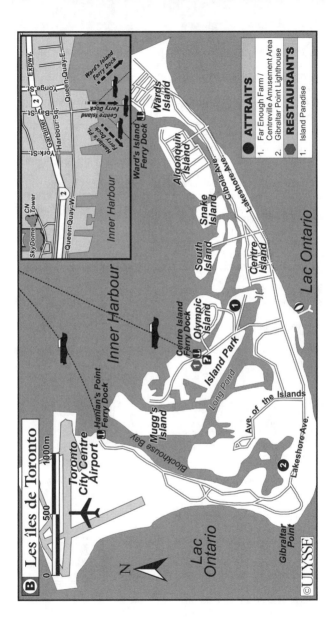

B Les îles de Toronto

0 500 1000m

Toronto City Centre Airport

Lac Ontario

N

Gibraltar Point

Lakeshore Ave.

Ave. of the Islands

Long Pond

Blockhouse Bay

Mugg's Island

Hanlan's Point Ferry Dock

Inner Harbour

Island Park

Centre Island Ferry Dock

Olympic Island

Centre Island

South Island

Snake Island

Cibola Ave.

Lakeshore Ave.

Algonquin Island

Ward's Island

Ward's Island Ferry Dock

Lac Ontario

© ULYSSE

SkyDome · CN Tower

Queen Quay W.

Queen Quay E.

Gardiner EXPWY.

York St.

Harbour St.

Bay St.

Yonge St.

Hanlan's Pt. Ferry Dock

Centre Island Ferry Dock

Ward's Island Ferry Dock

Inner Harbour

ATTRAITS
1. Far Enough Farm / Centreville Amusement Area
2. Gibraltar Point Lighthouse

RESTAURANTS
1. Island Paradise

Far Enough Farm *(fin avr à mi-mai sam-dim, mi-mai à sept tlj; ☎203-0405)*. Dans le premier cas, il s'agit d'un parc d'attractions à l'ancienne datant de 1833, soit un an avant que la ville de York ne devienne Toronto. Vous aurez le plaisir d'y découvrir une grande roue classique, des autos tamponneuses, un «glissoir» (manège aquatique où vous prenez place à bord d'un faux tronc d'arbre) et un joli carrousel des années 1890. Dans le second cas, il s'agit d'un zoo peuplé d'animaux à caresser, entre autres des animaux de la ferme, à courte distance du parc d'attractions. Les enfants pourront y faire une promenade à dos de poney.

Centre Island est et a toujours été le secteur le plus fréquenté des îles. Au cours des années 1950, quelque 8 000 personnes y vivaient. L'avènement du parc des îles de Toronto, vers la fin des années 1950 et le début des années 1960, entraîna toutefois la destruction des élégants complexes balnéaires, théâtres et boutiques de Centre Island.

La rigoureuse **Avenue of the Islands** s'étire d'un bout à l'autre de Centre Island, depuis le pont Manitou jusqu'au quai et à la plage. Elle est bordée de plates-bandes, de bassins ondoyants, de fontaines et de magnifiques pelouses, sur lesquelles ont été plantés des écriteaux vous invitant à fouler l'herbe à loisir (*Please walk on the grass*). Ces vastes étendues

se prêtent d'ailleurs fort bien aux pique-niques, à moins que vous ne préfériez poursuivre votre chemin jusqu'au bout du quai pour admirer une vue saisissante du lac Ontario. À partir du quai, longez l'eau et la plage vers l'ouest en direction de Hanlan's Point. Dépassez l'usine de filtration des eaux et l'Island Science School, où, soit dit en passant, les enfants peuvent se familiariser avec la vie insulaire. Le **Gibraltar Point Lighthouse** est votre prochaine destination. Construit en 1806, ce phare constitue la plus vieille construction toujours visible à Toronto. Une autre plage sablonneuse chevauche le rivage aux alentours immédiats du phare, tandis que, derrière le monolithe, le sentier bifurque. Gardez la gauche, tout près de l'eau, et marchez vers Hanlan's Point.

Gibraltar Point Lighthouse

Hanlan's Point portait à l'origine le nom de «Gibraltar Point» et constituait le noyau du système défensif de York (Toronto). Elle fut rebaptisée lorsque la famille Hanlan s'y établit en 1862. Leur fils Ned devait par la suite devenir un champion de l'aviron. Les opérations de remblaiement et de nivelage entreprises lors de la construction du Toronto Island Airport obligèrent la fermeture du petit lieu de villégiature ainsi que du stade de baseball où Babe Ruth avait frappé son premier coup de circuit en tant que professionnel. La plage et les couchers de soleil spectaculaires de Hanlan's Point ne sont qu'un tantinet ternis par le passage occasionnel d'un avion. Les mordus de l'aviation seront intéressés de savoir que l'ancienne aérogare, désormais occupée par les bureaux de l'administration, a été désignée «lieu national historique». C'est le seul bâtiment de ce genre préservé au Canada. Le sentier prend fin au débarcadère du traversier.

Revenez sur vos pas en gardant la gauche, tout près des eaux de Blockhouse Bay. Vous retrouverez le chemin principal au phare; cependant, après l'usine de filtration, prenez sur la gauche en bordure du Long Pond, où vous pourrez louer des embarcations et où se tiennent chaque année les **Dragon Boat Races** (voir p 267). Passé le pont Manitou, vous aurez tôt fait d'atteindre la **St. Andrews-By-The-Lake Church**, érigée en

1884 au sein du premier regroupement de cottages. Les voiliers qui mouillent sur votre gauche sont ceux du prestigieux Royal Canadian Yacht Club, installé ici. Sa présence, de même que celle du Queen City Yacht Club, sur **Algonquin Island**, contribuent à préserver l'allure de station balnéaire chic et exclusive de cette partie des îles. Traversez le pont jusqu'à l'île Algonquin pour explorer ses coquettes rues flanquées de cottages, dont plusieurs ont fait l'objet de grands soins au fil des ans. Le nom des rues rappelle en outre aux visiteurs comme aux résidants que les premiers habitants des lieux tenaient eux-mêmes les îles pour un lieu de détente exceptionnel.

Rendez-vous enfin sur **Ward's Island**, où non seulement vous trouverez d'autres cottages pittoresques, mais où vous pourrez aussi vous la couler douce sur l'une des plages les plus tranquilles et les plus propres des îles. Avec un peu de chance, vous trouverez ouvert l'un ou l'autre (ou les deux) des deux petits cafés exploités par les habitants de l'île. Le Rectory Café se trouve tout près du débarcadère du traversier, tandis que le Waterfront Café domine la promenade et le lac Ontario. Les demeures des îles Ward's et Algonquin sont toutes privées, mais elles n'en reposent pas moins sur des terrains loués à bail par la Ville de Toronto. La charmante promenade longe le bord de l'eau jusqu'au quai, où vous pourrez

Attraits touristiques

rendre votre bicyclette de location avant de reprendre la direction de la ville.

★★

Circuit C: Le quartier des affaires et du spectacle

Entre les rues John et Simcoe, King Street porte aussi le nom de *Mirvish Walkway* en l'honneur du père et du fils Mirvish (voir p 45), ces deux magnats du magasin de produits bon marché qui redorèrent le blason du quartier en sauvant le Royal Alexandra du boulet de démolition et en aménageant, dans les entrepôts désaffectés, une foule de restaurants destinés à répondre aux besoins des amateurs de théâtre.

Commencez votre visite par le **Princess of Wales Theatre** *(300 King St. W., près de John St.; billetterie: ☎872-1212).* Ce théâtre a été construit en 1993 à seule fin d'accueillir la comédie musicale *Miss Saigon*, et par nul autre que les Mirvish. Bien qu'aucune visite n'y soit autorisée, prenez la peine de jeter un coup d'œil à l'intérieur afin d'apprécier le décor minimaliste du hall d'entrée, axé sur la lune et les étoiles.

Rendez-vous ensuite au **Royal Alexandra ★★** *(260 King St. W.; billetterie: ☎800-724-6420).* Une collection d'articles de journaux attestant les divers exploits d'Ed Mirvish tapisse les murs des nombreux restaurants que le grand entrepreneur a implantés entre le Princess of Wales et le Royal Alexandra. Le Royal Alexandra a été nommé ainsi pour rendre hommage à l'épouse du roi Edward VII, et tout le monde l'appelle aujourd'hui simplement le "Royal Alex". Il s'agit d'un des théâtres les plus en vue de la ville, sans cesse fréquenté par l'élite de Toronto depuis son ouverture en 1907. Son fastueux style édouardien et son décor Beaux-Arts, rehaussé de voluptueux velours rouge, de brocarts d'or et de marbre vert, ont retrouvé leur éclat d'antan au cours des années 1960 grâce à, vous l'aurez deviné, Ed Mirvish.

Royal Alexandra Theatre

Ed Mirvish

Ed Mirvish est un homme d'initiative. Originaire de la Virginie, aux États-Unis, sa famille déménagea à Toronto alors qu'il était âgé de neuf ans. Lorsqu'il en eut 15, son père mourut, et Ed prit la tête de l'épicerie familiale. Par la suite, les entreprises personnelles de vente au détail de Mirvish allaient cependant prendre beaucoup plus d'ampleur.

Criard, et pourtant savoureux sous la splendeur de ses néons, le porte-flambeau de ses commerces de vente à rabais, **Honest Ed's** *(581 Bloor St.W.)*, a ouvert ses portes tout juste au sud de la rue il y a maintenant plus de 55 ans, et, depuis lors, les volumes importants et les marges bénéficiaires restreintes ont servi de fondement à son entreprise. Ses clients profitent au quotidien de «prix à tout casser».

Lorsque les lois sur le zonage empêchèrent Mirvish de raser les grandes résidences décrépites de Markham Street derrière son magasin, il en fit le **Mirvish (Markham) Village**, et les bâtiments en cause abritent désormais des galeries d'art et des librairies. Ed Mirvish jouit également d'une certaine réputation de philanthrope, puisque son intérêt grandissant pour la musique, le ballet et le théâtre l'ont incité à sauver l'historique **Royal Alexandra Theatre** en 1963 de même qu'à acheter et à restaurer l'**Old Vic** de Londres, en Angleterre. Son fils David dirige maintenant le Royal Alexandra. Ensemble, ils ont aussi construit un théâtre, le **Princess of Wales Theatre.**

Attraits touristiques

Faites quelques pas vers l'est, et vous vous retrouverez devant les bureaux de la Swiss RE Holdings. Cet édifice témoigne éloquemment de l'engouement suscité par les mini-palais néo classiques autour de 1907, époque à laquelle il fut érigé. Baptisé **Union Building** *(212 King St. W.)*, il abritait, à l'origine, le siège social de la Canadian General Electric Company.

De l'autre côté de la rue s'élève le **Roy Thompson Hall** ★ ★ ★ *(4$, visites guidées de 45 min; lun-sam 12h30; 60 Simcoe St., ☎593-4822)*, une des constructions les plus remarquables du paysage torontois. Son extérieur futuriste, qui arbore 3 700 m² de verre réfléchissant, a été conçu par le Canadien Arthur Erickson et lui a valu des critiques mitigées le comparant tantôt à un champignon renversé, tantôt à un tutu de ballerine. Son intérieur fait par contre l'unanimité, avec son incroyable luminosité, son hall somptueux et son acoustique exceptionnelle, qu'exploitent d'ailleurs à souhait le Toronto Symphony

● ATTRAITS

1. Princess of Wales Theatre
2. Royal Alexandra
3. Union Building
4. Roy Thompson Hall
5. Metro Hall
6. CBC Broadcast Centre
7. St. Andrew's Presbyterian Church
8. Sun Life Tower
9. First Canadian Place
10. Toronto Stock Exchange
11. Standard Life et Royal Trust
12. Toronto-Dominion Centre
13. Bank of Nova Scotia
14. National Club Building
15. Bank of Montreal
16. Canada Permanent Building
17. Northern Ontario Building
18. Atlas Building
19. Scotia Plaza
20. Bank of Commerce Building
21. Commerce Court
22. Royal Bank
23. Canadian Pacific Building
24. Trader's Bank
25. Bank of British North America
26. Number 15
27. Original Toronto Stock Exchange
28. Design Exchange
29. Royal Bank Plaza
30. Union Station
31. Royal York Hotel
32. Canada Trust Tower
33. Canada Custom Building
34. BCE Place
35. Marché Mövenpick
36. Hockey Hall of Fame
37. Bank of Montreal
38. Hummingbird Centre
39. St. Lawrence Centre

○ HÉBERGEMENT

1. Fairmount Royal York
2. Global Village Backpackers
3. Hilton Toronto
4. Holiday Inn on King
5. Hotel Victoria
6. InterContinental Toronto Centre
7. Le Germain
8. Strathcona Hotel
9. Travelodge Toronto Downtown West

● RESTAURANTS

1. Acqua
2. Duke of Argyle
3. Epic
4. Fenice
5. Fred's Not Here
6. Friscos
7. Golden Thai
8. Hey Lucy
9. Kit Kat
10. Marché Mövenpick
11. N'Awlins Jazz Bar and Grill
12. Senses
13. Shopsy's Deli & Restaurant
14. Szechuan, Szechuan

C Le quartier des affaires et du spectacle

© ULYSSE

et le Mendelssohn Choir. Appelé à devenir le New Massey Hall au moment de sa construction, il finit par prendre le nom du potentat de l'édition Lord Thompson of Fleet, dont la famille fit la plus importante contribution individuelle au financement du projet.

Une vaste cour s'étend à l'ouest du Thompson Hall et est bordée, à l'ouest, par le **Metro Hall** *(en face du Princess of Wales)* et, au sud, par la **Simcoe Place** (le grand bâtiment carré sur votre gauche) ainsi que par le **CBC Broadcast Centre** *(7$; les horaires varient; Centre canadien de radiodiffusion, 250 Front St. W., ☎205-8605)*. Le Centre canadien de radiodiffusion a ouvert ses portes en 1992, et il a rapidement occupé une place de choix dans le ciel de Toronto grâce à son extérieur rouge unique d'aspect grillagé et à ses façades angulaires. Il s'agit là du siège des réseaux anglophones de la Canadian Broadcasting Corporation de même que de la radio et de la télévision francophones locales. Un atrium lumineux de 10 étages honore le hall d'entrée où se trouve en outre le **CBC Museum** *(entrée libre; lun-ven 9h à 17h, sam 12h à 16h; 250 Front St. W., ☎205-5574)*. Des éléments d'exposition interactifs retracent ici l'histoire de la radio et de la télévision au Canada. Le centre abrite enfin le Graham Spry Theatre, à l'intérieur duquel sont projetées les émissions les plus prisées.

De retour sur King Street, à l'angle sud-ouest de Simcoe Street, apparaît la **St. Andrew's Presbyterian Church**, qui date de 1876. Elle partageait jadis cette intersection avec la Government House, l'Upper Canada College et un bar tapageur, ce qui faisait dire aux gens qu'il s'agissait du coin de «la législation, de l'éducation, de la damnation et du salut». Aujourd'hui, son extérieur de grès de style néoroman écossais contraste violemment avec l'acier et le verre réfléchissant qui lui servent d'écrin, alors que vous pénétrez dans le quartier des affaires de Toronto. Curieusement, la tour Sun Life a assuré la survie de l'église en déboursant quelque quatre millions de dollars pour que sa construction se fasse aussi bien au-dessus qu'au-dessous d'elle.

Ce circuit vous entraîne maintenant au cœur même de Toronto, soit le **quartier des affaires** (Financial District). Ce quartier s'étend entre Adelaide Street au nord et Front Street au sud, puis entre University Avenue à l'ouest et Yonge Street à l'est.

Le point de rencontre des rues King et Bay représente le centre aussi bien géographique que symbolique du quartier des affaires de Toronto, et les quatre angles de cette intersection se trouvent occupés par quatre des grandes banques nationales canadiennes: la Banque de la Nouvelle-Écosse, à l'angle nord-est; la Banque canadienne impériale de commerce, à l'angle sud-est; la Banque Toronto-Dominion, à l'angle sud-ouest; et la Banque de Montréal, à l'angle nord-ouest.

Sur le plan historique, la haute finance torontoise a toujours gravité autour de ce secteur. Tout a commencé à l'intersection des rues Yonge et Wellington, au milieu du XIXe siècle, où la seule forme de publicité accessible aux institutions financières était l'architecture. L'image l'emportait sur tout à cette époque, et l'on cherchait à créer une impression de solidité et de durabilité en construisant de majestueux halls d'entrée, corniches, portiques et autres. Au début du XXe siècle, le cœur du quartier s'était déjà déplacé plus au nord, autour des rues King et Yonge, où l'élégance du style Art déco était en vogue. Au fur et à mesure qu'il s'étendit vers l'ouest, les gratte-ciel de Bay Street se dressèrent l'un après l'autre, en bordure des trottoirs, pour donner forme à une version plus «nordique» du canyon de Wall Street. Au cours des deux dernières décennies, les tours de verre et d'acier sont devenues les pièces maîtresses de grands espaces ouverts, balayés par les vents. Plus récemment, ces parcs de béton sont entrés en compétition directe avec le PATH, ce réseau de passages souterrains qui ne cesse d'étendre ses ramifications.

La première tour d'acier et de miroir, la **Sun Life Tower ★★** *(150-200 King St. W.)*, se dresse

en face de l'église St. Andrews, à l'angle des rues Simcoe et King. La sculpture dont se pare sa façade est l'œuvre de Sorel Etrog.

Poursuivez votre route par King Street jusqu'à York Street.

À l'angle nord-est apparaît l'auguste tour de marbre baptisée **First Canadian Place ★★**. Bien que son allure austère et sa base massive n'aient rien pour vous charmer, l'espace commercial aménagé à l'intérieur s'avère clair et aéré. Cette construction abrite en outre la **Bourse de Toronto ★★** (Toronto Stock Exchange) *(entrée libre; lun-ven 9h30 à 16h, visite guidée à 14h; 130 King St. W., ☎947-4670)*, ce point de mire de la haute finance canadienne où les papiers volent, où les cambistes se lancent des signaux de la main et où les fortunes sont faites et défaites. Le centre d'accueil des visiteurs se trouve au rez-de-chaussée de la tour de la Bourse, près de la réception. Il s'agit là d'une des haltes les plus intéressantes du quartier, puisque vous pourrez vous imprégner de l'activité du parquet à partir d'une galerie d'observation.

À mi-chemin entre les rues York et Bay, les édifices de la **Standard Life** et du **Royal Trust** dominent la face sud de King Street, tout à côté de l'impressionnant **Toronto-Dominion Centre ★★** *(55 King St. W.)*, à l'angle sud-ouest des rues King et Bay. Réalisé par le célèbre

Attraits touristiques

Des rues et des noms

Voici les origines des noms des principales rues de Toronto:

Bay Nommée en 1797, quand les limites de la ville de York ont été repoussées pour la première fois, cette rue a des relations évidentes avec la topographie de la ville, sur les rives du lac Ontario.

Bloor Nommée en l'honneur de Joseph Bloor (1788-1862), un brasseur qui vécut au numéro 100, cette rue a constitué pendant longtemps la frontière nord de la ville. D'ailleurs, peu de temps avant d'être rebaptisée "Bloor", la rue s'appelait "Toll-Gate Road", en référence au péage qui était installé à l'angle de Yonge Street, aux limites de la ville.

Church Dès 1797, des parcelles de terrains sont réservées pour la construction d'une église. L'église St. James, aujourd'hui une cathédrale, y est érigée en 1805.

College À l'origine, cette rue se voulait une avenue privée qui menait au King's College. Plus tard, elle fut louée par l'université de Toronto et transformée en rue publique.

Dundas Nommée en l'honneur de Sir Henry Dundas, vicomte de Melville et administrateur public (1791-1794), cette rue fut créée à la demande du gouverneur Simcoe afin de relier la ville de York à deux rivières, la Thames à l'ouest et la Trent à l'est.

King Nommée en l'honneur du roi George III, cette rue fut créée à la demande du gouverneur Simcoe en 1793.

Queen Nommée en l'honneur de la reine Victoria (1819-1901) en 1843.

Spadina À l'origine, la rue servait d'entrée privée pour accéder aux terres du docteur W.W. Baldwin. Le nom est dérivé du mot amérindien *espadinong*, qui signifie «petite colline».

University Originalement connue sous le nom de "College Avenue", elle se voulait une avenue privée bordée d'arbres qui reliait Queen Street et le King's College. En 1888, elle fut louée par l'université de Toronto et transformée en rue publique.

Yonge Nommée en l'honneur de George Yonge, secrétaire d'État à la guerre (1782-1794), elle fut l'une des premières rues tracées à Toronto, à la demande du gouverneur Simcoe.

moderniste Ludwig Mies van der Rohe, il s'impose comme le premier gratte-ciel d'envergure internationale construit à Toronto; c'était au milieu des années 1960. Ces simples tours noires pourront vous sembler peu inspirées, mais l'usage de matériaux coûteux et le respect minutieux des proportions ont promu le Toronto-Dominion Centre au rang des constructions les plus réputées de la ville.

À l'angle nord-est, la **Bank of Nova Scotia** ★ *(44 King St. W.)* se profile le long de King Street et a été construite, entre 1949 et 1951, selon des plans Art déco remisés avant la guerre. En remontant Bay Street vers le nord, le prochain bâtiment que vous croiserez est le modeste **National Club Building** *(303 Bay St.)*, de style néogeorgien. Ce club fut fondé en 1874 afin

de promouvoir le mouvement *Canada First*, qui s'opposait à l'idée d'une union éventuelle avec les États-Unis. Du côté ouest de Bay Street se trouve l'ancien siège de la Trust and Guarantee Co. Ltd, aujourd'hui devenu celui de la **Bank of Montreal** *(302 Bay St.)*. Quelques pas plus au nord, surgit le **Canada Permanent Building** ★ ★ *(320 Bay St.)*. La splendeur de son entrée voûtée et de son plafond à caissons semble avoir fait fi des temps difficiles qui s'annonçaient en 1929, lorsqu'on entreprit sa construction. Le hall s'impose comme une pure merveille à la gloire du style Art déco, et ne manquez pas les portes d'ascenseur en bronze, garnies de personnages de l'Antiquité.

Au nord d'Adelaide, du côté gauche, vous apercevrez le **Northern Ontario Building**

Attraits touristiques

(330 Bay St.), un gratte-ciel classique des années 1920, puis l'**Atlas Building** ★ *(350 Bay St.)*, un peu plus loin, avec son hall rehaussé de magnifiques ornements en laiton.

Allez vers l'est sur Adelaide Street et traversez la cour arrière de la trapézoïdale et rougeoyante **Scotia Plaza** ★ *(30 King St. W.)*, avant de pénétrer à l'intérieur du bâtiment à proprement parler et de franchir son hall pour retourner sur King Street. La façade de la Banque de la Nouvelle-Écosse se fait visible de l'intérieur de cet ajout qui s'harmonise assez bien à l'environnement.

En quittant la Scotia Plaza, vous serez saisi par la silhouette du **Bank of Commerce Building** ★★★ *(25 King St. W.)*, perçu par beaucoup comme la plus belle banque et tour à bureaux du quartier des affaires de Toronto. L'époustouflant intérieur de ce monumental édifice roman ne pourra qu'emballer les fervents d'architecture. Pénétrez dans l'immense hall de la banque et admirez la pierre rosée, les moulures dorées et la voûte en berceau à caissons bleus. Cet édifice fut pendant de nombreuses années la plus haute construction de tout le Commonwealth britannique. À l'est, du côté de Bay Street, le **Commerce Court** ★ *(243 Bay St.)* englobe le bâtiment précité ainsi qu'un gratte-ciel élancé de verre et d'acier dont la construction remonte au début des années 1970.

De biais avec la Toronto-Dominion Bank se dresse l'ancien siège grandiose de la **Royal Bank** *(2 King St. E.)*, aujourd'hui transformé en commerce de détail. Dessiné par les architectes montréalais Ross et Macdonald, il arbore un style classique grec. De l'autre côté de King Street se trouve le **Canadian Pacific Building** *(1 King St. E.)*. En redescendant la rue Yonge, vous arriverez devant la **Trader's Bank** *(61-67 Yonge St.)*, dont les 15 étages en faisaient le premier véritable gratte-ciel de Toronto lors de son érection en 1905, bien que, par une ironie du sort, sa conception eût visé à réduire la taille apparente des bâtiments. Quant à l'édifice de la **Bank of British North America** *(49 Yonge St.)*, il s'élève à l'angle des rues Yonge et Wellington.

Traversez les rues Yonge et Wellington, et empruntez cette dernière vers l'ouest. Du côté sud, au n° 15, vous verrez le plus vieux bâtiment de tout ce circuit. Après avoir abrité la Commercial Bank of Midland District puis la Merchant's Bank, il porte désormais le simple nom de **Number 15** ★★ ou de **Marché Mövenpick** (voir «Restaurants» p 221), selon votre interlocuteur. De style néoclassique, il a été conçu en 1845 par les architectes auxquels on doit également la **St. Lawrence Hall** (voir p 120). Rendez-vous jusqu'à Bay Street et découvrez, du côté est, à environ mi-chemin de la distance qui vous sépare de King Street, l'**Original Toronto Stock**

Exchange ★★★ *(234 Bay St.)*, soit l'ancienne Bourse de Toronto, maintenant la Design Exchange (voir ci-dessous), mais toujours le bâtiment le plus typiquement Art déco de la ville. Contemplez la frise de près de 23 m qui orne le haut du portail, caractérisée par une ironie et un humour que seule une Bourse canadienne pouvait se permettre.

La **Design Exchange** *(8$; lun-ven 10h à 18h, sam-dim 12h à 17h; 234 Bay St., information: ☎216-2160)*, connue à Toronto sous l'acronyme de "DX", renferme une salle d'exposition de même que le **Design Effectiveness Centre** *(entrée libre; heures d'accès irrégulières)*. On y présente des pièces réalisées par des concepteurs d'envergure nationale et internationale. En plus du dernier cri dans les domaines de la mode, de la création graphique et de l'ergonomie, ce lieu s'enorgueillit de la présence du parquet original, entièrement restauré, de l'his-torique Bourse de Toronto ainsi que de murales et frises tout bonnement spectaculaires.

Redescendez Bay Street jusqu'à Wellington pour le prochain arrêt, à la **Royal Bank Plaza** ★★★ *(200 Bay St.)*. Grâce en partie à sa façade miroitante enrichie de dorures, elle est de toute beauté. Deux tours triangulaires sont ici réunies par un atrium de verre transparent inondé de verdure tropicale, alors qu'en sous-sol s'étend un complexe commercial.

L'**Union Station** ★★ *(65-75 Front St. W.)* domine Front Street de Bay à York. Elle occupe sans contredit le premier rang des gares canadiennes pour la taille et pour la magnificence des lieux. Conçue dans l'esprit des grands terminaux américains, elle emprunte ses colonnes et ses plafonds à caissons aux basiliques romaines de l'Antiquité. La gare, dont la construction a été entreprise en 1915 mais achevée en 1927

Attraits touristiques

Union Station

seulement, est l'une des œuvres maîtresses des architectes Ross et Macdonald de Montréal. Sa façade sur Front Street fait plus de 250 m de longueur, dissimulant ainsi complètement le port et le lac Ontario, situés à l'arrière.

Le **Fairmont Royal York** ★★ *(100 Front St. W.)* constitue une introduction de taille au centre-ville de Toronto pour qui descend du train à l'Union Station. Il envoie clairement au visiteur le message que la Ville-reine est une grande métropole qui ne s'en laisse imposer par personne. Le plus vaste des hôtels du Canadien Pacifique voir aussi «Hébergement», p 196) renferme plus de 1 500 chambres réparties sur 25 étages. Tout comme la gare, l'établissement a été dessiné par les architectes montréalais Ross et Macdonald, qui ont combiné, à l'habituel style château des hôtels ferroviaires, des éléments lombards et vénitiens semblables à ceux de leurs réalisations montréalaises (le Dominion Square Building, l'ancien grand magasin Eaton.

En continuant vers l'est sur Front Street, vous apercevrez la **Canada Trust Tower** sur votre gauche et le **Canada Custom Building** du côté droit, à l'angle sud-ouest des rues Front et Bay.

Entrez dans la **BCE Place** ★★★ par la cour située à l'est de la Canada Trust Tower. Composée de deux tours jumelles reliées par une magnifique galerie de verre de cinq étages supportée par une énorme structure de nervures métalliques blanches, la BCE Place s'étend de Bay Street jusqu'à Young Street. Il est très agréable de s'y arrêter quelques moments pour s'y reposer ou encore pour y manger. Vous trouverez des comptoirs de restauration rapide au rez-de-chaussée; mais, pour quelque chose de différent et d'unique, rendez-vous au **Marché Mövenpick** (voir p 221), un heureux mélange de restaurants et de marchés où vous circulez d'étal en étal en choisissant les plats qui vous semblent les plus alléchants.

C'est aussi par la BCE Place que vous pourrez atteindre le célèbre **Hockey Hall of Fame** ★ *(12$; lun-ven 10h à 17h, sam 9h30 à 18h, dim 10h30 à 17h; 30 Yonge St., ☎360-7765, www.hhof.com)*, le paradis des amateurs de hockey. Vous y trouverez tout ce qui a marqué l'histoire de ce sport jusqu'à aujourd'hui. Le plan comporte 17 zones, qui couvrent près de 6 000 m², soit la superficie de trois patinoires de la National Hockey League (NHL). Ne manquez surtout pas le World-Com Great Hall, où vous attend la Coupe Stanley originale, offerte par Lord Stanley of Preston en 1893, le plus vieux trophée dans le domaine du sport professionnel en Amérique du Nord. Plus de 300 plaques rendent hommage aux différents joueurs qui ont marqué le hockey professionnel.

Une fois à l'intérieur, rendez-vous à la reconstitution de la chambre des joueurs des Canadiens de Montréal, ou encore observez sur un des nombreux écrans vidéo les extraits des moments marquants de l'histoire du hockey. Vous pourrez constater aussi toute l'évolution de l'équipement de hockey à travers les différents masques de gardien, bâtons de hockey, patins et chandails de joueurs légués par les grands hockeyeurs qui ont marqué ce sport au cours des dernières décennies.

Sortez par Yonge Street, et vous apercevrez la façade extérieure de la **Bank of Montreal** ★★. Cette construction abrite en réalité le Hockey Hall of Fame, dont l'entrée se trouve à l'intérieur de la BCE Place. Le Hockey Hall of Fame en fait aujourd'hui partie intégrante. Érigée en 1886 par les architectes Darling & Curry, la Bank of Montreal est un des plus vieux bâtiments du XIXe siècle encore debout. Conçue à une époque prospère et optimiste, son architecture évoque ce sentiment de puissance et d'invulnérabilité qu'éprouvaient les gens d'alors: maçonnerie imposante, portiques splendides et fenêtres gigantesques. Ce magnifique bâtiment fut, jusqu'à la construction d'un nouvel édifice en 1982, le siège social de la Banque de Montréal à Toronto.

À l'angle sud-est de Yonge Street et de Front Street, vous verrez le **Hummingbird Centre**, aussi appelé O'Keefe Centre. Avec ses 3 200 sièges, il constitue l'une des plus importantes salles de théâtre, de ballet et d'opéra de Toronto. Une rue plus à l'est, vous apercevrez le **St. Lawrence Centre**, qui présente lui aussi plusieurs concerts et pièces de théâtre chaque année. Malgré une façade imposante, il offre un décor intérieur beaucoup plus intime.

Attraits touristiques

Hockey Hall of Fame

La peinture murale du Gooderham Building, à l'est, est le point de départ de la visite à pied de l'Old Town of York. Elle est l'œuvre de l'Albertain Derek Besant, qui l'a réalisée en 1980 et intitulée ***Flatiron Mural***, tout bonnement.

Circuit D: Old Town of York

C'est à l'intérieur du rectangle formé par les rues George, Berkely, Adelaide et Front que le commandant John Graves Simcoe de l'armée britannique a fondé en 1793 la ville de York, mieux connue aujourd'hui sous le nom de Toronto. Cette partie de la ville fut pendant longtemps le centre de l'activité économique, principalement à cause de la proximité du lac Ontario. À la fin du XIXᵉ siècle, le centre économique se déplaça lentement vers ce qui est aujourd'hui le quartier des affaires, laissant ainsi à l'abandon tout un quartier de la cité. Tout comme le **Harbourfront** (voir p 91), le quartier de St. Lawrence a été l'objet d'un réaménagement majeur au cours des 25 dernières années, financé par les gouvernements fédéral, provincial et municipal. On y retrouve aujourd'hui un heureux mélange d'architectures des XIXᵉ et XXᵉ siècles où se

● ATTRAITS

1. Gooderham Building
2. Beardmore Building
3. St. Lawrence Market
4. Farmer's Market
5. St. Lawrence Neighbourhood Condominiums
6. Lorraine Kimsa Theatre for Young People
7. Canadian Opera Company
8. Distillery District
9. Enoch Turner Schoolhouse
10. Little Trinity Church
11. Bank of Upper Canada
12. Toronto's First Post Office
13. St. Lawrence Hall
14. St. James Park
15. St. James Cathedral
16. Argus Corporation
17. King Edward Hotel
18. Toronto Sculpture Garden
19. Market Square

◗ HÉBERGEMENT

1. Ambassador Inn Downtown Toronto
2. Cawthra Square Bed & Breakfast
3. Hostelling International
4. Novotel
5. Quality Hotel Downtown
6. Royal Meridian King Edward (R)

(R) Établissement avec restaurant décrit

● RESTAURANTS

1. Biaggio Ristorante
2. Bombay Palace
3. Café du Marché
4. C'est What
5. Hiro Sushi
6. Le Papillon
7. The Old Spaghetti Factory
8. Young Thailand

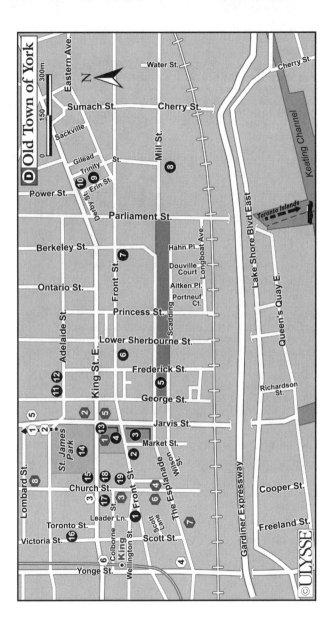

Old Town of York

D

N

300m
150
0

Water St.

Eastern Ave.

Sumach St.

Cherry St.

Cherry St.

Sackville

Keating Channel

Gilead St.

Mill St.

8

Trinity

Denky St. Erin St.

10

9

Power St.

Parliament St.

Toronto Islands

Lake Shore Blvd East

Berkeley St.

7

Hahn Pl.

Longboat Ave.

Front St.

Douville Court

Ontario St.

Aitken Pl.

Portneuf Ct.

Scadding

Queen's Quay E.

Princess St.

Lower Sherbourne St.

6

Adelaide St.

King St. E.

Frederick St.

5

Richardson St.

11 **12**

George St.

5

2

5

Jarvis St.

1 **2**

St. James Park

13

1 **4** **2** **3**

Market St.

14

2

Wilson St.

Lombard St.

8

15

18 **19**

The Esplanade

Cooper St.

Church St.

3

17 **3**

Front St.

6 **4**

Gardiner Expressway

Toronto St.

16

Leader Ln.

1

Scott Lane

7

Freeland St.

Victoria St.

Colborne

Scott St.

Wellington St.

Yonge St.

6

King

© ULYSSE

croisent les différents groupes socioéconomiques de la métropole canadienne. Derrière le Berczy Park, la fresque en trompe-l'œil peinte à l'arrière du **Gooderham Building** ★ *(49 Wellington St.)*, créée par Derek Besant en 1980, est devenue une attraction très populaire à Toronto. Elle ne représente pas, contrairement à ce que beaucoup de gens croient, les fenêtres du Gooderham Building, mais plutôt la façade du Perkins Building, situé de l'autre côté de la rue, au 41-43 Front Street East. L'édifice est souvent appelé le *Flatiron Building* à cause de sa structure triangulaire rappelant la forme de son fameux cousin de New York, qu'il précède d'ailleurs de quelques années. Le Gooderham Building se dresse sur un terrain de forme triangulaire à l'intersection de Wellington Street, qui suit le quadrillage des rues imposé par les Britanniques lors de la fondation de la ville de York, et de Front Street, parallèle à la rive nord du lac Ontario. Construit pour George Gooderham, un homme d'affaires qui a fait fortune dans le domaine de la distillerie, cet édifice étonne autant par sa peinture murale que par son architecture de château. Il abrite encore aujourd'hui plusieurs bureaux.

Après l'avoir passé, retournez-vous et contemplez le tableau urbain formé par le Flatiron devant les tours du Financial District et la tour du CN.

Gooderham Building

De l'autre côté de Front Street, vous remarquerez que de nombreuses boutiques sont regroupées à l'intérieur d'un même édifice. Il s'agit du **Beardmore Building** *(35-39 Front St. E.)*. La façade rutilante de ce bâtiment n'est autre que celle d'un simple entrepôt. Vous verrez d'ailleurs qu'il n'est pas le seul. Le Beardmore Building fait en effet partie d'une série d'entrepôts qui constituaient le cœur du Wharehouse District au milieu du XIXe siècle. La plupart de ces entrepôts ont aujourd'hui été reconvertis en boutiques.

Continuez votre marche par Front Street en direction est. À l'intersection avec Jarvis Street, vous apercevrez le **St. Law-rence Market** ★ ★ *(91 Front St. E.)*. Construit en 1844, il abrite l'hôtel de ville jusqu'en 1904, année où Henry Bowyer Lane le transforme en marché public. Agrandi en 1978, le St. Law-rence Market est aujourd'hui réputé pour la fraîcheur de ses fruits et légumes, poissons, saucisses et fromages. La **Market Gallery**, au premier étage, présente des expositions histo-riques et contemporaines sur le visage en perpétuel change-ment de Toronto, en faisant appel à des photographies, à des plans de la ville et à diffé-rents tableaux. Cette collection fait partie des archives de la Ville de Toronto. Désormais, ce colosse en briques rouges englobe totalement le premier City Hall (hôtel de ville), qu'on peut encore distinguer sur la façade. Le meilleur moment pour s'y rendre est le samedi, alors que les fermiers des ré-gions voisines de Toronto vien-nent vendre leurs produits, de l'autre côté de la rue, au **Far-mer's Market** *(dès 5h)*.

De nos jours, le quartier de St. Lawrence est perçu comme un secteur à la mode où l'on élit volontiers domicile. Ainsi nommé en l'honneur d'un saint, comme c'est d'ailleurs le cas pour nombre de quartiers ouvriers des environs, le quar-tier de St. Lawrence accueillait jadis une population à majorité irlandaise et protestante, et regroupait aussi bien des usines et des entrepôts que de sim-ples habitations. Il y a quelque

Hogtown

Sans doute l'usine de style victorien la plus pittoresque de Toronto se dresse-t-elle à l'angle des rues Frederick et Front. Érigé en 1867, ce bâtiment en briques rouges, et aux fenêtres arquées encadrées de brique ocre, abritait à l'origine l'usine d'emballage de produits du porc William Davies Co., dont les activités ont mérité à Toronto l'un de ses premiers sobriquets: *Hogtown*.

temps, il n'offrait à la vuequ'une collection de ces constructions vides et délabrées, dont beau-coup ont été transformées en copropriétés et en espaces de bureaux vivement recherchés. L'un de ces projets, qui porte à juste titre le nom de **St. La-wrence Neighbourhood Condo-miniums** *(The Esplanade, au sud du marché)*, a été réalisé en 1982 et a contribué à ramener une partie de la population torontoise dans le quartier. L'endroit a des airs modernes, ses nombreuses constructions s'intégrant harmonieusement à la trame urbaine.

Attraits touristiques

Revenez sur vos pas jusqu'à Front Street East en empruntant George Street ou Frederick Street.

Le **Lorraine Kimsa Theatre for Young People** *(165 Front St. E.)* se dresse quelques pas plus à l'est. Là où l'on logeait jadis les chevaux de la Toronto Street Railway Co., on présente désormais de bonnes productions théâtrales pour les jeunes.

La **Canadian Opera Company** *(227 Front St. E.)* occupe pour sa part une ancienne usine construite en 1888 qui abritait la Consumers' Gas Company et qui maintenant fait office de salle de répétition. Son intéressant briquetage et ses pignons en gradins démontrent sans ambages à quel point même une usine pouvait être flamboyante à l'époque victorienne. L'impulsion qui a motivé toute cette grandeur est la même que celle qui a donné jour à l'opulence de l'ancienne Banque de commerce, sur King Street, de même qu'au raffiné Toronto-Dominion Centre, également sur King Street, c'est-à-dire le besoin d'impressionner le client.

Poursuivez par Front Street, tournez à droite dans Parliament Street puis à gauche dans Mill Street et marchez jusqu'à la prochaine rue où se dresse la distillerie Gooderham & Worts.

Véritable petit bijou de l'ère industrielle, le **Distillery District** ★★★ *(55 Mills St., www. thedistillerydistrict.com)* n'a rien

perdu de ses airs d'antan, si ce n'est ce qui se cache désormais derrière ses coquettes façades de briques rouges. Fréquemment utilisée comme décor pour le cinéma, l'ancienne distillerie Gooderham & Worts, enclavée par la Gardener Expressway et les nouveaux développements immobiliers du St. Lawrence Market, se présente comme l'un des complexes industriels de style victorien les mieux préservés en Amérique du Nord.

À son arrivée au Canada en 1831, James Worts construit un moulin à céréales, puis il est rejoint bientôt par son beau-frère William Gooderham, qui investit 3 000$ dans cette industrie naissante qu'est la distillerie: la Gooderham & Worts Distillery produira son premier whisky en 1837. En 1859, la construction de la distillerie à son emplacement actuel constitue le plus important projet industriel de l'époque. En 1871, sa production représente la moitié de la production ontarienne d'alcool. Ébranlée par la Première Guerre mondiale, la Prohibition et le déplacement de la production de certains produits, notamment le bien-connu Canadian Club, la distillerie ferme ses portes en 1990, après 153 ans d'exploitation. En 2001, le complexe est racheté par Cityscape Holdings Inc., qui conçoit le projet ambitieux d'y établir un joyeux mélange de galeries d'art, de studios d'artistes, de troupes de théâtre et de restaurants – en prenant bien soin de bannir les franchises de cette architecture d'une autre époque!

Le nouvel acquéreur a accompli un travail impressionnant de sauvegarde en conservant plutôt qu'en restaurant les lieux, ce qui fait une énorme différence sur le cachet et l'atmosphère. Contrairement à d'autres développements touristiques du même genre, il est fréquenté par les Torontois. Un endroit agréable où aller prendre un repas, ou simplement se balader dans la zone piétonnière qui l'entoure.

Remontez Trinity Street en direction de King Street.

La coquette petite rue Trinity accueillait jadis les habitations de nombreux travailleurs protestants pauvres de souche irlandaise qui, jusqu'en 1848, devaient payer pour faire instruire leurs enfants à l'école St. James, ce dont beaucoup n'avaient pas les moyens. Mais, en 1848, le gouvernement ontarien libéralisa l'éducation, de sorte que plusieurs enfants jusque-là tenus à l'écart purent enfin bénéficier d'une instruction gratuite. À Toronto, cependant, le conseil municipal jugea cette mesure trop drastique, si bien qu'Enoch Turner, brasseur et employeur d'une bonne partie de la population locale, fit construire à ses frais, cette même année, la Trinity Street School. Ce charmant édifice en briques rouges et crème vint plus tard à être reconverti en école du dimanche pour le compte de la Little

Trinity Church (voir ci-dessous), soit après avoir été récupéré par la municipalité en 1851, enfin disposée à reconnaître le droit à l'éducation gratuite. L'**Enoch Turner Schoolhouse** ★★ *(dons appréciés; lun-sam sur rendez-vous; 106 Trinity St., ☎863-0010)* s'impose comme la plus vieille école encore visible à Toronto et, bien entendu, comme la première école gratuite de la ville. Le bâtiment abrite une petite exposition.

Un peu plus haut sur la même rue, la **Little Trinity Church** *(425 King St. E.)* fut quant à elle construite pour la communauté anglicane locale, qui ne pouvait défrayer le coût de location des bancs à l'église St. James. Le style Tudor gothique de cette construction, à la fois simple et enchanteur, entoure ce site d'une aura presque magique.

En revenant vers l'ouest par King Street East, vous croiserez d'autres usines et entrepôts transformés en restaurants, cafés ou bureaux.

Saviez-vous que les biscuits de M. Christie avaient vu le jour à Toronto? La première boulangerie de M. Christie, aujourd'hui rachetée par Nabisco Brands (propriété de Kraft Foods) et jadis comptant parmi les plus célèbres biscuiteries au monde, se trouvait ici même, sur King Street East. Les chevaux utilisés pour la livraison des précieuses friandises logeaient dans des écuries du 95 Berkeley Street, à une rue au nord de King, et les biscuits eux-mêmes étaient fabriqués un peu plus loin sur King, au n° 200. La boulangerie n'existe plus toutefois, puisque le bâtiment qu'elle occupait abrite désormais le pavillon St. James du collège George Brown.

Plus haut, sur Adelaide Street, se dresse la première banque de la municipalité de York, la Bank of Upper Canada. À l'époque de sa construction, en 1827, ce bâtiment de calcaire dominait les rues non revêtues de la "Muddy York", ainsi qu'on surnommait alors la ville, et l'édifice en question inspirait certes espoir et confiance aux résidants de la municipalité naissante. La banque a malheureusement fait faillite en 1866, après quoi les Christian Brothers occupèrent ses locaux et y créèrent une école catholique romaine pour garçons, le De La Salle Institute, qui subsista jusqu'en 1916.

Au n° 260, vous trouverez le **Toronto's First Post Office** *(entrée libre; lun-ven 9h à 16h, sam-dim 10h à 16h; 260 Adelaide St. E.,* ☎*865-1833).* Ce vieux bureau de poste, le premier de Toronto, est inscrit au registre des monuments historiques. Il a ouvert ses portes en 1843 sous l'égide des services postaux britanniques, qui eurent cours jusqu'en 1851, soit l'année où Postes Canada fut créée. Le bureau est toujours en activité, tenu par un commis en costume d'époque, et, outre les services postaux réguliers, vous

pourrez faire sceller à la cire chaude vos lettres à envoyer.

De retour sur King Street, vous verrez la rangée de bâtiments qui portent les n°s 167 à 185, soit la plus ancienne succession d'édifices de Toronto, quoiqu'ils aient été construits à des dates différentes. La brique ocre qui orne la façade du n° 150 est commune dans toute la ville. Les ordonnances municipales concernant la protection contre les incendies obligeaient en effet les constructeurs à faire appel à la brique, et cette variété particulière de brique, dite «blanche» à l'époque, était non seulement peu coûteuse du fait de la proximité des glaisières, mais en outre tenue pour avoir l'aspect de la pierre, beaucoup plus onéreuse.

Traversez la rue en diagonale en direction du **St. Lawrence Hall** ★ *(157 King St. E.),* le centre communautaire de Toronto dans les années 1850-1900. De style victorien, il a été construit pour la présentation de concerts et de grands bals. Plusieurs célébrités y ont donné des spectacles, entre autres Jenny Lind, Andelina Patti, Tom Thumb et P.T. Barnum. Pendant plusieurs années, le St. Lawrence Hall logea aussi le National Ballet of Canada. **Heritage Toronto** *(*☎*338-3886)* a aménagé ses bureaux au troisième étage du bâtiment. L'organisation propose des visites guidées à caractère historique et patrimonial.

Continuez votre route vers l'ouest. Vous apercevrez le très joli **St. James Park**, un jardin du XIXe siècle avec sa fontaine et ses buissons de fleurs saisonnières. Asseyez-vous sur un des nombreux bancs, d'où vous verrez, à l'angle de Church Street et de King Street, la **St. James Cathedral ★ ★**, la première cathédrale anglicane à être construite à Toronto. Érigée en 1819 avec l'aide d'un prêt du gouvernement d'une part et d'une contribution des nombreux fidèles d'autre part, elle fut détruite par l'incendie de 1849, qui avait alors ravagé une partie de la ville. La St. James Cathedral que vous voyez aujourd'hui fut reconstruite sur les ruines de la précédente selon les plans de l'architecte Frederick Cumberland, qui voulait évoquer la suprématie religieuse.

Elle possède d'ailleurs le plus haut clocher de tout le Canada et le deuxième en Amérique du Nord, derrière celui de l'église St. Patrick's de New York. La façade en briques jaunes souligne les formes gothiques de la cathédrale, ce qui lui confère un caractère plutôt sobre. À l'intérieur, le décor est beaucoup plus élaboré, le chœur de l'église en marbre où repose l'évêque Stachan se révélant tout à fait magnifique.

Continuez vers l'ouest par King Street et tournez à droite dans Toronto Street, qui, au XIXe siècle, était une des plus belles rues de toute la ville. Aujourd'hui certains bâtiments donnent une vague image de tout le charme et de l'élégance qui devait se dégager de cette rue. Remarquez tout particulièrement l'**Argus Corp.** *(10 Toronto St.)*, qui abritait autrefois le Toronto Post Office, dont le portique composé de quatre colonnes ioniques symétriques et l'architecture néoclassique rappellent un temple grec. Le bâtiment fut à tour de rôle bureau de poste, département de la douane et succursale de la Banque du Canada.

Revenez maintenant à la rue King et admirez le **Royal Meridien King Edward ★ ★** *(37 King St. E.)* (voir p 198), entre Church Street et Leader Lane; il a été conçu en 1903 par E.J. Lennox, l'architecte de l'**Old City Hall** (voir p 127), du **Massey Hall** (voir p 125) et de la **Casa Loma** (voir p 163). Avec son style édouardien,

St. James Cathedral

ses merveilleuses colonnes de faux marbre au rez-de-chaussée et ses magnifiques salles à manger, le King Edward Hotel fut un des hôtels les plus luxueux de Toronto pendant près de 60 ans, jusqu'à ce que le déclin du quartier fasse baisser sa popularité. Aujourd'hui, avec la renaissance du quartier, le King Edward Hotel attire de nouveau une clientèle huppée grâce à ses superbes chambres et à ses deux merveilleux restaurants.

Revenez maintenant sur la St. James Cathedral, de laquelle vous apercevrez le **Toronto Sculpture Garden**. Traversez-le et admirez les différentes sculptures qui le parsèment. Le passage vers la rue Front se poursuit ensuite par le **Market Square ★** *(80 Front St. E.)* construit juste à côté du premier marché de la ville. Relativement récent, il réussit à bien s'insérer à l'intérieur de ce quartier historique sans toutefois en briser l'harmonie urbaine. Le Market Square est bordé par de nombreuses boutiques et des appartements de luxe tout à fait sympathiques.

Circuit E: Queen Street West

Ce circuit part de l'angle des rues Yonge et Queen, là où

● ATTRAITS

1. The Bay
2. Bank of Montreal
3. Elgin and Wintergarden Theatres
4. Canon Theatre
5. Massey Hall
6. St. Michael's Cathedral
7. Metropolitan United Church
8. Mackenzie House
9. Eaton Centre
10. Church of the Holy Trinity
11. Old City Hall
12. New City Hall
13. Nathan Phillips Square
14. Osgoode Hall
15. Campbell House
16. CityTV and MuchMusic
17. Black Bull Tavern

◐ HÉBERGEMENT

1. Bond Place Hotel
2. Cambridge Suites Hotel
3. Sheraton Centre Toronto
4. St. Lawrence Residences
5. Toronto Marriott Eaton Centre

● RESTAURANTS

1. Addis Ababa
2. Avalon
3. Babur
4. Barberian's
5. Everest Cafe and Bar
6. Fez Batik
7. Hard Rock Cafe
8. Korean Grill House
9. Little India
10. Mildred Pierce Restaurant
11. Monsoon
12. Peter Pan
13. Queen Mother Cafe
14. Rivoli
15. Salad King
16. Sushi Bistro on Queen
17. Sushiman Japanese Restaurant
18. The Fifth
19. Tiger Lily's Noodle House

débute Queen Street West. Le grand magasin à rayons **The Bay** occupe l'angle sud-ouest de cette intersection de même que tout le côté sud de la rue Queen jusqu'à Bay Street. À l'origine, ce bâtiment abritait le magasin Simpson, c'est-à-dire jusqu'à ce que des difficultés financières n'entraînent sa fermeture et ne voient presque tous les Simpson devenir des magasins La Baie. Il s'agissait là du plus grand commerce de détail au Canada en 1907, époque à laquelle lui fut ajoutée la portion de la rue Queen. La structure originale de six étages (1895) qui se trouve directement à l'angle des rues Yonge et Queen arbore de jolis ornements en terre cuite. Par ailleurs, une extension de style Art déco adjointe à l'ensemble en 1928 donna lieu dans tout le magasin à une somptueuse rénovation que reflète bien l'entrée située à l'angle des rues Richmond et Yonge.

Empruntez Yonge Street en direction nord. Sur votre gauche resplendit la façade de ce haut lieu du magasinage qu'est l'Eaton Centre, tandis que sur votre droite vous ne tarderez pas à apercevoir deux autres majestueux théâtres de Toronto, à savoir les Elgin and Winter Garden Theatres et le Canon Theatre.

Avant de visiter l'Elgin and Wintergarden, jetez un coup d'œil sur l'édifice de la **Bank of Montreal** *(173 Yonge St.)*, directement sur le coin. Ce bâtiment de style édouardien date de 1909.

Les **Elgin and Winter Garden Theatres ★ ★** *(7$; visite d'une heure; mar 17h, sam 11h; 189 Yonge St., ☎314-2871)* forment ensemble le dernier complexe théâtral à deux étages encore en activité au monde. Inaugurés en 1914, ils furent d'abord des théâtres de vaudeville; l'Elgin, au rez-de-chaussée, se voulait l'opulence

Elgin and Winter Garden Theatres

même, alors que le WinterGarden, à l'étage, s'imposait comme un des premiers théâtres «atmosphériques» avec ses murs à treillis et ses colonnes déguisées en troncs d'arbre sous un plafond de feuilles véritables. Après avoir servi de cinémas un certain temps, ces purs joyaux ont été restaurés par l'Ontario Heritage Centre et accueillent de nouveau des troupes de théâtre.

À une certaine époque le plus grand théâtre de vaudeville de tout l'Empire britannique, le **Canon Theatre ★** *(263 Yonge St., ☎364-4100)*, anciennement connu sous le nom de "Pantages Theatre", eut nombre d'affectations différentes, tantôt comme palais d'images tantôt comme cinéma de six salles, avant de retrouver toute sa splendeur d'antan en 1988-1989.

Revenez sur vos pas par Yonge Street, puis tournez à gauche dans Shuter Street et faites encore deux rues à pied jusqu'au Massey Hall.

Le **Massey Hall** *(178 Victoria St., angle Shuter St., ☎593-4822 ou 872-4255)*, qui portait au départ le nom de "Massey Music Hall", est réputé pour son acoustique exceptionnelle. Bien que l'orchestre symphonique de Toronto n'y joue plus, on peut encore y entendre des concerts tout à fait respectables.

Deux grandes églises de Toronto se trouvent une rue plus à l'est.

Les catholiques, relativement peu nombreux à Toronto au XIXe siècle, ont tout de même fait construire la **St. Michael's Cathedral ★** *(200 Church St.)* entre 1845 et 1867, édifice qui n'a cependant pas la prestance de la cathédrale anglicane ou de l'église unie, toute proche. On reconnaît dans cette église l'architecture parfois touffue des temples catholiques victoriens à travers son clocher à ouvertures multiples, ses lucarnes massives et son intérieur polychrome. On remarquera plus particulièrement la fausse voûte étoilée réalisée vers 1870. Du côté sud de la rue Shuter, qui donne sur Queen Street, la **Metropolitan United Church ★** (1870) est perçue comme un défi lancé aux cathédrales aussi bien anglicanes St. James Cathedral, (voir p 121) que catholiques romaines, et elle incarne bien toute la puissance sociale et commerciale de la communauté méthodiste de Toronto (les méthodistes, les congrégationistes et les deux tiers des presbytériens fondèrent ensemble l'Église Unie en 1925). Compte tenu de ses dimensions et de son emplacement imposants au milieu d'un parc carré couvrant toute l'étendue d'un quadrilatère, elle domine complètement le secteur.

Remontez Bond Street en direction de Dundas et arrêtez-vous à la Mackenzie House.

En 1837, la colonie canadienne bouillonne. Les tentatives pour implanter un gouvernement

Attraits touristiques

responsable n'aboutissent pas, et l'impatience à l'égard de l'Angleterre croît sans cesse. Louis-Joseph Papineau, dans le Bas-Canada (le Québec), et William Lyon Mackenzie, dans le Haut-Canada (l'Ontario), seront les deux principaux chefs des mouvements d'émancipation coloniale. Mackenzie était arrivé à Toronto en provenance de l'Écosse en 1820. Avant de devenir le premier maire de la ville, il publiait un journal intitulé *The Colonial Advocate*, qui enragea tant et si bien le **Family Compact** (voir p 21) que son atelier fut saccagé et que ses caractères d'imprimerie furent jetés dans le lac Ontario. Après avoir perdu la course à la mairie en 1836, il mena sans succès une rébellion contre l'oligarchie, puis se réfugia aux États-Unis. La **Mackenzie House ★** (*3,50$; mai à déc mar-dim 12h à 16h, jan à avr sam-dim 12h à 17h; 82 Bond St.,* ☎392-6915), un modeste bâtiment à l'allure georgienne construit en 1857, lui fut offerte par un groupe d'admirateurs en 1859. Heritage Toronto a depuis restauré la maison. Des guides en costumes d'époque font revivre pour les visiteurs les us et coutumes de la classe moyenne du Toronto des années 1860. L'implantation de la maison est incongrue parce qu'elle est la seule survivante d'une rangée d'habitations identiques. Elle est meublée d'antiquités et renferme par ailleurs une reconstitution de l'atelier d'imprimerie de Mackenzie où vous pourrez admirer sa presse maudite.

Mackenzie eut pour petit-fils William Lyon Mackenzie King, le premier ministre canadien en poste le plus longtemps.

Empruntez Dundas Street jusqu'à Yonge Street, puis tournez à gauche.

Même si vous n'avez nullement l'intention de magasiner, donnez-vous au moins la peine de jeter un coup d'œil à l'intérieur de l'**Eaton Centre ★★**, qui se trouve sur Yonge Street entre Queen et Dundas. De plus, s'il se trouve que vous ayez besoin d'un article quelconque, n'hésitez pas à vous attarder sous cette arcade au toit de verre où quelques moineaux ont même élu domicile, préférant cette structure à tout autre abri. Les artères (appelées «rues») qui arpentent ce centre commercial sur cinq étages sont bordées de bancs et d'arbres. En levant la tête, vous verrez le magnifique vol de bernaches en fibre de verre de Michael Snow, une œuvre intitulée *Step Flight* qui a été suspendue au-dessus de la galerie marchande. Encadré par deux gratte-ciel de 30 étages et deux stations de métro (Dundas et Queen), et occupant une superficie de plus de 500 000 m², l'Eaton Centre renferme 320 boutiques et restaurants, deux parcs de stationnement et un cinéma de 17 salles. Il abrite en outre la **Thomson Gallery** (*9e étage de la tour de La Baie, Eaton Centre*), qui expose la collection privée du richissime propriétaire de "The Bay" et du *Globe and Mail*.

Lorsque vous aurez vu suffisamment de boutiques, quittez le centre Eaton par le Trinity Square, à l'angle nord-ouest du centre commercial.

Ce charmant havre a bien failli ne jamais exister. La **Church of the Holy Trinity ★ ★** (1847), le **Rectory** (1861) et la **Scadding House** (1857) font partie des plus vieux monuments de Toronto, et les premiers plans du centre Eaton prévoyaient leur démolition. Fort heureusement, suffisamment de gens se sont opposés à ce projet pour qu'on décide de construire l'immense centre commercial autour de ces trois structures. L'église de la Sainte-Trinité résulte d'un don fait par une Anglaise anonyme qui tenait à ce que n'importe qui puisse gratuitement prendre place sur ses bancs. Son excellente acoustique a permis la création des magnifiques mélodies qu'on retrouve sur l'album *The Trinity Sessions* de la formation Cowboy Junkies. Le presbytère et la maison du révérend Henry Scadding, le premier pasteur de l'église, complètent le trio (la maison a été déplacée pour faire place au magasin à rayons Eaton).

Descendez James Street jusqu'à l'arrière de l'**Old City Hall ★ ★** *(60 Queen St. W.)*, dessiné par E.J. Lennox en 1889. Alors que vous contournez le bâtiment par Queen Street, remarquez les avant-toits sous lesquels l'architecte a gravé les lettres "E.J. Lennox Architect" afin de

s'assurer que son nom passe à la postérité. Lennox avait obtenu ce contrat par voie de concours, mais les conseillers municipaux refusèrent d'accéder à sa requête d'apposer son nom sur une des pierres angulaires du bâtiment. Pour se venger d'eux, il fit sculpter des espèces de gargouilles à leur image au-dessus de l'escalier extérieur, de manière à ce qu'ils soient quotidiennement confrontés à une forme défigurée d'eux-mêmes! Lorsqu'on nota la présence de ces touches personnelles de l'architecte, il était déjà trop tard pour y remédier.

À l'origine, on trouvait dans ce même édifice le palais de justice. Le vaste bâtiment de grès adopte un plan carré distribué autour d'une cour centrale. Il s'agit sans contredit de l'exemple le plus probant du style néoroman de Richardson au Canada. Ce style a été développé dans les années 1870-1880 aux États-Unis par l'architecte Henry Hobson Richardson à partir du vocabulaire architectural de l'art roman français. Il se définit par un traitement habituellement bossagé des surfaces et des volumes. Les ouvertures cintrées, en grand nombre, sont encadrées de colonnettes engagées qui confèrent aux bâtiments de ce style un caractère médiéval et pittoresque. Son élégant campanile doté d'une horloge s'inscrit dans l'axe de Bay Street, l'artère de la haute finance par excellence au Canada.

Attraits touristiques

New City Hall

En 1965, l'administration municipale de Toronto quitte son hôtel de ville victorien pour emménager dans le **New City Hall** ★ ★ *(100 Queen St. W.)*, une œuvre moderniste ayant su acquérir en peu de temps une notoriété qui en fait, avec la tour du CN, le principal symbole de Toronto. Réalisé à la suite d'un concours international, l'édifice est l'œuvre du Finlandais Viljo Revell, le maître à penser du rationalisme scandinave de l'après-guerre. Ses deux tours courbées de hauteur inégale sont comme deux mains entrouvertes protégeant la structure en forme de soucoupe qui abrite la salle du conseil.

Devant l'hôtel de ville s'étend le **Nathan Phillips Square** ★, un vaste espace public baptisé ainsi en l'honneur du maire qui dota Toronto de plusieurs nouvelles installations au début des années 1960. On y retrouve un grand bassin d'eau franchi par trois arches et qui se transforme en patinoire très fréquentée l'hiver venu. À proximité prennent place *The Archer* du sculpteur Henry Moore et le *Peace Garden* (jardin de la Paix), conçu en 1984 par l'Urban Design Group. Ce mini-espace vert intégré au square sert d'écrin à la flamme éternelle de la Paix. L'élément dominant en est une hutte à demi détruite rappelant les effets de la guerre et symbolisant le désir de paix de la population.

Derrière les grilles de fonte qui entourent son jardin ombragé, l'**Osgoode Hall** ★ ★ *(entrée libre; lun-dim 9h à 14h; 130 Queen St. W.,* ☎947-3300) rappelle un palais vice-royal de l'Empire britannique, alors qu'en réalité il a été érigé pour

Le Convention Center et les buildings du Financial District figurent parmi les atouts de la grande métropole économique qu'est Toronto. *-Patrick Escudero*

Le Nathan Philips Square, espace vert et bleu doté d'une aire gazonnée et d'un bassin d'où jaillit une fontaine, s'anime à longueur d'année. *-Patrick Escudero*

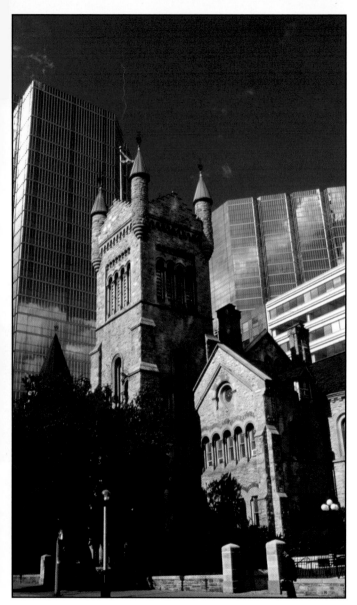

La St. Andrew's Presbyterian Church a survécu à l'avènement des gratte-ciel modernes grâce à la tour Sun Life, qui l'a intégrée dans son site. *-Patrick Escudero*

loger l'Association profession-
nelle des avocats ontariens
(Law Society of Upper Canada)
et la Cour provinciale. Même si
le bâtiment a été réalisé par
étapes entre 1829 et 1844
selon les plans de différents
architectes, sa façade présente
néanmoins une belle unité
d'ensemble. Elle adopte un plan
à la mode palladienne mais
aussi un répertoire décoratif tiré
des palais de la Renaissance
italienne, alors en vogue dans la
haute société londonienne. Il
est possible de visiter le vesti-
bule néoclassique ainsi que la
magnifique bibliothèque de
droit de l'Osgoode Hall en
s'adressant au guichet de
l'entrée.

Située non loin de l'Osgoode
Hall, la **Campbell House ★**
(160 Queen St. W.) sert de
cercle privé à l'Advocates Society, un groupe sélect d'avocats ontariens. La maison, construite en 1822 pour le juge

William Campbell, est une des
plus anciennes qui subsistent à
Toronto. Sa façade en brique
allie les traditionnels éléments
georgiens aux fantaisies Adam,
tel cet œil-de-bœuf ovale du
fronton qui vient alléger la
structure. L'intérieur, ouvert
aux visiteurs, présente de belles
boiseries et cheminées aux
délicates guirlandes typiques de
l'art des frères Adam, ces architectes écossais qui ont balayé la
Grande-Bretagne de leur raffinement antiquisant à la fin du
XVIIIe siècle.

Poursuivez par Queen Street
West, une rue flanquée de
boutiques, de cafés et de bars à
la mode où se trouve en outre
CityTV and MuchMusic
(299 Queen St. W.), «la station
musicale du Canada». L'ancien
Wesley Building a été construit
pour le compte d'une maison
d'édition en 1913-1915 (remarquez les lecteurs et scribes

Osgoode Hall

grotesques qui ornent la façade). Rénové en 1986 pour accueillir MuchMusic, une chaîne de télévision qui présente des vidéoclips musicaux, l'immeuble bourdonne aujourd'hui d'activité, et les «vidéo-jockeys» animent souvent leurs émissions directement du trottoir, sans parler de l'*Electric Circus*, un spectacle de danse et de mode présenté tous les vendredis soirs. Une autre attraction inusitée des lieux est la cabine d'enregistrement vidéo mise au service du public (*Speaker's Corner*), où vous pouvez glorifier ou critiquer n'importe quelle cause, et peut-être même passer en ondes à la télévision nationale.

Prenez bien le temps d'arpenter **Queen Street West** ★★ pour admirer ses librairies et ses boutiques à la mode et avant-gardistes. Le «Queen Street Village», ainsi qu'on surnomme souvent ce secteur, est vanté par les uns et les autres comme un «quartier de boutiques branchées». Bien qu'il possède sa part d'antres étranges et *underground*, ces dernières années ont également vu s'établir ici plusieurs cafés et magasins de vêtements tout à fait conventionnels. L'artiste et le conformiste en vous peuvent désormais y trouver l'un comme l'autre leur bonheur. De plus, lorsque viendra l'heure de manger, vous trouverez aussi bien là de petits restaurants sans prétention que des établissements extravagants dont la devise pourrait très bien être «voir et être vu»... Vous y

découvrirez même quelques perles d'architecture, puisque la majorité de ces boutiques et restaurants sont installés dans des bâtiments du XIXe siècle, mais dont les éléments de style victorien n'apparaissent plus généralement qu'aux étages supérieurs. L'intersection de Soho et Queen est souvent encombrée par des motocyclettes dont les propriétaires convergent volontiers vers la **Black Bull Tavern** (*298 Queen St. W.*, ☎593-2766), qui a fait ses débuts en tant qu'auberge en 1833, mais où l'on sert désormais la bière sur une des terrasses les plus populaires. Les nos 371-373 abritent aujourd'hui le **Peter Pan Restaurant** (voir p 227); ils datent de 1890 et renfermaient à l'origine une épicerie. Leurs vitraux méritent d'être vus. Quant aux nos 342 à 354, on les désigne collectivement du nom de *Noble Block* en mémoire d'une certaine Emma Noble, à qui appartenait jadis cette propriété de 1888.

La section de Queen Street West à l'ouest de Spadina Avenue n'affiche pas encore la rutilance à la «Queen Street Village» des deux ou trois rues situées plus à l'est. Les antiquaires, les bazars, les magasins de disques d'occasion et les commerces indépendants à caractère familial résistent encore à la vague entre Spadina et Bathurst, quoique ce fief soit peu à peu envahi par des bistros branchés et des boîtes de nuit à la page. Cela n'a certes rien pour déplaire, mais profitez-en pour arpenter les trottoirs de

Queen Street West et vous imprégner de l'atmosphère des lieux avant que son visage ne soit transfiguré à tout jamais.

Circuit F: Chinatown et Kensington Avenue

Toronto compte pas moins de sept quartiers chinois identifiés comme tels. Le plus coloré et le plus pittoresque d'entre eux s'inscrit à l'intérieur du présent circuit. Bien qu'il gravite présentement autour de l'avenue Spadina et de la rue Dundas, il s'était à l'origine développé à quelques rues à l'est de l'emplacement du nouvel hôtel de ville. La construction des bureaux municipaux et l'aménagement du Nathan Philips Square ont pour ainsi dire effacé toute trace du quartier chinois des premiers jours, quoique certains vestiges subsistent, ce qui en fait un bon point de départ pour le présent circuit. Si vous comptez visiter le secteur un dimanche, allez-y de bon matin car, ce jour-là, la plupart des familles chinoises sortent pour le brunch ou *dim sum* (et vous ne trouverez là ni œufs brouillés ni fèves au lard!).

Le secteur qui s'étend immédiatement au sud de l'ancien et du nouvel hôtel de ville était jadis le rendez-vous de bon nombre d'immigrants. La majorité des nouveaux venus en provenance de la Chine élisait en effet domicile et commerce dans les environs, donnant ainsi naissance au premier Chinatown de la ville. À l'angle nord-ouest du Nathan Philips Square, vous dénicherez, en cherchant bien, une petite plaque commémorant la première laverie chinoise «à la main» (*Chinese Hand Landry*) de Toronto. Aussi, en parcourant la rue Chestnut ou la rue Elizabeth en direction de Dundas Street, vous remarquerez que quelques boutiques chinoises ont encore pignon sur rue.

Le **Textile Museum of Canada** ★ *(8$; mar-ven 11h à 17h, mer jusqu'à 20h, sam-dim 12h à 17h; 55 Centre Ave., ☎599-5321)*, riche de 11 collections permanentes, relate tout ce que vous avez toujours voulu savoir sur les textiles et les tissus du monde entier, qu'il s'agisse de costumes, de vêtements de cérémonie, de tapisseries, d'étoffes africaines racontant respectivement une histoire fascinante, de somptueuses broderies ou de toute autre pièce hors de l'ordinaire issue de cultures non occidentales.

Suivez maintenant Dundas Street vers l'ouest jusqu'à McCaul Street, passé University Avenue.

La **St. Patrick's Chinese Catholic Church** *(141 McCaul St.)* se dresse à l'angle des rues McCaul et Dundas. Alors qu'à l'origine cette église desservait une population à majorité irlandaise, ses paroissiens ont passablement changé de visage au fur et à mesure que le quartier chinois s'est déplacé vers

Attraits touristiques

l'ouest. La chapelle de bois qui occupait au départ cet emplacement, dans les années 1860, fut une des premières églises catholiques romaines de Toronto. L'édifice néoroman qui l'a remplacée date de 1905.

L'Art Gallery of Ontario se trouve du côté sud de Dundas Street, tout juste à l'ouest de McCaul Street.

L'Art Museum of Toronto a été fondé en 1900, mais il n'eut un siège permanent qu'en 1913, lorsque The Grange (voir plus loin) fut cédée au musée. Un nouveau bâtiment lui fut adjoint en 1918, et la première exposition du célèbre **Groupe des Sept** (voir p 42) eut lieu en

1920, à l'intérieur de ce qui était d'ores et déjà devenu l'Art Gallery of Toronto. Un important chapitre de l'histoire culturelle aussi bien ontarienne que canadienne s'écrivait ainsi. En 1966, le musée reçut l'appui financier de la province et fut officiellement rebaptisé l'**Art Gallery of Ontario (AGO)** ★★★ *(12$; mar-ven 11h à 18h, mer jusqu'à 20h30, sam-dim 10h à 17h30; 317 Dundas St. W., ☎977-0414 ou 979-6648).* Des rénovations et des ajouts successifs au fil des années ont tour à tour contribué à réinventer l'AGO en cachant d'anciens éléments et en en faisant apparaître de nouveaux. Le musée occupe désormais

● ATTRAITS

1. Textile Museum of Canada
2. St. Patrick's Chinese Catholic Church
3. Art Gallery of Ontario
4. The Grange
5. Ontario College of Art
6. Village by the Grange
7. Kensington Market
8. Kiever Synagogue

○ HÉBERGEMENT

1. Alexandra Hotel
2. Beaconsfield
3. Grange Hotel
4. Metropolitan Hotel

● RESTAURANTS

1. Amato
2. Bodega
3. Cafe La Gaffe
4. Canteena Azul
5. Cities
6. Citron
7. Dufflet Pastries
8. Epicure Cafe
9. Gypsy Co-Op
10. Happy Seven
11. Lai Wah Heen
12. Lee Garden
13. Left Bank
14. Lotus Garden Vietnamese Vegetarian Restaurant
15. Margarita's Fiesta Room
16. Pho Hung Vietnamese Restaurant
17. Select Bistro
18. Squirly's
19. Swan Restaurant
20. Taro Grill
21. Tequila Bookworm
22. Terroni
23. The Paddock
24. Tortilla Flats
25. Vienna Home Bakery

F Chinatown et Kensington

ULYSSE

New City Hall

Osgoode Hall

Osgoode

Grange Park

CHINATOWN

Denison Sq.

Augusta Sq.

N

400m

200

0

St. Patrick

une série de bâtiments reliés avec succès par les architectes Barton Myers and Associates en 1989, et il rend enfin justice aux splendides trésors qu'il renferme, soit des collections privées dont lui ont fait don de riches Ontariens depuis ses origines.

Les ajouts de 1989, désignés du nom de "Phase III", ont augmenté de 50% la surface d'exposition, et la collection permanente est maintenant disposée dans un ordre chronologique, du XVe siècle à nos jours. Vous y verrez des œuvres contemporaines, des sculptures inuites et le magnifique Tanenbaum Sculpture Atrium, où est exposée l'une des faces de The Grange. Le Henry Moore Sculpture Centre fait partie, pour sa part, des plus grands trésors du musée. Son contenu, légué par l'artiste lui-même, constitue la plus importante collection publique des œuvres de Moore dans le monde. Les collections canadiennes historiques et contemporaines contiennent, quant à elles, des pièces de premier plan signées par des artistes aussi notoires que Cornelius Krieghoff, Michael Snow, Emily Carr, Jean-Paul Riopelle, Tom Thomson et le Groupe des Sept – Frederick Varley, Lawren S. Harris, A.Y. Jackson, Arthur Lismer, J.E.H. MacDonald, Franklin Carmichael et Frank Johnston. Le musée possède également des chefs-d'œuvre de Rembrandt, Van Dyck, Reynolds, Renoir, Picas-

so, Rodin, Degas et Matisse, pour ne nommer que ceux-là.

Un ambitieux projet de rénovation et d'agrandissement de 500 millions est actuellement en cours: le Transformation AGO Project. L'architecte de renommée internationale Frank Gehry, originaire de Toronto, travaille sur son premier projet majeur au Canada. Il propose une structure à prédominance de verre englobant une façade qui permettra une interrelation entre les activités du musée et celles de la ville. Un don de Kenneth R. Thomson comprenant plus de 2 000 œuvres, dont plusieurs d'artistes canadiens, viendra meubler en partie les nouvelles salles, soit 20% de la superficie actuelle du musée.

Au moment de mettre sous presse, les plans venaient d'être approuvés par le conseil municipal de Toronto. Les travaux débuteront au printemps 2005, pour se terminer à la fin du printemps 2008.

Adjacente à l'Art Gallery of Ontario, subsiste sa première demeure, **The Grange** ★ *(droit d'entrée inclus dans le prix du billet de l'AGO; mar-ven 11h à 18h, mer jusqu'à 20h30, sam-dim 10h à 17h30; 317 Dundas St. W., ☎977-0414)*. Cette ancienne résidence georgienne fut construite en 1817-1818 par D'Arcy Boulton Jr., alors membre de l'élite dirigeante de Toronto, le très détesté "Family Compact". La ville de Toronto

The Grange, Art Gallery of Ontario

avait à peine 30 ans d'existence à cette époque, mais en 1837, l'année de la rébellion de Mackenzie, The Grange était déjà devenue le siège symbolique du pouvoir politique et incarnait dès lors le régime colonial opprimant du Haut-Canada. En 1875, Goldwin Smith, un érudit d'Oxford, s'y établit. Alors qu'il était perçu comme un intellectuel libéral en son temps, la suspicion qu'il entretenait à l'égard des autres races et religions ont depuis fait la lumière sur sa bigoterie. Il n'en reçut pas moins de très éminentes personnalités dans sa demeure, y compris Winston Churchill, le prince de Galles (appelé à devenir Edward VII) et Matthew Arnold. À sa mort, en 1910, Smith légua par testament sa résidence à l'Art Museum of Toronto, qui l'occupa au cours des 15 années qui suivirent. Puis on y installa des bureaux rattachés au musée jusqu'en 1973, alors que la demeure retrouva toute sa splendeur des années 1830 avant d'être ou-verte au public. Sa face arrière fut enfin intégrée à la galerie de sculptures de l'AGO en 1989. Il faut aussi noter que cette résidence de gentilhomme, pourvue d'un grand escalier circulaire et d'étonnants quartiers réservés aux employés de la maison, fait partie des premières constructions en brique de Toronto.

L'**Ontario College of Art** *(100 McCaul St.)* occupait autrefois un bâtiment semblable à l'est de The Grange. L'aile la plus récente du collège fait face à la rue McCaul. Son vibrant intérieur abrite des expositions sur l'animation, le design, la publicité, le verre soufflé, la sculpture et la peinture.

Le **Village by the Grange** *(78 St. Patrick St.)*, un complexe d'appartements et de commerces, renferme des comptoirs de restauration rapide à saveur ethnique ainsi que des galeries d'art de second rang. Nombreux sont ceux et celles qui ne tarissent pas d'éloges sur l'architecture et les trésors cachés de cet endroit, mais il faut reconnaître qu'en dépit des mille et une jolies choses qu'on peut y voir, sentir, manger et acheter, la section marchande prend des airs de labyrinthe et gagnerait à être rafraîchie, sans compter que la restauration rapide se révèle justement un peu trop «rapide» à certains comptoirs. Néanmoins, si vous êtes en quête d'une pause ou d'une bouchée sans plus, vous y trouverez votre compte.

Après une édifiante matinée artistique, empruntez Dundas Street vers l'est jusqu'au cœur du Chinatown pour déjeuner et faire un peu de magasinage.

Des enseignes aux couleurs vives, des trottoirs bondés, de la musique populaire cantonaise partout dans l'air, des étalages de canards laqués, de merveilleux parfums de fruits frais et de thé de ginseng, des odeurs prenantes de durions et de poisson frais: le Chinatown est un festin complet pour les sens. Ralentissez donc le pas pour donner à votre cerveau le temps d'enregistrer toute l'information qu'il reçoit, et laissez-vous envoûter par toutes les merveilles et curiosités qui vous sollicitent depuis les vitrines des magasins. Vous ne le regretterez nullement. Les épiceries asiatiques, les herboristeries, les salons de thé et les commerces d'import-export sont ici légion, sans parler des nombreux petits (et moins petits) restaurants divins. Tout fait en sorte que chacun

soit assuré d'y combler ses vœux. De plus, si vous êtes dans les parages le dimanche, rappelez-vous que vous pouvez en profiter pour faire l'expérience d'un délectable *dim sum* local (voir p 229).

D'abord, au **Great China Herb Centre** *(405 Dundas St. W.)*, un médecin chinois se propose de vous soulager de vos maux grâce à une potion miracle préparée à partir d'ingrédients mystérieux se trouvant dans les centaines de tiroirs et de jarres soigneusement étiquetés et alignés le long des murs. Chacun de ces ingrédients est pesé sur une balance à l'ancienne, et le montant de la facture est calculé avec une rapidité déconcertante sur un authentique abaque.

Voici maintenant quelques-uns des commerces que vous croiserez ensuite sur votre route. La **Tai Sun Co.** *(407 Dundas St. W.)* est une épicerie disposant d'un bon choix de légumes et, surtout, de champignons. Quelques portes plus loin, la **Ten Ren Tea House** *(454 Dundas St. W.)* regorge de thé vert, de thé noir et de thé *oolong*, sans oublier ces thés miracles garantis amaigrissants. Vous pourrez également vous y procurer une théière traditionnelle en terre cuite et, avec un peu de chance, vous aurez peut-être même l'occasion d'assister à une ancienne cérémonie du thé. Tout juste à côté, la **WY Trading Co.** *(482 Dundas St. W.)* recèle une vaste sélection de vinyles, de cassettes et de disques compacts chinois parmi les plus récents. L'**All Friends Bakery** *(492 Dundas St. W.)* vend pour sa part des friandises et de délicieux «gâteaux de lune» fourrés au lotus ou au ginseng auxquels vous ne pourrez résister.

La fête se poursuit sur Spadina Avenue. Remarquez au passage le grand bâtiment jaune qui se dresse à l'angle sud-ouest de Dundas Street et de Spadina, car son histoire est pour le moins curieuse. Nombre d'entreprises s'y sont succédé

et y ont fait faillite avant qu'on n'y fasse état de la présence de fantômes et que ses propriétaires ne décident, en dernier recours, de faire appel à un spécialiste du *feng shui*. Le *feng shui*, qui veut dire «vent et eau», est cette ancienne croyance chinoise voulant que le «mal» puisse s'insinuer dans un bâtiment mal conçu ou mal situé. Au bout du compte, on apporta certaines modifications à l'édifice, l'expert en *feng shui* ayant établi que le panneau-réclame placé du côté sud de Spadina, tout juste au nord de Dundas Street, réfléchissait des énergies négatives sur la devanture du bâtiment. C'est ainsi qu'une nouvelle porte fut aménagée du côté de la rue Dundas, de manière à déplacer la façade de l'édifice, et que deux lions de pierre furent chargés de garder l'entrée originale sur Spadina Avenue. Reste maintenant à voir si une entreprise parviendra à s'y installer avec succès, l'activité commerciale semblant ici se confiner à la vente de t-shirts, de valises et de sacs de voyage, et dans la rue même dans la majorité des cas!

Sur Spadina Avenue, rendez-vous au **Dragon City Mall** *(280 Spadina Ave.)*, un centre commercial asiatique qui renferme, entre autres, une intéressante aire de restauration rapide. Enfin ne manquez pas les quelques bons vieux magasins qui se sont établis quand le quartier était encore presque exclusivement juif.

Attraits touristiques

Poursuivez maintenant votre chemin à l'ouest de Spadina, en direction du Kensington Market.

Le **Kensington Market** ★★★ se trouve sur Kensington Avenue, à une rue à l'ouest de Spadina entre Dundas Street et Oxford Street. Ce bazar incarne mieux que tout autre le caractère multiethnique de Toronto, puisqu'il a d'abord été un marché essentiellement est-européen avant de devenir ce qu'il est aujourd'hui, soit un savoureux mélange d'influences juives, portugaises, asiatiques et antillaises. La moitié inférieure de l'avenue Kensington est principalement flanquée de boutiques de vêtements d'une autre époque, tandis que sa moitié supérieure accueille avec fierté des épiceries internationales proposant à qui mieux mieux des produits frais et délectables de tous les coins du monde. Un endroit de rêve pour faire des provisions en vue d'un pique-nique!

Les vieilles maisons victoriennes en rangée, usées par le temps quoique souvent rajeunies, et les trottoirs qui les longent sur Kensington Avenue entre Dundas et St. Andrews sont une véritable mine d'or aux yeux de ceux et de celles pour qui tout ce qui est ancien prend une valeur inestimable. Des jeans Levi's d'occasion, des vestes d'aviateur en cuir, des manteaux de mouton et des chemises psychédéliques en polyester vous y attendent à des prix défiant toute concurrence. **Courage My Love** *(14 Kensing-* *ton Ave.)* et **Exile** *(62 Kensington Ave.)* proposent des articles uniques. Outre l'occasion de compléter votre garde-robe rétro, cette partie de Kensington Avenue recèle divers autres trésors tels qu'encens, huiles naturelles et œuvres d'art exotiques.

En vous dirigeant vers le nord, vous découvrirez le secteur «bouffe» de Kensington Avenue, où des trésors tout aussi exotiques (sinon plus!) ne manqueront pas de vous faire saliver. Crémeries, poissonneries, boucheries, fromageries et marchés d'épices emplissent l'air d'un bouquet d'arômes. La vitrine du **Global Cheese Shoppe** *(76 Kensington Ave.)* vous donne une idée du choix incroyable et des prix renversants que vous trouverez à l'intérieur. La **Mendel's Creamery** *(72 Kensington Ave.),* une véritable institution installée à la porte voisine, vend d'excellents cornichons à l'aneth, du hareng mariné et un vaste assortiment de fromages. Sur Baldwin Street, la prise du jour du **Madeiro Fish Market** provient souvent des eaux antillaises.

Prenez Augusta Avenue à gauche, puis la première rue à droite jusqu'à Bellevue Ave.

La **Kiever Synagogue** ★ *(25 Bellevue Ave.)* figure parmi les dernières synagogues de ce quartier à tenir des offices réguliers (à une certaine époque, il y eut jusqu'à 30 lieux de culte dans les environs). Construite en 1927, elle arbore des vitraux géométriques qui contribuent à inspirer la congrégation Rodfei Sholom Anshei Kiev (les hommes de Kiev) de même que les visiteurs.

Revenez sur Augusta Avenue et tournez à gauche.

Autour de Baldwin Street, les scènes et la musique du Portugal se font encore plus présentes en certains endroits, avec ses boulangeries, restaurants et poissonneries. Pour bien vous assurer de ne rien manquer, montez jusqu'à Oxford Streeet avant de revenir vers Spadina Avenue.

Peut-être avez-vous déjà profité de ce circuit pour faire des provisions en vue d'un bon repas maison; sinon empruntez Baldwin Street à travers la partie résidentielle du quartier chinois. Gardez l'œil ouvert pour les distinctives bannières rouge et jaune dont se parent certaines des maisons, de même que pour les petits médaillons disposés ici et là sur leur façade afin d'éloigner les

mauvais esprits. Cette rue comporte certains petits bistros et restaurants fantastiques.

Circuit G: Queen's Park et l'université de Toronto

Chacune des 10 provinces canadiennes possède sa propre assemblée législative. Situé au centre de Queen's Park, dans l'axe de l'avenue University, le **parlement provincial** ★★ (1886-1892) a été dessiné dans le style néoroman de Richardson (voir p 127) par l'architecte Richard A. Waite de Buffalo, à qui l'on doit plusieurs bâtiments canadiens dont l'ancien siège du Grand Tronc de la rue McGill, à Montréal (édifice Gérald-Godin). On remarquera les amusantes tours de couronnement de la portion centrale du parlement, qui traduisent bien le niveau d'invention élevé de ces architectes du XIXe siècle préoccupés de pittoresque et

Attraits touristiques

Parlement provincial

d'éclectisme. Il est suggéré de faire le tour de l'édifice avant de pénétrer à l'intérieur, pour en visiter les aires publiques, typiques des années 1890 avec leurs revêtements de bois foncé abondamment sculpté.

Les quelque 40 pavillons de l'**University of Toronto ★★** *(entre Spadina Rd. à l'ouest, Queen's Park Crescent à l'est, College St. au sud et Bloor St. W. au nord)* sont disséminés sur un vaste campus de verdure à la mode anglaise. Dotée d'une charte dès 1827, l'institution ne prendra véritablement son envol qu'avec la construction du premier pavillon en 1845 (aujourd'hui démoli). Mais les rivalités religieuses ralentiront considérablement les progrès

de l'université, chaque dénomination voulant créer sa propre institution de haut savoir. Dans la décennie suivante, Toronto comptera jusqu'à six universités, toutes rachitiques. Il faudra attendre leur unification partielle dans les années 1880 pour voir s'épanouir le campus. De nos jours, l'université de Toronto est considérée comme l'une des plus importantes en Amérique du Nord.

De Queen's Park Crescent West, contournez le Hart House Circle.

D'entre les nombreux bâtiments de l'université, la **Hart House ★** *(7 Hart House Circle)* est particulièrement remarquable et attrayante. Son grand hall est au cœur même des

---

● ATTRAITS

1.	Provincial Parliament	12.	Massey College
2.	University of Toronto	13.	Trinity College
3.	Hart House	14.	Philosopher's Walk
4.	Students' Administrative Council Building	15.	Royal Conservatory of Music
5.	University College	16.	Royal Ontario Museum
6.	Knox College	17.	Flavelle House
7.	Convocation Hall	18.	Victoria College
8.	Koffler Student Services	19.	St. Michael's College
9.	Knox College	20.	Metropolitan Toronto Police Museum and Discovery Centre
10.	Ukrainian Museum of Canada	21.	College Park
11.	John P. Robarts Research Library	22.	Maple Leaf Gardens

○ HÉBERGEMENT

1.	Best Western Primrose Hotel	8.	Neil Wycik College Hotel
2.	Beverley Place Bed & Breakfast	9.	Ramada Hotel and Suites
3.	Comfort Hotel Downtown	10.	St.George Campus
4.	Delta Chelsea	11.	Sutton Place Hotel
5.	House on McGill	12.	Victoria's Mansion
6.	Jarvis House	13.	Victoria University
7.	Les Amis		

● RESTAURANTS

1.	Bar Italia	9.	Not Just Noodles
2.	College Street Bar	10.	Oasis
3.	El Bodegon	11.	Peter's Chung King
4.	Irie Caribbean Restaurant	12.	Pony
5.	Kalendar's Coffee House	13.	Swatow
6.	Kensington Kitchen	14.	The Living Well
7.	Lucky Dragon	15.	Utopia Cafe and Grill
8.	Maggie's		

Queen's Park et
l'université de Toronto

activités sociales de l'université. Léguée par la fondation Massey, cette maison servit de centre d'activité aux seuls étudiants mâles de premier cycle jusqu'en 1972, date à laquelle les étudiantes purent à leur tour en devenir membres. Elle fut dessinée par les architectes Sproatt & Rolph, qui lui prêtèrent le style gothique; la Soldiers' Memorial Tower, réalisée par les mêmes architectes, lui fut ajoutée en 1924.

Le charmant **Students' Administrative Council Building** (*12 Hart House Circle*) fut bâti dans le style victorien en 1857. On le désigne souvent du nom de «Stewart Observatory» en mémoire d'une de ses réincarnations; néanmoins, il abritait à l'origine le Toronto Magnetic and Meteoroligical Observatory et se trouvait de l'autre côté du Front Lawn. Il a été déplacé et reconstruit en 1908.

Continuez vers King's College Circle.

Le plus ancien bâtiment du campus est l'**University College ★** (*15 King's College Circle*), conçu en 1859 par les architectes Cumberland et Storm. Ceux-ci ont créé un pittoresque ensemble néoroman dont les détails de sculpture sur pierre méritent un examen attentif. Le magnifique portail Norman s'avère particulièrement exceptionnel. Le style néoroman était alors considéré comme une nouveauté au Canada et n'était donc pas encore associé à un courant

religieux ou social précis, répondant de la sorte aux objectifs des dirigeants de l'université qui voulaient créer un environnement laïque ouvert à tous. Cette vision des choses en a cependant conduit certains à surnommer l'University College le «collège impie». Le **Knox College** (*59 George St.*) arbore de jolies fenêtres à battants ornés de vitraux et un extérieur de grès rude. Ce bâtiment est l'un des favoris des cinéastes.

L'imposant hall circulaire situé au point de jonction de King's College Circle et de King's College Road est le **Convocation Hall** (*31 King's College Circle*) de l'université. Lui sont attenants les bureaux administratifs de l'université, aménagés à l'intérieur du **Simcoe Hall** (*27 King's College Circle*).

Descendez King's College Road jusqu'à College Street.

Lorsque l'université de Toronto a été fondée en 1827, elle se trouvait à une certaine distance de la ville, et l'on rejoignait son campus boisé de 65 ha par University Avenue et College Street, deux chemins privés qui ont appartenu à l'université un certain temps. College Street fut cédée à la municipalité et devint une voie publique en 1889. Parmi les immenses pavillons qui bordent cette artère, celui des **Koffler Student Services ★** (*214 College St.*), qui date de 1906, est particulièrement notoire. Ayant à l'origine abrité la Public Reference Library, il doit son existence au philanthrope américain Andrew Carnegie, qui finança la construction de centaines de bibliothèques publiques aux États-Unis et au Canada.

Poursuivez par College Street jusqu'à Spadina Avenue, puis tournez à droite.

D'une largeur de 45 m, l'avenue Spadina est deux fois plus large que toutes les autres rues anciennes de Toronto. Elle fut tracée en 1802 par William Warren Baldwin, dont la maison occupait l'emplacement de l'actuelle Casa Loma; elle bénéficiait à l'époque d'une vue imprenable sur le lac Ontario et la municipalité naissante de York. Vous noterez cependant qu'aujourd'hui la vue est partiellement obstruée par un croissant au centre duquel se dresse un bâtiment néogothique à riche tonalité victorienne. Il s'agit du premier **Knox College** *(1 Spadina Crescent)*, fondé en 1844, au moment où la petite fille de Baldwin vendit le terrain en question à ce séminaire presbytérien, l'une des nombreuses maisons d'enseignement confessionnelles appelées à se joindre plus tard à l'université de Toronto. Ce collège a déménagé sur St. George Street en 1915 (voir ci-dessus).

Continuez par Spadina Avenue jusqu'à Harbord Street.

La succursale ontarienne de l'**Ukrainian Museum of Canada** *(2$; lun-ven 9h à 16h, sur rendez-vous la fin de semaine; 620 Spadina Ave., ☎923-3318)* présente l'héritage coloré des Ukrainiens venus s'installer au Canada au moment de la ruée vers l'Ouest. Nombre de costumes traditionnels à couper le souffle et de fabuleux œufs de Pâques décorés à la mode ukrainienne font partie des pièces d'exposition.

Prenez Harbord Street à droite.

Un centre d'athlétisme et un nouveau collège se trouvent sur votre droite, tandis qu'un peu plus loin, à l'angle de St. George Street, là où Harbord Street devient Hoskin Avenue, surgit la **John P. Robarts Research Library** *(130 St. George St.)*. On désigne souvent cette étrange construction du nom de "Fort Book" (la forteresse du livre), et certains architectes prétendent qu'il faut la voir du haut des airs, en hélicoptère, pour en apprécier toute la merveille... Faute de mieux, laissez courir votre imagination!

De l'autre côté de St. George Street se dressent les tours du Newman Centre, à côté duquel repose le **Massey College** *(4 Devonshire Place)* de 1963, qui marie avec succès ambiance médiévale et architecture moderne.

Dirigez-vous vers le **Trinity College** *(6 Hoskin Ave.)*, qui, avec le Knox College, le Stewart Observatory et la Hart House, tous plus au sud (voir ci-dessus), crée un **décor romantique** ★ de constructions gothiques à l'anglaise. Il a été conçu par les architectes Darling et Pearson (1925), tandis que sa chapelle est l'œuvre de Sir Giles Gilbert Scott, bien connu pour sa cathédrale de Liverpool. Ces quatre bâtiments, avec leur abondance de nervures de pierre, de verrières et de cours tranquilles, s'inspirent des pavillons d'Oxford et de Cambridge.

Tout juste à l'est, empruntez le chemin en lacet baptisé la **Philosopher's Walk ★** (promenade du philosophe). Le Taddle Creek coulait jadis là où se promène aujourd'hui le «philosophe», au son des gammes des étudiants du conservatoire de musique flottant au-dessus des bruits de la trépidante rue Bloor. Une balade contemplative le long d'une rangée de chênes vous conduira aux Alexandra Gates, les grilles qui gardaient autrefois l'entrée de l'université à l'angle de Bloor Street et à Queen's Park.

À votre gauche sur Bloor Street, vous apercevrez le **Royal Conservatory of Music** *(273 Bloor St. W.)*. Admirez l'extérieur on ne peut plus victorien de cet édifice rehaussé de lucarnes, de cheminées et d'encorbellements. Ce bâtiment abritait à l'origine le Toronto Baptist College.

Marchez vers l'est dans Bloor Street, et tournez à droite dans Queen's Park pour atteindre l'entrée du Royal Ontario Museum.

Le **Royal Ontario Museum (ROM) ★ ★ ★** *(15$ en semaine, 18$ la fin de semaine; lun-jeu 10h à 18h, ven 10h à 21h30, sam 10h à 18h, dim 11h à 18h; 100 Queen's Park, ☎586-5549 ou 586-8000)* est en fait deux musées en un, puisque l'entrée au ROM, ainsi qu'on l'appelle communément, couvre également l'accès au George R. Gardiner Museum of Ceramic Art. À la fois le plus grand musée public du Canada et un centre de recherche, le ROM veille sur six millions de trésors artistiques, archéologiques et naturels. À la suite d'importants travaux de rénovation et de restauration, de même qu'à l'ouverture de nouvelles galeries, le ROM est désormais en mesure d'expo-

Royal Ontario Museum

ser ses richesses de manière à rendre justice à leur valeur inestimable.

En pénétrant à l'intérieur du bâtiment vaguement romanisant, vos yeux seront captivés par le plafond de verre vénitien représentant une mosaïque de cultures. Soit dit en passant, ce plafond est la seule partie du musée à ne pas avoir été construite au moyen de matériaux ontariens. Puis vous lèverez de nouveau les yeux, cette fois pour admirer les deux grands totems qui encadrent le hall d'entrée, l'un d'eux faisant près de 25 m de hauteur, si bien qu'il ne lui manque qu'une dizaine de centimètres pour toucher le plafond! Devant la variété des expositions présentées ici, des chauve-souris aux dinosaures et des Romains aux Nubiens, vous devriez d'abord et avant tout opter pour la Mankind Discovering Gallery (galerie de la découverte de l'humanité), où vous seront présentés le plan d'aménagement et le mode d'exploitation du ROM.

Les choix qui s'offrent à vous sont pour le moins renversants. Retenons la galerie des dinosaures, fort appréciée des paléontologues amateurs de tout âge; l'exposition Maiasaurus, un projet en cours qui vous permettra d'observer des paléontologues œuvrant à la reconstitution d'un authentique squelette de dinosaure; la galerie de l'évolution; la galerie romaine, la plus complète du genre au Canada; la collection de tissus et d'étoffes, une des plus belles au monde; les galeries d'Asie orientale, où vous trouverez certains des plus précieux joyaux du musée, à savoir la collection d'art et d'antiquités de la Chine, qui renferme une tombe Ming, ainsi que la galerie Bishop White, dont les murs sont couverts de peintures bouddhistes et taoïstes; la galerie de la découverte, dont les éléments d'exposition à interaction tactile font le bonheur des enfants, qui peuvent ici manipuler d'authentiques objets anciens; la galerie de l'Égypte antique et la galerie de la Nubie, où trônent les toujours fascinantes momies et reliques d'un passé mystérieux; le Canadiana Sigmund Samuel, une collection d'objets décoratifs canadiens déplacée du campus de l'université de Toronto; et, le clou de la visite, la Bat Cave, qui recrée de façon presque trop réaliste la grotte calcaire de St. Clair, en Jamaïque, envahie par des chauve-souris au vol en piqué si caractéristique. Bref, les possibilités offertes par le ROM aux chapitres de la découverte et de l'exploration sont pour ainsi dire illimitées.

Un projet de revitalisation est actuellement en cours. Renaissance ROM vise l'agrandissement de l'espace de collection, l'amélioration des infrastructures publiques et le développement de centres d'apprentissage pour la clientèle scolaire. L'architecte Daniel Libeskind en a conçu les plans: une structure en cristal se présentant sous la forme de prismes imbriqués abritera six nouvelles galeries sur Bloor Street. La première phase d'agrandissement devrait s'achever en décembre 2005, tandis que la seconde, axée sur la rénovation des infrastructures, sera complétée un an plus tard.

Descendez Queen's Park jusqu'à Queen's Park Crescent East.

Remarquez la **Flavelle House ★** *(78 Queen's Park)*, sur votre droite. Construite en 1901 pour Joseph Flavelle, elle est demeurée pendant de nombreuses années la plus grandiose des grandes résidences de Toronto. Elle est aujourd'hui utilisée par la faculté de droit de l'université de Toronto.

Longez Queen's Park Crescent jusqu'au Victoria College et au St. Michael's College.

Le **Victoria College ★** *(73 Queen's Park)*, une construction romane de très belle facture, se fait fort invitant pour un établissement d'enseignement. Il ne s'agit là que d'un des bâtiments de la Victoria University, qui réunit par ailleurs le Burwash Hall (à l'angle nord-est de la propriété), l'Annesley Hall (sur Queen's Park) et l'Emmanuel College (à l'ouest), formant un ensemble tenu pour un des plus heureux de l'université de Toronto.

Le regroupement d'édifices dont se compose le St. Mi-

chael's College occupe un emplacement de choix à l'angle de Queen's Park et de St. Joseph Street. Cette institution catholique a été fondée par des prêtres de Saint-Basil venus de France. Le **St. Michael's College** *(81 St. Mary St.)* et la **St. Basil's Church** *(81 St. Mary St.)*, tous deux érigés en 1856, en furent les premières constructions. Ce collège fut en outre le premier à s'affilier à l'université de Toronto en 1881 et peut ainsi se targuer de posséder les plus vieux bâtiments du campus.

Descendez Bay Street jusqu'à College Street.

Le **Metropolitan Toronto Police Museum and Discovery Centre ★** *(admission libre, les dons sont les bienvenus; lun-ven 10h à 16h30; quartiers généraux de la police, 40 College St., ☎808-7020)* met en lumière l'histoire des forces de l'ordre depuis l'époque de la «Muddy York» jusqu'à celle des policiers à bicyclette. Des éléments d'exposition uniques sur l'art de chercher des indices dans des prélèvements de sang et de terre effectués sur la scène d'un crime, des vitrines sur les empreintes digitales et les crimes célèbres, des uniformes anciens, une voiture de patrouille et un ancien panier à salade auront tôt fait de vous transformer en limier averti. Les plus jeunes pourront même tenter de résoudre un crime.

Avant l'avènement de l'Eaton Centre en 1977, le grand magasin à rayons Eaton's occupait une série d'édifices distincts sur Queen Street; puis, en 1930, il déménagea ses pénates dans le bijou Art déco qui se dresse à l'angle des rues Yonge et College, aujourd'hui connu sous le nom de **College Park** *(444 Yonge St.)*. Une bonne partie des détails Art déco ont survécu à la reconversion fructueuse des lieux en boutiques, en bureaux et en appartements à la suite du départ d'Eaton's. Vous pourrez les admirer le long de la galerie marchande, mais surtout à l'intérieur de la superbe salle de concerts du septième étage. Un joli plan d'eau, transformé en patinoire l'hiver venu, s'étend derrière l'édifice.

Traversez Yonge Street à l'endroit où College Street devient Carlton Street et marchez jusqu'à Church Street.

Le **Maple Leaf Gardens** *(60 Carlton St., ☎815-5956)* a servi d'arène de jeu aux Maple Leafs de Toronto (Ligue nationale de hockey) pendant près de sept décennies, et ce, jusqu'au début de 1999. Or, bien que les Leafs aient déménagé leurs pénates à l'**Air Canada Centre** (voir p 85), nombreux sont les supporters pour qui le cœur de leurs Leafs bien-aimés bat toujours au Gardens. La date prévue du début de la saison de hockey de 1931 a forcé 700 ouvriers à faire l'impossible pour terminer cet édifice de briques jaunes en seulement 12 mois!

Circuit H: Bloor Street et Yorkville Avenue

Partez de l'intersection de Bloor Street et d'University Avenue, qui devient Avenue Road au nord de Bloor Street.

Le **Royal Ontario Museum** (voir p 144) se dresse à l'angle sud-ouest; en face, soit à l'angle sud-est, apparaît une construction néoclassique connue à l'origine sous le nom de **Lillian Massey Department of Household Science**, qui avait pour mandat d'enseigner les arts ménagers aux jeunes filles. Plus récemment, elle a abrité les bureaux de l'ombudsman provincial, mais elle accueille désormais un gigantesque magasin de vêtements de la chaîne Club Monaco.

Aussi, d'entrée de jeu, êtes-vous à même d'entamer votre folle expédition de magasinage autour des chics artères Bloor et Yorkville. Le présent circuit couvre les environs de ces dernières, désormais synonymes de cher, huppé et à la mode grâce à d'excellentes adresses de magasinage.

Le secteur qui s'étend au nord et à l'ouest des rues Bloor et Bedford formait jadis le village de Yorkville, constitué en municipalité en 1853 et demeuré localité distincte jusqu'en 1883, date à laquelle il fut annexé à la ville de Toronto. Il s'agissait d'une élégante ville-dortoir située à faible distance de la métropole, en pleine expansion un peu plus au sud. L'empiétement de celle-ci sur son territoire entraîna cependant la transformation de nombreuses demeures, parmi les plus coquettes de la rue Bloor et de l'avenue Yorkville, en espaces à bureaux, puis l'exode de l'élite citadine vers des quartiers plus sélects du nord de la région. Pendant toute la première moitié du XXe siècle, ce secteur a conservé son statut de banlieue de classe moyenne. Les premiers signes de sa mutation vers une identité plus avant-gardiste sont apparus dès l'après-guerre, lorsque ses résidences du XIXe siècle ont peu à peu été reconverties en cafés et en boutiques, et que Yorkville est devenu le point de convergence des artisans de la musique folk canadienne. L'embourgeoisement final du quartier a pris son envol au cours des années 1970 et 1980, et, depuis ce temps, les gratte-ciel et les complexes à vocations multiples de la rue Bloor se sont efforcés de tirer le meilleur parti de la situation en faisant grimper les coûts de location, aujourd'hui devenus astronomiques.

Le luxueux **Park Plaza Hotel** *(4 Avenue Rd.)*, construit en 1926, se dresse à l'angle nord-ouest d'Avenue Road et de Bloor Street. Les murs de pier-

● ATTRAITS

1.	Park Plaza Hotel	8.	Metropolitan Toronto Library
2.	Church of the Redeemer	9.	Yorkville Public Library
3.	University Theatre	10.	Firehall No. 10
4.	Pearcy House	11.	Hazelton House
5.	ManuLife Centre	12.	Heliconian Club
6.	Holt Renfrew Centre	13.	Village of Yorkville Park
7.	Hudson's Bay Centre		

○ HÉBERGEMENT

1.	Days Inn - Toronto Downtown	6.	Park Hyatt
2.	Four Seasons Hotel Toronto (R)	7.	Quality Hotel Midtown
3.	Hotel Inter-Continental Toronto		
4.	Howard Johnson Inn Yorkville	(R)	Établissement avec restaurant
5.	Marlborough Place		décrit

● RESTAURANTS

1.	Allen's	8.	Pappas Grill
2.	Bistro 990	9.	Sassafraz
3.	Boba	10.	Serra
4.	Cafe Nervosa	11.	Swiss Chalet
5.	Flo's	12.	Truffles
6.	Jacques Bistro du Parc	13.	Yamato
7.	Opus Restaurant on Prince Arthur		

Bloor Street et Yorkville Avenue

© ULYSSE

res grossières, le large toit d'ardoises et le beffroi de la **Church of the Redeemer ★** *(162 Bloor St. W.)* occupent, pour leur part, l'angle nord-est de Bloor Street et d'Avenue Road, et derrière l'église surgit le **Renaissance Centre**, qui, bien qu'il la domine, ne lui en accorde pas moins une présence imposante à cette intersection très passante. Le **Colonnade**, à l'est, a été le premier bâtiment de la rue Bloor à allier espaces commerciaux, résidentiels et à bureaux.

La partie de Bloor Street qui s'étend de Queen's Park–Avenue Road à Yonge Street présente une série d'immeubles de bureaux modernes et de centres commerciaux, ainsi que de boutiques et galeries ultrachics où vous retrouverez des noms aussi prestigieux que Holt Renfrew, Chanel, Hermès, Tiffany's et Hugo Boss. D'aucuns affirment que Bloor Street est LA grande avenue urbaine de Toronto; vous voilà prévenu! À vous, donc, de la parcourir en toute hâte ou au contraire de vous y attarder... selon votre budget. La majorité des devantures de Bloor Street sont visiblement de construction récente, bien que certaines aient aussi été préservées et redorées pour faire honneur aux chics boutiques qui s'y sont installées. Deux édifices intéressants attendent par ailleurs une transformation nécessaire. La façade courbe de l'ancien **University Theatre** *(100 Bloor St. W.)* et la modeste façade néogeorgienne en briques

rouges de la **Pearcy House** *(96 Bloor St. W.)* sont les seuls éléments encore visibles des deux structures en question, qui abriteraient maintenant des copropriétés.

À l'est de Bay Street, vous découvrirez le **ManuLife Centre** *(55 Bloor St. W.)*, qui regroupe des appartements, des bureaux et des espaces commerciaux. Les boutiques s'alignent sur le trottoir sous le curieux surplomb en console du ManuLife Centre. De l'autre côté de Bloor Street se dresse le **Holt Renfrew Centre** *(50 Bloor St. W.)*, lieu d'élection de ce grand nom des magasins à rayons de même que d'un centre commercial. Enfin, le **Hudson's Bay Centre** *(2 Bloor St. E.)* domine le paysage à l'intersection pour le moins passante des rues Bloor et Yonge.

À Yonge Street, tournez à gauche et prenez la direction du quartier branché de Yorkville.

Avant d'arriver aux commerces, vous croiserez la **Metropolitan Toronto Library** *(789 Yonge St.)*. Cette bibliothèque occupe un grand bâtiment en brique et en verre que les Torontois aiment fréquenter non seulement parce qu'ils lisent beaucoup, mais aussi parce qu'ils s'y sentent chez eux parmi les plantes et les espaces lumineux. Le bâtiment, d'aspect quelconque vu de la rue, a été conçu par l'architecte Raymond Moriyama en 1973.

En marchant vers l'ouest sur Yorkville Avenue, vous atteindrez cette fois la grandiose **Yorkville Public Library** *(22 Yorkville Ave.)*, construite en 1907 et remodelée en 1978. L'imposant portique de l'entrée domine encore la façade, comme aux jours où cette bibliothèque répondait aux besoins du village de Yorkville.

À la porte voisine, c'est le vieux **Firehall No. 10 ★** *(34 Yorkville Ave.)*, une caserne de pompiers d'abord érigée en 1876 puis reconstruite (à l'exception de la tour, utilisée pour faire sécher les boyaux d'incendie) en 1889-1890. Ce bâtiment en briques rouges et jaune assurait jadis la protection des citoyens de Yorkville, et la caserne demeure en activité à ce jour. Les armoiries posées sur la tour proviennent de l'ancienne mairie, et les symboles qui y figurent représentent les métiers des premiers conseillers du village: un tonneau de bière pour le brasseur, un rabot pour le charpentier, un moule à brique pour le maçon, une enclume pour le forgeron et une tête de bœuf pour le boucher.

Tout en explorant les boutiques, jetez un coup d'œil sur les maisons georgiennes des n°s 61-63 et 77, sur le porche Queen Anne du n° 84, sur la maison victorienne qui abritait autrefois l'hôpital Mount Sinai, au n° 100, et sur la rangée de maisons victoriennes rajeunies des n°s 116 à 134.

Un regroupement exceptionnel de galeries, de boutiques et de cafés bordent les artères Yorkville, Hazelton et Cumberland. D'autres joyaux architecturaux, trop nombreux pour que nous les énumérions ici, vous attendent sur Hazelton Avenue. Tous ont été rafraîchis avec fidélité, tant et si bien que certains bâtiments semblent neufs; mais le résultat n'en est pas moins esthétique et mérite d'être vu. Notons tout particulièrement la **Hazelton House** *(33 Hazelton Ave.)*, qu'occupait à l'origine, c'est-à-dire à la fin du XIXe siècle, l'Olivet Congregational Church et qui renferme à présent des boutiques, des galeries et des bureaux, de même que le **Heliconian Club**, de style «gothique-charpentier», un club féminin d'arts et lettres fondé en 1909.

Après avoir exploré Hazelton Avenue, continuez par Yorkville Avenue, et prenez Avenue Road à gauche.

Si vous en avez le temps et l'envie, profitez-en pour admirer les nombreuses maisons plus charmantes les unes que les autres qui se trouvent à l'ouest d'Avenue Road entre cette dernière et Bedford Street. Elles conservent pour la plupart leur vocation résidentielle, de sorte qu'elles donnent une bonne idée de ce à quoi Yorkville pouvait ressembler avant l'arrivée des promoteurs immobiliers et des faiseurs de mode.

Attraits touristiques

Le côté nord de Cumberland Street entre Avenue Road et Bellair Street est bordé de chics boutiques et galeries, tandis que le côté sud est devenu le **Village of Yorkville Park ★★** (voir p 188). Ce parc urbain, aménagé au-dessus d'une station de métro, s'impose comme un exemple peu commun d'écologie urbaine, d'histoire locale et d'identité régionale. Il se divise en 13 zones, chacune représentant une facette de la géographie de la province. L'énorme rocher en marge de son centre est de granite et provient du Bouclier canadien.

En regardant vers le sud au moment de traverser le parc, au-delà du terrain de stationnement, vous apercevrez les façades de l'**University Theatre** et de la **Pearcy House** (voir p 150).

Circuit 1: Cabbagetown

Anciennement, Cabbagetown (la ville aux choux) était délimitée par la Don Valley, Parliament Street, Queen Street et Carlton Street. De nos jours, cependant, lorsque les gens vous parlent de Cabbagetown, ils font le plus souvent référence à la communauté qui gravite autour de Parliament Street (son artère commerciale), laquelle s'étend à l'est

● ATTRAITS

1. Regent Park
2. Spruce Court Apartments
3. 397 Carlton
4. Riverdale Park
5. Witch's House
6. Riverdale Farm
7. Necropolis Chapel
8. Owl House Lane
9. Wellesley Street
10. St. James Cemetery
11. St. James-the-Less Chapel
12. St. Enoch's Presbyterian Church
13. Metcalfe Street
14. Carlton Street
15. Parliament Street
16. Hotel Winchester
17. Ontario Street
18. First Church of the Christian Association
19. Allan Gardens Conservatory

○ HÉBERGEMENT

1. 1871 Historic House Bed & Breakfast
2. Aberdeen Guest House
3. Banting House
4. Homewood Inn
5. Mulberry Tree
6. Selby Hotel
7. Toronto Downtown Bed and Breakfast

● RESTAURANTS

1. Keg Mansion
2. Mocha Mocha
3. Myth
4. Pan on the Danforth
5. Peartree
6. Provence
7. Rashnaa
8. Timothy's Tikka House

Cabbagetown

ROSEDALE

Craigleigh Gardens

South Dr.
Glen Rd.
South Dr.

Elm Ave.
Maple Ave.
Powell Ave.
Nanton Ave.
Hawthorn Ave.
Castle Frank Rd.
Drumsnab
Bayview Ave.

Mount Pleasant Rd.
Rachel St.
Glen Rd.
Dale Ave.

Rosedale
Castle Frank Cr.
Bayview Ave.

Selby St.
Sherbourne St. N.
Bloor St. E.

Huntley St.
Linden St.
Howard St.

Isabella St.
Bleecker St.
Ontario St.
St. James Ave.
Valley Rd.

Earl St.

Wellesley St.
Laurier Ave.
Wellesley Cottages
Wellesley Ave.
Parkview Ave.

Maitland Pl.
Homewood Ave.
Rose Ave.
Prospect
Lancaster
Amelia St.
Salisbury Ave.
Sackville St.
Flagler St.
Rawlings Ave.

Necropolis Cemetery

Winchester St.
Aberdeen St.
Millington
Wood stock
Bowman

Allan Gardens
Sherbourne St.
Central Hospital Ln.
Carlton St.
Metcalfe
Dermott Place
Sackville
Gildersleeve
Geneva

Gerrard St.
Rolston Ave.
Spruce St.
Gifford St.
Nasmith
Sumach
Sword St.

Glenholme Place
Seaton St.
Berkeley St.
Parliament St.
Gerrard St.

Pembroke St.
Oak St.

Dundas St. E.
Regent
St. Bartholomew
Belshaw Pl.

0   200   400m

©ULYSSE

jusqu'à la Don Valley entre les rues Gerrard et Bloor, respectivement au nord et au sud. C'est ici, au cours des années 1840, que s'établirent les plus pauvres des immigrants irlandais, ceux-là même qui plantaient des choux devant leur maison en guise de pelouse, d'où le nom de ce quartier. Les terres de ce secteur avaient été constituées en réserve gouvernementale par le gouverneur John Graves Simcoe, mais elles purent être divisées en parcelles dès 1819. Quelque 100 ans plus tard, ce quartier ouvrier devint perçu comme une zone insalubre et indésirable. Les urbanistes de l'époque, entichés par la récente notion de «renouveau urbain», rasèrent alors la majorité des maisons situées au sud de Gerrard Street pour les remplacer par un projet d'habitations subventionnées par le gouvernement ontarien, le Regent Park. Si beaucoup le considèrent aujourd'hui comme un échec pur et simple du point de vue architectural, un projet impliquant les citoyens est en cours pour sa revitalisation.

Partez de la rue Gerrard, en face du **Regent Park**. Les édifices qui se profilent au sud de cette artère sont en fait ceux du projet public d'habitations du Regent Park North, le Regent Park South s'étendant au sud de Dundas Street. Ce projet à deux volets, respectivement complétés en 1947 et en 1957, compte parmi les premiers du genre au Canada. Sa conception repose sur les vues modernistes de Le Corbusier et de ses congénères, soucieux de couper les zones résidentielles des quartiers insalubres avoisinants en les dotant de leurs propres rues et parcs, aménagés conformément à l'esprit de leur population restreinte. Selon Robert Fulford, un journaliste en vue de Toronto, les artisans de ce projet n'ont en fait réussi qu'à isoler ses occupants et à les singulariser comme des citoyens de deuxième ordre. Le projet de revitalisation a pour objectif de réintégrer Regent Park à son quartier en introduisant des rues et en remodelant les parcs et les habitations. Quoi qu'il en soit, le Regent Park mérite un bref coup d'œil, ne serait-ce qu'à titre de référence avant de poursuivre votre périple à travers le charmant quartier victorien qu'il a partiellement supplanté.

Pénétrez au cœur de l'originale Cabbagetown par Sackville Street.

Le secteur qui s'étend sur la gauche, alors que vous suivez **Sackville Street** en direction nord, était jadis occupé par le Toronto General Hospital. De 1855 à 1913, l'année où il fut démoli et reconstruit sur University Avenue, l'hôpital couvrait ici une superficie de 1,6 ha. La Trinity College Medical School s'établit tout près en 1871, au 41 Spruce Street, cette faculté de médecine devant par la suite être absorbée par l'université de Toronto. Le bâtiment en briques rouges et ocre qui l'abritait fait désormais partie d'un complexe résidentiel du nom de "Trinity Mews". Quant à la maison qui se trouve au n° 35, elle fut autrefois habitée par Charles B. Mackay, un préposé aux douanes, puis par le doyen de la faculté de médecine du collège Trinity. Elle est encore entourée de sa clôture d'origine, installée en 1867.

Revenez sur vos pas et empruntez Spruce Street vers l'est jusqu'à Sumach Street.

À l'angle de Sumach Street se dressent les **Spruce Court Apartments**. Il s'agit là du premier projet d'habitations à loyer modique de la ville, une réussite du genre avec ses cours gazonnées, ses entrées individuelles et son échelle on ne peut plus humaine. Ce complexe a depuis été transformé en coopérative d'habitation.

Remontez Sumach Street et tournez à droite dans Carlton Street.

La digne villa italianisante du **397 Carlton** a été construite en 1883. À cette époque, la résidence dominait seule ce secteur encore en bonne partie «champêtre», une atmosphère que vous retrouverez dans une certaine mesure au **Riverdale Park ★★**, un magnifique espace qui déroule son tapis de verdure au nord de Carlton Street.

En vous dirigeant vers le nord à travers le parc,

remarquez la maison classique au style tarabiscoté du 384 Sumach Street. On en est venu à la surnommer la **Witch's House ★** (la maison de la sorcière), et quiconque a lu Hansel et Gretel comprendra facilement pourquoi.

Le Riverdale Park couvrait jadis 66 ha de part et d'autre de la rivière Don. En 1898, le Riverdale Zoo y ouvrit ses portes alors qu'il n'abritait que deux loups et quelques cerfs. Les éléphants et les ours polaires qui vinrent peu à peu s'ajouter à la ménagerie avaient visiblement besoin de plus d'espace que celui qu'on leur accordait, de sorte qu'en 1978 le **Toronto Metropolitan Zoo** (voir p 178) fut créé à Scarborough. Les installations de Riverdale présentent depuis lors poneys, coqs et autres animaux de ferme de la **Riverdale Farm ★★** *(entrée libre; 201 Winchester St., ☎392-0046)*, un petit lieu de délices pour les enfants. Le portail en pierre original du jardin zoologique, sur Winchester Street, donne désormais accès à la ferme.

Attraits touristiques

Ours polaire

Un autre espace vert s'étend au nord de Winchester Street, soit la **Necropolis**, l'un des plus vieux cimetières non confessionnels de Toronto. Ses origines remontent au début des années 1850, et c'est là que reposent pour l'éternité les dépouilles mortelles de William Lyon Mackenzie, premier maire de la ville et chef de la rébellion de 1837 (voir p 125), ainsi que de George Brown, l'un des pères de la confédération canadienne. Par une ironie du sort, cette «cité des morts» s'impose également comme un jardin unique en son genre, puisqu'elle présente une impressionnante collection d'arbres, d'arbustes et de plantes rares et exotiques. Son trait le plus frappant demeure cependant sa chapelle mortuaire, la **Necropolis Chapel** ★★, bâtie en 1872. Cette construction gothique de la haute époque victorienne, d'ailleurs merveilleusement bien conservée, est un pur joyau avec son toit d'ardoises à motifs, ses dentelles, ses ferrures ornementales et ses murs couverts de lierre.

Poursuivez par Sumach Street jusqu'à Amelia Street, que vous prendrez sur la droite.

Au milieu des années 1850, un certain nombre d'éléments pour le moins indésirables contribuèrent à donner mauvaise réputation au quartier de Cabbagetown: la rivière Don et la nouvelle Necropolis étaient toutes deux perçues comme des menaces à l'approvisionnement en eau de ce secteur,

tandis que les bâtiments de la Peter R. Lamb & Company ne pouvaient que déparer le paysage, sans parler des effluves nauséabonds que ne manquaient sûrement pas de dégager dans l'air la colle, le cirage à chaussures, la poudre d'os et le charbon animal produits sur place. Le développement du secteur ne débuta vraiment qu'au cours des années 1880, lorsque, par un concours de circonstances fortuit, un incendie ravagea l'usine, suivi d'une seconde vague d'immigrants partis des îles Britanniques pour s'établir à Toronto.

Les maisons qui bordent **Wellesley Street** ★ ont toutes été construites dans les années 1880 et 1890 pour ces nouveaux arrivants, généralement plus fortunés que leurs prédécesseurs vivant quelques rues plus au sud, au cœur du Cabbagetown des premiers jours. Nombre d'entre elles arborent le style Bay-n-Gable de Toronto ou celui, plus récent, qu'on qualifie de Queen Anne. Le premier s'applique à des maisons semi-détachées disposées en rangée et se retrouvait sur tout le territoire de la ville vers la fin du XIXe siècle. Ses pittoresques pignons pointus, ses planches de rive décoratives et ses fenêtres en saillie polygonales sont les marques distinctives de l'architecture torontoise. Le second se veut plus recherché, avec ses tours et tourelles, ses pignons, ses lucarnes, ses fenêtres en rotonde et son mariage de textures et de matériaux. Il honore le plus souvent des demeures entièrement détachées.

L'un des plus beaux exemples du style Bay-n-Gable de Toronto vous attend au **398 Wellesley Street ★**. Quant au style Queen Anne, vous pourrez l'admirer dans un simple complexe d'appartements tout au bout d'**Owl House Lane**. La maison dont cette allée porte le nom se pare d'une petite chouette et a jadis été habitée par l'artiste peintre Charles Jefferys.

En poursuivant votre exploration sur Wellesley Street, vous remarquerez au passage une rangée de cottages à simple pignon plantés de part et d'autre d'un cul-de-sac nommé à juste titre **Wellesley Cottages**. Ces anciennes résidences ouvrières ont aujourd'hui été modernisées et font l'objet d'une grande convoitise. Continuez jusqu'à **Alpha Avenue**, où une autre rangée de cottages peu élevés ont également été revitalisés avec brio, ceux-là surmontés d'un toit en mansarde.

De retour sur Wellesley Street, vous croiserez bientôt la maison Queen Anne la plus typique du quartier au **numéro 314 ★**. Une variété de matériaux et un savoureux agencement de formes et d'ornements trahissent sans doute le fait que son propriétaire original était tailleur de pierres.

Au nord et à l'ouest de l'intersection des rues Parliament et Wellesley s'étend le **St. James Cemetery ★**, le deuxième cimetière anglican de Toronto, aménagé en 1845. Les chemins boisés de cet endroit paisible mènent au lieu de repos éternel de l'élite torontoise, dont nombre de représentants se sont fait construire certains des monuments funéraires les plus majestueux de la ville. Heritage Toronto tient une liste des plus remarquables d'entre eux. Ce cimetière renferme en outre l'une des églises les plus louangées du Canada, la **St. James-the-Less Chapel ★★★** *(625 Parliament St.)*. Sa haute flèche effilée, le profil rigoureux de son toit et sa base diminutive témoignent d'une certaine simplicité, mais n'en sont pas moins superbes.

Dirigez-vous vers le sud par Parliament Street, la principale artère commerciale de Cabbagetown. Tournez à gauche dans Winchester Street et empruntez Metcalfe Street.

Metcalfe Street ★★★ est sans doute la plus belle et la plus représentative des rues de Cabbagetown. De grands arbres y forment un dais de verdure au-dessus de la chaussée, bordée de part et d'autre d'élégantes clôtures en fer forgé et de maisons de la fin de l'époque victorienne disposées en rangée.

À l'angle des rues Metcalfe et Winchester se dresse la

St. Enoch's Presbyterian Church *(180 Winchester St.)*, construite en 1891 dans le style roman. Le Toronto Dance Theatre occupe désormais les locaux de cet ancien lieu de culte.

Une étonnante résidence se trouve au **37 Metcalfe Street**. Une succession d'ajouts et de modifications ont ici transformé une villa italianisante de 1875 donnant sur Winchester Street en un édifice néoclassique dont la façade donne désormais sur la rue Metcalfe.

En descendant Metcalfe Street en direction de Carlton, vous verrez sur votre droite, à partir du n° 18, une proprette rangée de maisons de style Bay-n-Gable de même que, sur votre gauche à partir du n° 15, un chapelet de maisons emblématiques du style Queen Anne.

Maisons victoriennes

Carlton Street ★★ marque la limite nord de d'"Old Cabbagetown". La majorité des maisons qui bordent cette rue s'avèrent beaucoup plus grandes et opulentes que celles dont les pelouses frontales étaient remplacées par des jardins de choux. Partez des environs de Rawlings Avenue et dirigez-vous vers l'ouest. La maison du n° 314, construite en 1874, arbore un joli toit en mansarde; au n° 297 se trouve une immense résidence Queen Anne fréquemment photographiée; la jolie maison néoclassique du n° 295 fut l'une des premières de la ville à avoir le téléphone; en face, aux n°s 294 à 300, se dressent de beaux exemples de la fin de l'époque du style Bay-n-Gable; les fenêtres et les portes du n° 286 présentent quelques riches ornements; enfin, le porche décoratif sculpté des n°s 280-282 est à remarquer.

Parliament Street a toujours été une artère importante de ce quartier. Ainsi dénommée parce qu'elle partait autrefois des édifices du Parlement, elle a toujours été la grande rue commerçante du secteur. L'édifice de la Banque canadienne impériale de commerce, à l'angle des rues Carlton et Parliament, a été dessiné en 1905 conformément au style néoclassique par Darling & Pearson. Immédiatement au nord de Carlton Street apparaît un quadrilatère commercial des premiers jours dont les façades se parent de jolies fenêtres en arc; la devanture de la boutique du **n° 242 ★** est particulièrement originale.

Remontez Parliament Street jusqu'à Winchester Street.

L'**Hotel Winchester** *(531 Parliament St.)*, construit en 1888, abritait jadis le Lake View Hotel, assez fréquenté pendant ses jours de gloire pour le poste d'observation aménagé au sommet de sa tour d'angle et offrant une vue sur le lac Ontario.

Tournez à gauche dans Winchester Street.

Le côté gauche de la rue Winchester est bordé par un certain nombre de belles maisons, certaines en rangée serrée et d'autres détachées. La triple résidence Queen Anne des n°s 7 à 11 se démarque de l'ensemble par son briquetage (celui du n° 5 a été refait). Quant aux semi-détachées des n°s 13 et 15, elles témoignent du style Second Empire avec leur imposante masse centrale et leurs lucarnes décoratives.

Prenez sur la gauche et descendez Ontario Street.

D'harmonieuses rangées de maisons de style Bay-n-Gable s'étirent de part et d'autre d'**Ontario Street ★★** entre les rues Aberdeen et Winchester. Sur la gauche, au sud d'Aberdeen, les pittoresques arches en pointe des maisons semi-

détachées des n°s 481 et 483 sont typiquement néogothiques. Quant à la toute simple **First Church of the Christian Association** *(474 Ontario St.)*, sur la droite, elle date de 1905 et présente une structure gothique en briques rouges.

De retour sur Carlton Street, dirigez-vous vers l'ouest jusqu'aux limites de Cabbagetown.

Allan Garden Conservatory ★★ *(entrée libre; tlj 10h à 17h; 19 Horticultural Ave., ☎392-1111)*. Délimités par les rues Jarvis, Gerrard, Sherbourne et Carlton, ces jardins à l'ancienne reposent au beau milieu d'un parc situé à la périphérie de Cabbagetown. Parmi les six serres du jardin, vous remarquerez la Palm House, une grande serre victorienne construite en 1910. Ce site marque l'emplacement de l'ancienne propriété de George William Allan, avocat et ancien maire de Toronto, qui s'était introduit par alliance au sein du Family Compact.

Circuit J: The Annex

Au nord et à l'ouest de l'intersection de Bloor Street et d'Avenue Road, de même qu'au nord-ouest des rues Dupont et Bathurst, s'étend un secteur qui fut annexé à la ville de Toronto en 1887, et qui porte aujourd'hui à juste titre le

Attraits touristiques

nom de "The Annex". Comme il s'agit d'une banlieue conçue sur plan, une certaine homogénéité architecturale y prévaut, tant et si bien que même les pignons, les tourelles et les corniches qui font sa marque s'alignent tous à égale distance de la rue. Ses résidants ont longtemps et durement combattu pour préserver le caractère architectural de The Annex, et, exception faite de quelques tours d'habitations d'une laideur innommable sur St. George Street et Spadina Avenue, leurs efforts ont été passablement récompensés. Le fait que, dans l'ensemble, ce quartier conserve ses airs d'il y a une centaine d'années témoigne bien du souci naissant des Torontois quant à la valeur historique de leur environnement.

De biais avec le York Club (voir ci-dessous), découvrez les locaux du **Bata Shoe Museum** ★ ★ ★ *(6$; mar-sam 10h à 17h, jeu jusqu'à 20h, dim 12h à 17h; 327 Bloor St. W., ☎979-7799).* Ce musée, le premier du genre en Amérique du Nord, renferme 10 000 paires de chaussures et offre une perspective incomparable sur les différentes cultures de la planète. Le bâtiment a été dessiné par l'architecte Raymond Moriyama de manière à ressembler à une boîte à chaussures, et le cuivre oxydé qui orne la bordure du toit vise à créer l'impression d'un couvercle posé sur cette boîte.

Le musée présente quatre expositions tirées de ses cinq collections: *Paths Across The Plains* (sur la magnifique broderie perlée des mocassins fabriqués par les Amérindiennes des Plaines canadiennes, des traditionnels ouvrages décorés de piquants de porc-épic aux chaussures garnies de perles de la fin du XIXe siècle et présentant un style plus complexe créé dans les Prairies); *Starstruck!, A Celebrity Shoe Soirée* (le tapis rouge se déroule sur ce que portaient aux pieds les plus grandes célébrités des 50 dernières années, sur scène, dans les sports ou sur le grand écran, avec petite histoire sur les paires de chaussures et autres bottes de Madonna, Pierce Brosnan, Wayne Gretzky, Magic Johnson, ou encore des anciennes vedettes telles que Fred Astaire, James Dean, Buddy Holly, Marilyn Monroe et plusieurs autres); *The Perfect Pair: Wedding Shoe Stories* (sur ce que portent les futurs époux à travers le monde durant les cérémonies du mariage, sans oublier les rituels comme celui d'être bien chaussé pour faire le saut, avec présentation de vêtements traditionnels et chaussures provenant de pays comme le Maroc, la Corée, le Japon, l'Inde, la Macédoine, l'Indonésie et la Moravie, tout en mettant l'accent sur les us et coutumes particuliers à chacun); *All About Shoes: Footwear Through the Ages* (voici l'exposition-vedette du Bata Shoe Museum, un fascinant regard

The Annex

sur 4 500 ans de chaussures, leur évolution, leurs usages, leur fabrication et leur matériel, et leur place dans nos vies et dans notre imagination: anciennes sandales funéraires, souliers de soie chinois, godasses haute couture, de même qu'une vitrine animée présentant les chaussures de célébrités qu'on retrouve dans le mini-théâtre Star Turns).

De biais avec le musée, l'imposant bâtiment en briques rouges et en pierre qui se dresse à l'angle nord-est de l'intersection abrite aujourd'hui le **York Club ★**, mais il s'agissait autrefois d'une résidence privée, construite en 1889 pour l'homme le plus riche de la province à l'époque, soit George Gooderham. C'est d'ailleurs là le plus remarquable exemple d'architecture romane à la Richardson de Toronto. L'architecte du York Club, David Roberts, a également conçu sur Front Street l'unique **Gooderham Building** (voir p 116), communément appelé *Flatiron Building*. Le York Club a emménagé dans la maison en 1909, devenant ainsi la première institution séculière à être tolérée dans le quartier.

De l'autre côté de la rue, vous verrez le **Medical Arts Building** (*170 St. George St.*). Construit en 1929, il se veut le premier édifice en hauteur du quartier. Un projet est en cours pour le convertir en pavillon de la University of Toronto. En face, les vestiges d'un mur qui entourait autrefois la propriété du fils de

George Gooderham se trouvent désormais sur celle du Royal Canadian Yacht Club. Il va sans dire que ce pavillon urbain fait pendant au pavillon principal du club, situé sur les îles de Toronto. Un autre chef-d'œuvre arborant le style roman de Richardson s'impose à l'angle nord-ouest de St. George Street et de Prince Arthur Avenue. Avec ses grandes arches arrondies et sa tour (couverte de lierre), caractéristiques de ce style, le 180 St. George Street s'offre aux regards. Puis, à l'intersection des rues Lowther et St. George, s'élève la **First Church of Christ Scientist**, la première église de la Science chrétienne construite à Toronto (1916).

Tournez à droite dans Lowther Avenue puis à gauche dans Admiral Road.

Admiral Road est une rue paisible le long de laquelle vous pourrez admirer quelques adorables demeures de The Annex. Un arbre majestueux se dressait autrefois environ à mi-chemin entre Lowther Street et la courbe de Davenport Road, au-delà de Bernard Avenue, ce qui explique le tracé irrégulier de cette artère dans un quartier où toutes les rues épousent un quadrillage parfait.

Prenez St. George Street à droite, puis Dupont Street à gauche.

La rue Dupont marque la limite nord de ce quartier annexé à la ville de Toronto en 1887. De beaux grands arbres et des rangées de maisons typiques du secteur bordent cette large avenue.

Marchez vers l'est jusqu'à Spadina Avenue. Tournez à gauche et passez les voies ferrées de Mac-Pherson Avenue. Une rue plus loin, prenez Walmer Road à droite, traversez Davenport Road et continuez par Walmer Road jusqu'à Austin Terrace et à la Casa Loma.

Les Canadiens sont connus pour leur retenue, leur modestie et leur discrétion. Il fallait tout de même une exception à cela: la **Casa Loma** ★ ★ *(10$; tlj 9h30 à 16h; 1 Austin Terrace, ☎923-1171),* un immense «château» écossais de 98 pièces construit en 1914 pour l'excentrique colonel Sir Henry Mill Pellatt (1859-1939), qui s'est enrichi en investissant dans les compagnies d'électricité et de

transport. Pellatt possédait entre autres les tramways de São Paolo, au Brésil! Sa demeure palatiale, dessinée par l'architecte du vieil hôtel de ville de Toronto, E.J. Lennox, comprend un vaste hall doté d'un orgue à tuyaux et pouvant accueillir plus de 500 invités, une bibliothèque de 100 000 volumes et un cellier souterrain. Au cours de la visite autoguidée, on repérera plusieurs passages secrets et pièces à la dérobée. Du sommet des tours, on y a de belles vues sur le centre de Toronto.

À l'est de la Casa Loma, au sommet de la colline Davenport, accessible par les Baldwin Steps (escalier Baldwin), se trouve **Spadina** ★ *(5$; mar-ven 12h à 17h; 285 Spadina Rd., ☎392-6910),* une autre

Casa Loma

maison-musée de la haute société torontoise, moins vaste que la Casa Loma mais sûrement plus enrichissante pour qui veut s'imprégner de l'ambiance de la Belle Époque au Canada. Construite en 1866 pour James Austin, premier président de la banque Toronto-Dominion, elle comprend notamment un solarium à la végétation luxuriante et un charmant jardin victorien, en fleurs de mai à septembre. La demeure, maintes fois modifiée, présente de curieuses avancées vitrées qui permettaient à ses propriétaires de jouir de vues panoramiques sur les environs, que les Amérindiens auraient baptisés il y a longtemps *Espadinong*, déformé par les Anglais en *Spadina*. Depuis le départ en 1982 du dernier membre de la famille Austin, les guides d'Heritage Toronto font faire le tour du domaine aux visiteurs.

Retournez maintenant à The Annex à proprement parler en suivant Spadina Avenue jusqu'à Lowther Avenue.

À titre d'artère principale de The Annex, l'avenue Spadina fut l'une des premières voies à attirer l'attention des promoteurs immobiliers qui, après la Deuxième Guerre mondiale, y plantèrent d'assez horribles immeubles résidentiels plus ou moins cubiques de style international. Immédiatement au sud de Lowther, cependant, un édifice regroupant plusieurs appartements mérite notre attention, soit le **Spadina Gardens** *(41-45 Spadina Ave.)*; construit en 1906, il demeure en effet le plus chic de tous les immeubles de l'avenue, et ce, malgré de récents efforts en vue de l'éclipser.

Poursuivez vers l'ouest par Lowther Avenue puis vers le nord par Walmer Road.

La **Walmer Road Baptist Church** *(188 Lowther Ave.)* fut à une certaine époque la plus grande du genre au Canada. Elle a été fondée par l'oncle de Lawren S. Harris, un artiste du **Groupe des Sept** (voir p 42). La sinueuse Walmer Road figure parmi les artères les plus pittoresques et les plus prestigieuses de The Annex. Elle s'enorgueillit par ailleurs de quelques maisons typiques de ce quartier, notamment les nᵒˢ 53 , 83 et 85 ainsi que le grandiose nᵒ 109.

Terminez votre balade dans le secteur en empruntant Bernard Avenue vers l'ouest, en faisant le tour du parc, en longeant Wells Street et en descendant Howland Avenue jusqu'à Bloor Street. Seul le chœur de la **Church of St. Alban-the-Martyr** ★ *(juste avant le St. Alban's Square)*, soit un quart seulement de la cathédrale qu'on prévoyait ériger ici, fut achevé avant que les fonds ne viennent à manquer en 1891. Cette cathédrale devait être l'église mère du diocèse de Toronto, un honneur qui échut plus tard à la **St. James Cathedral** (voir p 121).

Une fois rendu sur Bloor Street, tournez à droite et marchez jusqu'aux Honest Ed's et Mirvish Village (voir encadré p 103).

Circuit K: Rosedale, Forest Hill et le nord de Toronto

Ce circuit permet de découvrir deux joyaux aux abords de la rivière Don, l'Ontario Science Centre et le Todmorden Mills Heritage Museum, avant de poursuivre vers l'ouest, où s'étendent les riches quartiers résidentiels de Rosedale et de Forest Hill, le tout couronné d'un assortiment d'attraits dignes de mention au nord de la ville.

L'**Ontario Science Centre ★★★** *(12$; juil et août tlj 10h à 18h, sept à juin tlj 10h à 17h; 770 Don Mills Rd., ☎429-4100, www.osc.on.ca)* a attiré plus de 30 millions de personnes depuis son ouverture, le 27 septembre 1969. Conçu par l'architecte Raymond Moriyama, il abrite 800 expositions différentes. Ce qui est particulier à l'Ontario Science Centre et ce qui le rend par la même occasion si intéressant, ce sont les diverses démonstrations et expériences auxquelles vous pouvez vous prêter afin de mieux comprendre comment fonctionne notre univers. Les expositions interactives sont réparties sous 12 catégories: The Living Earth, Space, Sport,

Communication, Food, A Question of Truth, The Information Highway, Technology/Transportation, The Human Body, Science Arcade, Matter, Energy and Change, Earth. L'Ontario Science Centre offre plusieurs démonstrations gratuites. Celle consacrée à l'électricité vous fera dresser les cheveux sur la tête. La chimie se concentre de son côté sur les effets de la cryogénie. Le planétarium Starlab vous transporte aux quatre coins de notre galaxie. Vous pourrez apprendre à fabriquer votre propre papier ainsi que constater l'évolution et l'impact de l'imprimerie sur l'histoire de l'humanité. Il y a même une fonderie sur place où vous pouvez observer les différentes étapes de la fabrication d'objets en métal, et finalement vous découvrirez les nombreuses applications du laser dans notre monde actuel. Depuis 1996, l'Ontario Science Centre abrite également un cinéma à écran bombé. En effet, l'Omnimax, une version améliorée du cinéma Imax, peut recevoir 320 personnes sous un énorme dôme de 24 m de diamètre doté d'une sonorisation haute-fidélité *(réservations nécessaires; billetterie: ☎696-1000).*

Empruntez Don Mills Road vers le sud jusqu'à la Don Valley Parkway, que vous suivrez également en direction du sud jusqu'à la sortie de Todmorden Mills.

Le **Todmorden Mills Heritage Museum ★** *(3$; mai à sept,*

mar-ven 11h à 16h, sam-dim et jours fériés 12h à 16h; oct à déc, lun-ven 10h à 16h; 67 Pottery Rd., ☎396-2819) se présente comme un musée à ciel ouvert regroupant deux maisons restaurées de l'époque de la Confédération (1867), une ancienne brasserie et l'Old Don Train Station, une gare ferroviaire autrefois utilisée par le Canadien National et le Canadien Pacifique. La localité de Todmorden Mills, qui se trouve sur la rivière Don, était jadis habitée par des immigrants de Todmorden Mills, en Angleterre; le parc qui entoure le musée se prête merveilleusement bien aux pique-niques.

Filez vers l'ouest jusqu'à Rosedale, accessible par Castle Frank Road.

L'un des quartiers les plus distingués et les plus riches de Toronto s'étend tout juste au nord du centre-ville. Le secteur de **Rosedale** n'a par contre pas toujours été convoité. En effet, les nantis que les promoteurs immobiliers cherchaient à attirer ici estimaient au départ que Rosedale se trouvait «trop isolé, trop loin de la ville» et qu'il serait «difficile de trouver des domestiques disposés à s'y rendre». Aussi la majorité des résidences n'y ont-elles été construites qu'au début du XXᵉ siècle et, pour la plupart, par de nouveaux riches de la petite bourgeoisie, bien que certains noms plus éminents se soient aussi retrouvés dans les registres de Rosedale, entres autres

les Osler, Gooderham, Darling et Small.

Rosedale fut ainsi nommée en l'honneur de l'épouse de Jarvis, Mary, qui tirait grand plaisir des roses sauvages poussant autour de leur villa, elle-même baptisée "Rosedale". Conçue de manière à surplomber le vallon, la résidence finit par être démolie en 1905. Après la mort de Mary, dans les années 1850, Jarvis traça Park Road et commença à morceler son domaine pour le vendre en lots. Les grands propriétaires voisins lui emboîtèrent le pas, et, peu à peu, on vit surgir ici et là quelques maisons. Puis, même lorsque Rosedale commença à prendre de l'ampleur au début du XXᵉ siècle, la tendance à vendre ne s'amoindrit nullement, de sorte que le morcellement des terres se poursuivit au fur et à mesure que se multiplièrent les nouveaux venus. C'est pour cette raison que beaucoup de maisons de Rosedale sont aujourd'hui construites très près les unes des autres, et même très près de la rue. Dans la foulée, on comprend aisément l'absence d'homogénéité architecturale qui y règne, des constructions de styles tout à fait différents se côtoyant volontiers. Une promenade le long des plus belles rues du quartier constitue dès lors une excellente occasion d'admirer un large éventail des architectures résidentielles les plus charmantes de Toronto.

La propriété qui s'étend au nord de la rue Bloor fut ré-

Rosedale, Forest Hill et le nord de Toronto

ATTRAITS

1. Gibson House Museum
2. Holocaust Education & Memorial Centre of Toronto
3. Black Creek Pioneer Village
4. Paramount Canada's Wonderland
5. McMichael Canadian Art Collection

Voir Rosedale et Forest Hill

Lac Ontario

Toronto Islands

© ULYSSE

servée par le gouverneur John Graves Simcoe en 1793, au moment où il traça les plans de la municipalité de York. Il lui donna le nom de "Frank", en l'honneur de son fils, et y fit construire une maison qu'il baptisa "Castle Frank". La demeure a été ravagée par un incendie en 1829 après avoir été abandonnée par Simcoe, rappelé en Angleterre en 1797. Cette portion de Rosedale appartenait à l'origine à Francis Cayley, qui avait donné à son domaine de 49 ha le nom de "Drumsnab". Cette propriété fut peu à peu morcelée par les spéculateurs, mais la maison (érigée en 1834 et pourvue d'ajouts en 1856 et en 1908) subsiste toujours. Elle constitue d'ailleurs la plus ancienne construction privée à vocation résidentielle de Toronto.

Empruntez Castle Frank Road jusqu'à Elm Avenue.

Edgar Jarvis, le neveu du shérif Jarvis, aménagea l'avenue Elm alors que Rosedale commençait à peine à se développer. Il la borda d'ormes et y construisit une belle demeure dans l'espoir d'attirer des acheteurs. Sa maison est toujours là, tout au bout de la rue. Avant de l'atteindre, toutefois, remarquez le n° 27 de la rue Sherbourne, un lot que Jarvis parvint à vendre à la riche famille Gooderham, distillateurs de renom. Cette maison est en fait la deuxième à avoir été construite à cet endroit, la première ayant été démolie.

À l'approche de Mount Pleasant Road, l'école privée pour jeunes filles qu'est le Branksome Hall se dresse sur votre droite. Le bâtiment principal se trouve cependant de l'autre côté du Mount Pleasant; il s'agit de l'ancienne résidence d'Edgar Jarvis lui-même, érigée en 1866. Cette jolie construction italianisante faisait jadis face à Park Road et servait de point de vente à Jarvis.

Montez Mount Pleasant Road et tournez à gauche dans South Drive puis de nouveau à gauche dans Park Road.

Au 124 Park Road surgit la première maison construite sur la propriété morcelée en lots du shérif Jarvis. Au moment de son érection en 1855, cette gracieuse georgienne entourée d'une véranda ne comptait qu'un seul étage.

Poursuivez par Park Road et tournez à droite dans Avondale Road.

La première intersection marque l'endroit, sur la gauche, où se dressait la villa Rosedale du shérif Jarvis. Elle fut bâtie en 1821, et Jarvis y emménagea en 1824, après quoi il y vécut jusqu'à la mort de son épouse, en 1852. Elle fut malheureusement démolie en 1905.

Crescent Road était du nombre des sept voies sinueuses tracées par Jarvis au moment de morceler sa propriété en lots. Longez cette artère par la droite

Rosedale et Forest Hill

ATTRAITS
1. Ontario Science Centre
2. Todmorden Mills Heritage Museum
3. Mount Pleasant Cemetery
4. Upper Canada College
5. Beth Tzedec Museum

HÉBERGEMENT
1. Ainsley House Bed and Breakfast
2. Vanderkooy Bed & Breakfast
3. YWCA

RESTAURANTS
1. Auberge du Pommier
2. Filippo's
3. Five Doors North
4. Millie's Bistro
5. North 44

© ULYSSE

jusqu'à ce que vous retrouviez Mount Pleasant Road.

Remontez Mount Pleasant Road jusqu'au Mount Pleasant Cemetery.

Le premier cimetière non confessionnel de Toronto fut le Potter's Field, à l'angle nord-ouest de Bloor Street et de Yonge Street. L'expansion de la voisine Yorkville fit que l'espace vint à y manquer, de sorte que les dépouilles mortelles ensevelies ici furent transportées à la nouvelle nécropole, tout près de la rivière Don (voir p 156). Mais la nécropole elle-même finit par être débordée, et c'est alors qu'on créa, en 1876, le **Mount Pleasant Cemetery ★★** *(délimité par Yonge St., Bayview Ave., Moore Ave. et Merton St.).* La beauté de ses aménagements paysagers a tôt fait de le classer parmi les attraits de Toronto, et il demeure encore aujourd'hui un endroit serein et agréable à l'œil où il fait bon passer un moment de réflexion contemplative. Il s'enorgueillit d'un extraordinaire arboretum peuplé d'espèces aussi bien indigènes qu'importées dont la majorité est identifiée, de même que de certaines réalisations architecturales remarquables. Son développement s'étant effectué d'ouest en est, la plupart des personnages historiques sont enterrés à proximité de la rue Yonge. Parmi les notables séjournant pour l'éternité au Mount Pleasant, retenons William Lyon Mackenzie King, le premier ministre le plus longtemps en

poste du Canada, Frederick Banting et Charles Best, qui ensemble ont découvert l'insuline, Glenn Gould, le pianiste classique de renommée internationale, et Foster Hewitt, le commentateur de hockey qui immortalisa en anglais la phrase désormais célèbre *"He shoots, he scores!"* (Il lance et compte!). Les mausolées des familles Eaton et Massey s'imposent sans doute comme les plus impressionnants du cimetière, le premier étant fait de granite importé d'Écosse et le second ayant été conçu par E.J. Lennox.

En poursuivant votre route par Mount Pleasant Road en direction de North York, faites un crochet par **Forest Hill**, l'autre quartier résidentiel huppé de Toronto.

Prenez Heath Street jusqu'à Forest Hill Road, puis tournez à droite.

Le village de Forest Hill a été constitué en municipalité en 1923 et fusionné à la ville de Toronto en 1968. Il marqua un tournant mémorable dans la petite histoire de Toronto lorsque, en 1982, la municipalité cessa de cueillir les ordures ménagères dans les cours arrière des résidences, les déchets devant désormais être déposés sur les trottoirs, devant les maisons! Forest Hill a toujours été le jardin de Torontois riches et influents, la plupart occupant d'étonnantes maisons néogeorgiennes posées comme il se doit sur de grands terrains.

Suivez Forest Hill Road jusqu'à Old Forest Hill Road.

Du côté droit de Forest Hill Road, entre Lonsdale Road et Kilbarry Road, se dresse l'une des écoles privées pour garçons les plus respectées du Canada, l'**Upper Canada College**. Les salles auréolées de cet établissement ont vu grandir certains des plus grandes sommités canadiennes, y compris les auteurs Stephen Leacock et Robertson Davies.

Prenez Kilbarry Road à gauche puis Old Forest Hill Road à droite.

Forest Hill Road, artère sinueuse, jadis un sentier amérindien, est flanquée, de part et d'autre, de certaines des plus élégantes résidences de Forest Hill. Poursuivez jusqu'à Eglinton Avenue, à la limite nord du quartier. Si l'envie de faire quelques achats vous tenaille, descendez Spadina Road en direction de St. Clair Avenue.

Le **Beth Tzedec Museum** *(entrée libre; lun, mer-jeu 11h à 13h et 14h à 17h, dim sur rendez-vous; 1700 Bathurst St., ☎781-3511)* recèle plusieurs trésors à la fois étranges et amusants en rapport avec la culture juive, et il mérite sans contredit une visite si vous vous trouvez dans les parages. Il loge à l'intérieur d'une synagogue moderne du même nom.

Poursuivez vers le nord par Bathurst Street jusqu'à l'autoroute 401, que vous emprunterez vers l'est jusqu'à Yonge Street afin de visiter la Gibson House.

Gibson House Museum *(3,75$; mar-ven 12h à 16h30, sam-dim et fêtes 12h à 17h; 5172 Yonge St., ☎395-7432).* David Gibson, un géomètre et politicien local, vécut avec sa famille dans cette maison de North York vers le milieu du XIXe siècle. Gibson était un fervent partisan de William Lyon Mackenzie, ce qui lui valut d'être exilé aux États-Unis en 1837. Il construisit cette maison à son retour d'exil après avoir constaté que sa première demeure avait été incendiée par les partisans du Family Compact. À cette époque, tout n'était ici que terres cultivées et champs ondulants à perte de vue. La maison a retrouvé son éclat d'antan, et des guides en costumes d'époque font revivre pour les visiteurs la vie de la famille Gibson en ces lieux.

Prenez vers l'ouest l'autoroute 401, puis sortez à Bathurst Street, que vous emprunterez vers le nord.

L'**Holocaust Education & Memorial Centre of Toronto** *(entrée libre, dons appréciés; mar-jeu 9h à 16h, ven 9h à 15h, dim 11h30 à 16h30; 4600 Bathurst St., ☎635-2883)* est un émouvant musée qui rend hommage aux difficultés rencontrées par les Juifs européens au cours de la Seconde Guerre mondiale. Les vitrines sur la vie des Juifs de l'Europe pré-nazie s'avèrent particulièrement poignantes.

Attraits touristiques

Banting et les autres

Frederick Grant Banting (1891-1941) termina ses études de médecine à l'université de Toronto et établit sa pratique chirurgicale à London, Ontario, complétant ses revenus à l'aide d'un poste de chargé de travaux pratiques en médecine à l'University of Western Ontario, à London. Par une journée d'automne en 1920, Banting, chirurgien sans expérience de la recherche, lut un article sur le pancréas. La nuit même, il nota quelques idées au sujet d'une méthode qui pourrait permettre d'isoler la composante antidiabétique du pancréas.

Il retourna à l'université de Toronto en 1922, pour continuer ses expériences sur le pancréas. Sous la direction de J.R.R. MacLeod, chef du département de physiologie de l'université de Toronto, Frederick Banting et Charles Best, un étudiant de deuxième cycle, réussirent à isoler l'insuline avant la fin de l'été. Pour sa part, le docteur Charles Collip mit au point un procédé qui permettait de raffiner et de traiter l'insuline en quantité suffisante pour des essais cliniques sur des humains. Les résultats furent inestimables pour les diabétiques qui connurent une nouvelle vie grâce à l'insuline.

En 1923, le prix Nobel de médecine fut décerné au discret docteur Frederick Banting et à son chef de laboratoire, J.R.R. MacLeod. Comme leur découverte et la mise au point du procédé clinique furent un travail d'équipe, ils tinrent à partager leur honneur avec leurs collaborateurs. Banting partagea sa part avec Best alors que MacLeod fit de même avec Collip.

Le docteur Banting continua ses recherches et coordonna les travaux nationaux de recherche médicale en temps de guerre. Malheureusement, un accident d'avion à Terre-Neuve lui coûta la vie en 1941.

Continuez vers le nord par Bathurst Street jusqu'à Finch Avenue, que vous prendrez vers l'ouest jusqu'à Jane Street.

Le **Black Creek Pioneer Village** ★ *(9$; mai à déc lunven 10h à 17h, sam-dim et jours fériés 9h30 à 16h; 1000 Murray Ross Parkway, angle Jane St. et Steeles Ave. W., du métro Finch, prenez l'autobus 60 jusqu'à Jane St., ☎736-1733)* se trouve à environ 30 min du centre-ville. Les bâtiments d'époque de ce village de pionniers comprennent un authentique moulin des années 1840, doté d'une meule de quatre tonnes actionnée par une roue à aubes qui moud jusqu'à 100 barils de farine par jour, un magasin général, une mairie, une imprimerie et une forge. Tous s'animent de personnages amicaux qui vaquent à leurs occupations, qui coulant des bougies, qui tondant des moutons ou préparant des produits de boulangerie que vous pouvez goûter. En été, profitez-en pour faire un tour de chariot tiré par des chevaux et, en hiver, adonnezvous au patin à glace, aux descentes en toboggan ou aux promenades en traîneau.

Remontez Jane Street vers le nord jusqu'à Rutherford Road.

Premier du genre au pays, le **Paramount Canada's Wonderland** ★★ *(laissez-passer d'une journée 45$; mai, sept et début oct sam-dim 10h à 20h, juin à la fête du Travail tlj 10h à 22h; 9580 Jane St., Vaughan, ☎905-832-7000; à 30 min du centre-*

ville, sortie Rutherford de l'autoroute 400, suivez les indications; du métro Yorkdale ou York Mills, prenez l'autobus express spécialement marqué GO; www.canadaswonderland.com)* est l'endroit tout indiqué si vous disposez d'une journée libre et que vous désiriez faire plaisir à vos enfants. Parmi les manèges à vous mettre sans dessus dessous, retenons le Vortex, soit les seules montagnes russes suspendues au Canada, et le célèbre Days of Thunder, qui vous met au volant d'un stockcar le temps d'une course simulée. Vous trouverez également ici un parc aquatique, le Splash Works, qui compte 16 manèges et toboggans, sans oublier les spectacles du **Kingswood Theatre** *(☎905-832-8131)*. Acquis par Paramount, le site est parcouru par des personnages de Star Trek et d'autres vedettes appréciées des Canadiens, tels Scooby Doo et Fred Flintstone. Les restaurants aménagés sur les lieux ne feront peut-être pas votre bonheur, de sorte que vous feriez bien de songer à emporter vos provisions.

La collection d'art canadien McMichael de Kleinberg s'offre à vous à environ 45 min au nord du centre-ville de Toronto.

Paisible hameau à la limite de la grande banlieue de Toronto, **Kleinberg** attire essentiellement les visiteurs en raison de la **McMichael Canadian Art Collection** ★★★ *(12$; tlj 10h à 16h; prenez l'autoroute 400, puis suivez Major Mackenzie Dr. jus-*

qu'à Islington Ave., 10365 Islington Ave., ☎905-893-1121 ou 888-213-1121), soit l'une des plus belles collections d'art canadien et autochtone du Canada. Une superbe maison en rondins et en pierre, construite autour des années 1950 pour les McMichael, abrite la collection. Grands amateurs d'art, les McMichael commencèrent à collectionner des toiles de grands maîtres canadiens, aujourd'hui au cœur de leur collection. Les salles d'exposition, vastes et claires, présentent aussi une fort belle rétrospec- tive des œuvres de Tom Thomson ainsi que du Groupe des Sept. La visite, essentielle- ment contemplative, vous don- nera l'occasion d'admirer quelques-uns des plus beaux tableaux de ces peintres qui se sont efforcés de reproduire et d'interpréter à leur façon la nature ontarienne. Une place est également faite aux œuvres d'artistes inuits et autochtones, notamment le peintre d'origine ojibway Norval Morrisseau, qui a su créer son propre style, dit «pictographique».

McMichael Canadian Art Collection

L'est de Toronto (The Beaches)

© ULYSSE

ATTRAITS
1. Trillium Trail
2. R.C. Harris Filtration Plant

HÉBERGEMENT
1. The Beaches Bed & Breakfast

RESTAURANTS
1. Jamaica Sunrise
2. Quigley's
3. Spiaggia Trattoria
4. Sunset Grill
5. Whitlock's
6. Yumei Sushi

N

0   200   400m

Lac Ontario

Ashbridge's
Bay Park

Blantyre
Victoria Park Ave.
Nursewood Rd.
Neville Park Blvd.
Neville Park Blvd.
Kingswood Rd.
Munro Park Ave.
Scarborough Rd.
Silver Birch Ave.
Willow Ave.
Park Ave.
Balmy Beach Club
Beech Ave.
Fir Ave.
Spruce Hill
Fernwood Pk. Ave.
Halfax Ave.
Balsam Ave.
Maclean Ave.
Crown Pk. Rd.
Duart Pk. Rd.
Avion Ave.
Bon-Field
Selwood Ave.
Glenmanor Dr.
Hubbard Blvd.
Trillium Trail
Scarborough Beach Blvd.
Hammersmith Ave.
Wineva Ave.
Wineva Ave.
Hambly Ave.
Leuty Ave.
Violet Ave.
Lee Ave.
Lee Ave.
Wheeler Ave.
Kew Gardens
Bellefair Ave.
Waverley Rd.
Waverley Rd.
Kenilworth Ave.
Kenilworth Ave.
Kew Beach Ave.
Elmer Ave.
Kippendavie Ave.
Beaches Park
Trillium Trail
Woodbine Ave.
Rainsford Rd.
Olympic Pool
Brook Mount Rd.
Lockwood Rd.
Lark St.
Kingston Rd.
Dixon Ave.
Queen St. E.
Lake Shore Blvd. East
Dundas St. E.
Orchard Pk. Blvd.
Ashland Ave.
Battenberg Ave.
Coxwell Ave.
Sycamore Pl.
Cres.
Crown Pk. Rd.
Isleworth Ave.
Queen St. E.

Circuit L: L'est de Toronto

The Beaches

Si nous disons "The Beaches", c'est par souci de clarté et de conformité, et peut-être aussi par égard pour le tourisme. Mais d'un point de vue rigoureusement historique, force nous est de reconnaître que les Torontois de longue date témoignent d'un attachement presque féroce pour ce qu'ils considèrent être le véritable nom de ce quartier, soit "The Beach" (la plage). Cela dit, les plages s'étendent vers l'ouest de la Woodbine Race Track (hippodrome) à la R.C. Harris Filtration Plant (usine de filtration d'eau) et, vers le nord, du lac Ontario à Kingston Road.

En 1853, le soldat anglais Joseph Williams établit son domaine en ces lieux et le baptisa "Kew Farms", nom qu'il devait par la suite changer en "Kew Gardens" en 1879, soit à l'époque où sa ferme devint un parc grandement convoité par les Torontois en quête d'un répit face au rythme trépidant de la vie urbaine. Ces mêmes citadins ne tardèrent d'ailleurs pas à y construire des cottages, et vous noterez que beaucoup des maisons actuelles du voisinage sont bel et bien d'ancien-

nes résidences d'été transformées en habitations permanentes. Le meilleur argument en faveur d'une appellation plurielle des lieux («les plages» plutôt que «la plage») tient sans doute du fait qu'à l'époque il y avait de fait trois plages: la Kew Beach à l'ouest, le Scarboro Beach Park au centre et la Balmy Beach à l'est.

Prenez le tramway nº 501 vers l'est sur Queen Street, jusqu'à Woodbine Avenue.

La plage elle-même vous réserve d'agréables moments. Une jolie promenade en bois la parcourt sur toute sa longueur, tout comme d'ailleurs le **Trillium Trail**, une piste cyclable sur laquelle se retrouvent aussi les amateurs de jogging. Un club de tennis, un club de crosse et un club de bowling sur gazon ont tous leurs installations en face de la plage. Quant à l'espace vert qui se trouve sur votre gauche, il finit par s'élargir à Kew Gardens, qui lui-même s'étend jusqu'à Queen Street East. Enfin, sur Lee Avenue, qui avoisine le parc à l'est, se dresse la maison construite par Kew Williams, le fils de Joseph, au nº 30.

Si la perspective du sable chaud et du soleil radieux sur fond de vagues étincelantes berçant les voiliers à l'horizon vous enchante, n'hésitez pas un instant à foncer vers la plage. La promenade se rend jusqu'à Silver Birch Avenue et au Balmy Beach Canoe Club. De là, laissez le sable s'infiltrer entre

L'est de Toronto
(Scarborough)

ATTRAITS

1. Scarborough Historical Museum
2. Scarborough Civic Centre
3. Toronto Metropolitan Zoo

HÉBERGEMENT

1. Scarborough's Guild Inn

vos orteils et marchez la distance de quelques pâtés de maisons jusqu'à la **R.C. Harris Filtration Plant**. Cette usine de filtration des eaux figure parmi les bâtiments les plus évocateurs de Toronto, à tel point que d'aucuns y voient le plus vénérable exemple d'«ingénierie faite art» de la ville.

Remontez Queen Street East et dirigez-vous vers l'ouest pour vous imprégner un peu plus encore du mode de vie de The Beaches, lieu ponctué de boutiques de surf et de cafés-terrasses. L'endroit est tout indiqué pour faire du lèche-vitrine.

Une fois rendu sur Glen Manor Drive, tournez à droite, et poursuivez jusqu'à Southwood Drive. Le pianiste Glenn Gould habitait le quartier jusqu'à la fin de sa vingtaine, et la maison de ses parents, au 32 Southland Drive, est identifiée par une plaque commémorative.

Scarborough

Une visite de Scarborough, vous demandez-vous? Il est malheureusement vrai que la réputation de cette municipalité fusionnée à l'agglomération urbaine de Toronto, qu'on affuble même parfois du surnom de "Scarberia" (par analogie avec la Sibérie), la précède. Votre hésitation se comprend donc très bien. Néanmoins, malgré ses

Attraits touristiques

bungalows sans distinction particulière, cette ville s'impose comme le berceau du spectaculaire jardin zoologique de la grande région torontoise, sans parler de ses majestueuses falaises grises, qui lui ont d'ailleurs valu son nom (Elizabeth Simcoe, l'épouse de John Simcoe, trouvait qu'elles ressemblaient à celles de la Scarborough anglaise).

Quatre splendides parcs donnent accès à ces falaises de légende, ici connues sous le nom de Bluffs: le Bluffers West Park, le Scarborough Bluffs Park, le Bluffers Park et le Cathedral Bluffs Park. Chacun d'eux offre des panoramas du lac Ontario à couper le souffle, mais aussi une foule de possibilités en ce qui a trait aux activités de plein air (voir p 190).

Depuis les falaises, empruntez Brimley Road vers le nord en direction du centre de Scarborough.

Le **Scarborough Historical Museum** *(3$; avr à juin et sept à mi-déc lun-ven 10h à 16h, juil et août mer-dim 12h à 16h; Thomson Memorial Park, 1007 Brimley Rd., ☎338-8807)*, à ciel ouvert, regroupe des bâtiments historiques de même qu'une annexe renfermant des vitrines d'exposition. La Cornell House (1858) évoque la vie rurale du début du XXᵉ siècle; la McGowan Log House se veut pour sa part le témoin d'une époque plus ancienne encore, celle des pionniers des années 1850; enfin, la Hough Carriage Works

se présente comme une authentique fabrique de calèches du XIXᵉ siècle.

En continuant par Brimley Road, vous atteindrez, tout juste au nord d'Ellesmere Road, le centre de Scarborough. Dans un effort visant en partie à redorer son blason, le centre-ville avait été conçu vers la fin des années 1960 dans la foulée du dévoilement du nouvel hôtel de ville et de la nouvelle image de marque de Toronto. L'architecte Raymond Moriyama avait ainsi dessiné l'exceptionnel **Scarborough Civic Centre**, dotant par le fait même la ville d'un point de mire central. Les opinions varient quant à l'effet produit par cette construction, mais elle n'en reste pas moins un endroit animé avec son grand square.

Pour atteindre le zoo, suivez McGowan Road jusqu'à Finch Avenue, puis dirigez-vous vers l'est. Poursuivez par Old Finch Road jusqu'à Meadowvale Drive et prenez vers le sud jusqu'à l'entrée.

Pour une balade dépaysante à souhait dans la région, il faut se rendre au **Toronto Metropolitan Zoo** ★★ *(15$; mars à mai 9h à 18h, sept et oct 9h à 18h, nov à fév 9h30 à 16h30; suivez l'autoroute 401 jusqu'à la sortie 389, puis prenez Meadowvale Dr., ☎392-5900, www.toronto zoo.com)*, où vous pourrez observer quelque 5 000 animaux tout en profitant d'un magnifique parc de près de 300 ha. Vous aurez la chance d'y voir des animaux de tous les coins du globe. La visite du pavillon d'Afrique s'avérera particulièrement intéressante, car il s'agit d'une grande serre dans laquelle le climat et la végétation de ce continent ont été recréés. Bien sûr, la faune canadienne est aussi à l'honneur, et plusieurs espèces pouvant s'adapter au climat d'ici s'ébattent librement dans de vastes enclos.

Circuit M: Les chutes du Niagara

Ce circuit aborde la région située à l'ouest de la rivière Niagara, qui forme la frontière avec les États-Unis et dont le contrôle était autrefois impératif afin d'assurer la navigation sur les lacs Ontario et Érié. Deux forts y avaient d'ailleurs été érigés, dont un à Niagara-on-the-Lake, et ils gardent encore chaque extrémité de la rivière. Aujourd'hui, cette région est surtout connue pour ses vignes et ses vergers, ainsi que pour un site naturel extraordinaire, les chutes du Niagara, qui n'ont cessé d'ébahir les jeunes et les moins jeunes, les amoureux et les intrépides depuis des décennies.

De Toronto, il suffit de prendre la Queen Elizabeth Way (QEW), qui se rend jusqu'à St. Catharines, puis de suivre la route 87 jusqu'à Niagara-on-the-Lake.

Niagara-on-the-Lake

L'histoire de Niagara-on-the-Lake remonte à la fin du XVIIIe siècle, alors que la ville se nomme "Newark" et qu'elle est choisie, de 1791 à 1796, pour devenir la capitale du Haut-Canada. Il ne reste cependant rien de cette époque, car, au cours de la guerre de 1812, qui opposa les colonies britanniques aux États-Unis, elle est incendiée. Au lendemain de cette invasion, la ville est reconstruite, et d'élégantes demeures de style anglais y sont alors érigées, lesquelles ont été merveilleusement bien conservées et confèrent encore aujourd'hui un grand charme à ce village situé à l'embouchure de la rivière Niagara. Ces résidences, dont certaines ont été reconverties en auberges élégantes, accueillent chaque année des vacanciers venus profiter de l'atmosphère très anglaise de la ville ou assister à l'une des représentations théâtrales du réputé **Shaw Festival** (voir p 271).

Au lendemain de la guerre de l'Indépendance américaine, les Britanniques cèdent le fort Niagara, qui s'élève du côté est de la rivière; aussi, pour assurer la protection des colonies demeurées britanniques, les autorités envisagent-elles la construction d'un autre fort. De 1797 à 1799, le fort George est construit du côté ouest de la

Attraits touristiques

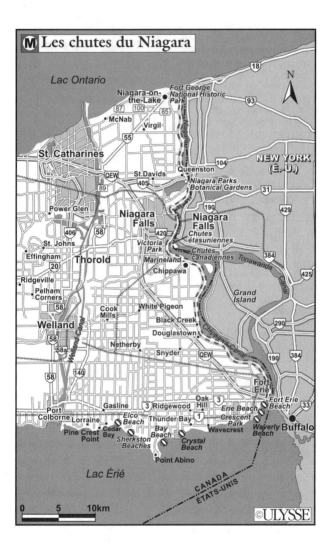

M Les chutes du Niagara

Lac Ontario

Niagara-on-the-Lake

Fort George National Historic Park

McNab

Virgil

St. Catharines

St.Davids

Queenston

Niagara Parks Botanical Gardens

NEW YORK (É.-U.)

Power Glen

Niagara Falls

St. Johns

Effingham

Thorold

Niagara Falls
Chutes étasuniennes
Chutes canadiennes

Tonawanda

Victoria Park

Marineland

Ridgeville

Chippawa

Grand Island

Pelham Corners

Cook Mills

White Pigeon

Black Creek

Welland

Douglastown

Netherby

Snyder

Welland Canal

Chippawa Canal

Fort Erie

Port Colborne

Gasline

Ridgewood

Oak Hill

Erie Beach

Fort Erie Beach

Lorraine

Elco Beach

Thunder Bay

Crescent Park

Waverly Beach

Buffalo

Pine Crest Point

Cedar Bay

Bay Beach

Wavecrest

Sherkston Beaches

Crystal Beach

Point Abino

Lac Érié

CANADA
ÉTATS-UNIS

0   5   10km

©ULYSSE

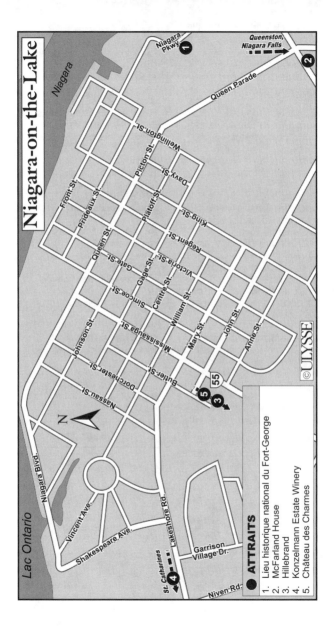

Niagara-on-the-Lake

Lac Ontario

Niagara

Niagara Pkwy.

Queenston,
Niagara Falls

Queen Parade

Wellington St.

Picton St.

Davy St.

Platoff St.

King St.

Front St.

Prideaux St.

Regent St.

Queen St.

Gate St.

Victoria St.

Simcoe St.

Centre St.

William St.

Mary St.

John St.

Johnson St.

Mississauga St.

Anne St.

Dorchester St.

Butler St.

Nassau St.

Niagara Blvd.

Vincent Ave.

Shakespeare Ave.

Lakeshore Rd.

Garrison
Village Dr.

Niven Rd.

St. Catharines

© ULYSSE

ATTRAITS

1. Lieu historique national du Fort-George
2. McFarland House
3. Hillebrand
4. Konzelmann Estate Winery
5. Château des Charmes

rivière. Quelques années s'écoulent à peine avant que les deux pays n'entrent de nouveau en guerre. En 1812, le conflit éclate, et la région de Niagara-on-the-Lake, frontalière avec les États-Unis, est au cœur des hostilités. Le fort George est alors conquis, puis détruit en 1813. Il est cependant reconstruit en 1815.

Aujourd'hui, il est possible de visiter ces installations en se rendant au **Lieu historique national du Fort-George** ★ *(6$; tlj 10h à 17h; 26 Queen's Parade, ☎905-468-4257)*, le fort ayant été restauré. Dans l'enceinte, vous pourrez découvrir entre autres les quartiers des officiers, la salle des gardes et les casernes.

La belle **McFarland House** *(2,50$; mi-avr à juin tlj 10h à 16h; juil et août dim-jeu 10h à 17h; ven-sam 10h à 20h; sept tlj 11h à 16h; oct ven-dim 11h à 16h; reste de l'année sur réservation; Niagara Parkway. S., 2 km au sud de la ville, ☎905-468-3322)*, de style géorgien, fut bâtie en 1800 pour James McFarland et est encore garnie de meubles datant des années 1800 à 1840.

McFarland House

La région de Niagara-on-the-Lake compte plusieurs **vignobles**, et, le long de la route, vous apercevrez ces vastes champs zébrés. Certains producteurs proposent des visites de leurs installations. En voici quelques-uns:

Hillebrand
1249 Niagara Stone Rd.
Niagara-on-the-Lake
☎*(905) 468-7123*
www.hillebrand.com

Konzelmann Estate Winery
1096 Lakeshore Rd.
Niagara-on-the-Lake
☎*(905) 935-2866*
www.konzelmannwines.com

Château des Charmes
1025 York Rd.
St. Davids
☎*(905) 262-4219*
www.chateaudescharmes.com

En continuant par Niagara Parkway vers le sud, vous longerez la rivière Niagara et arriverez à Queenston.

Queenston

Joli hameau qui s'est développé au long de la rivière Niagara, Queenston comprend quelques maisonnettes et des jardins verdoyants. Il est surtout connu comme le lieu où habita Laura Secord.

Laura Secord Homestead
(adulte 3,50$; mi-juin à début sept tlj 11h à 17; Queenston St., ☎877-642-7275, www.niagara-parks. com). Laura Secord, née

Ingersoll au Massachusetts en 1775, épouse James Secord en 1795 et vient s'établir à Queenston quelques années plus tard. Elle devient célèbre durant la guerre de 1812, alors que, mise au courant d'une

attaque imminente des Américains, elle court quelque 25 km pour en avertir l'armée britannique, qui parvient alors à repousser les troupes ennemies. Aujourd'hui, on associe surtout son nom à une marque de chocolat, que vous pourrez d'ailleurs goûter dans la boutique attenante à la maison.

En poursuivant votre route vers le sud, vous arriverez au pied de Queenston Heights. Si vous vous sentez en forme, vous pourrez gravir les marches menant au monument d'Isaac Brock, un général britannique qui est mort en ces lieux durant la guerre de 1812, alors qu'il menait ses troupes à la victoire. Vous y aurez en outre une **vue splendide** ★ sur la région.

En continuant vers le sud, vous atteindrez Niagara Falls.

Niagara Falls

Les chutes du Niagara, spectacle naturel saisissant, attirent une foule de visiteurs depuis, dit-on, que le frère de Napoléon y serait venu avec sa jeune épouse. Juste à côté, la ville de Niagara Falls est entièrement

vouée au tourisme, et son centre-ville se compose d'une succession de commerces sans charme: motels quelconques, musées sans intérêt, comptoirs de restauration rapide, le tout rehaussé d'une ribambelle d'enseignes colorées. Ces commerces ont poussé dans l'anarchie, sans le moindre souci d'esthétisme. À n'en point douter, les chutes du Niagara sont un véritable trésor de la nature, mais la ville mérite qu'on la boude.

Les **chutes du Niagara** ★★★ se sont formées il y a quelque 10 000 ans, au moment où le recul des glaciers dégageait l'escarpement du Niagara en détournant les eaux du lac Érié vers le lac Ontario. Composée de deux chutes côte à côte, cette formation naturelle offre un tableau d'une rare beauté: la chute américaine, haute de 64 m et large de 305 m, d'un débit de 14 millions de litres d'eau par minute, et la chute canadienne, qui a la particularité d'avoir la forme d'un fer à cheval. Cette dernière est haute de 54 m et large de 675 m, et a un débit de 155 millions de litres d'eau par minute. L'escarpement rocheux étant constitué de pierres tendres, les chutes rongeaient la paroi d'environ 1 m chaque année avant qu'on ne détourne une partie de cette eau pour alimenter les centrales hydroélectriques toutes proches. Aujourd'hui, la paroi ne recule plus que d'environ 0,3 m par an.

Attraits touristiques

Niagara Falls

● ATTRAITS

1. Chutes du Niagara
2. Victoria Park
3. Maid of the Mist
4. Skylon Tower
5. Minolta Tower
6. Niagara Spanish Aero Car
7. Journey Behind the Falls
8. Niagara Helicopter
9. Great Gorge Adventure
10. Cinéma Imax
11. Marineland

Escarpement

© ULYSSE

Qui peut rester impassible face à ces flots en furie se précipitant vers le gouffre dans un vrombissement de tonnerre? Cette nature qui semble indomptable en a inspiré plus d'un. Ainsi, au début du XXᵉ siècle, quelques intrépides voulurent montrer leur bravoure en sautant dans les chutes à bord d'un simple tonneau ou en marchant au-dessus de celles-ci sur un fil tendu de part et d'autre; plusieurs en moururent. Une loi votée en 1912 interdit depuis lors ce genre d'exploits afin de protéger le site contre les spéculateurs.

Durant l'été, un nombre impressionnant de visiteurs viennent chaque jour en contempler les chutes. Plusieurs d'entre eux arrivent en voiture et causent fréquemment à l'entrée de la ville une circulation dense, chacun cherchant à se garer. Aux abords du parc, un vaste stationnement, le **Fallsview Parking**, payant bien sûr, est aménagé. Pour économiser un ou deux dollars, vous pouvez vous rendre dans la ville même (et braver la circulation), car il existe des parcs de stationnement privés affichant des prix plus bas. Il est également possible de garer sa voiture au **Rapid View Parking**. Toutes les personnes à bord du véhicule

ont droit à un laissez-passer permettant d'utiliser les People Mover Buses toute la journée.

People Mover Buses est un service de transport qui sillonne toute la zone des chutes et qui permet au visiteur de se rendre aisément d'un attrait touristique à l'autre. Les personnes ne désirant pas rester longtemps peuvent aussi se stationner au **Greenhouse Parking**.

Ceux et celles qui voudraient visiter plusieurs des attraits touristiques de la ville (Journey Behind the Falls, Butterfly Conservatory, Niagara Spanish Aero Car, Great Gorge Adventure, Fort Erie, Laura Secord Homestead et McFarland House) peuvent se procurer la **Discovery Pass Plus**. Ce laissez-passer permet en outre d'utiliser les People Mover Buses.

Dès 1885, la nature environnant les chutes fut aussi protégée du développement commercial trop rapide, grâce à la création du **Victoria Park ★★**, un délicieux jardin de verdure qui longe la rivière. Des sentiers de randonnée pédestre et de ski de fond y sont tracés.

Outre les **points d'observation ★★★** qui font face aux chutes, vous pourrez admirer ces dernières sous à peu près tous les angles.

Le **_Maid of the Mist_ ★** (12,25$; mai à fin oct; départ aux 15 min, l'horaire

Maid of the Mist

des premiers et derniers départs varient durant la saison, 9h à 17h ou plus tard en haute saison; 5920 River Rd., ☎905-358-5781) est un bateau qui vous emmène au pied des chutes et qui vous semblera alors bien petit. Pourvu d'un imperméable, qui vous évitera de sortir trempé de cette expédition, vous pourrez d'abord observer la chute américaine, puis la chute canadienne en plein cœur du fer à cheval. Un moment des plus impressionnants!

En grimpant au sommet de la **Skylon Tower** *(8,95$; mai à oct tlj 8h à 22h30, nov à avr tlj 11h à 22h30; 5200 Robinson St., ☎356-2651 ou 877-475-9566)*, vous aurez à vos pieds le spectacle des **chutes ★★:** un tableau unique et mémorable s'offrira alors à vous. Vous pouvez également contempler ce fabuleux panorama de la **Minolta Tower** *(6,95$; tlj 7h à 23h; 6732 Oakes Dr., ☎905-356-1501)*.

Le **Niagara Spanish Aero Car** *(5$; mars à nov 10h à 16h30; Niagara Parkway, ☎905-642-7275)* vous permet de contempler les chutes à partir d'une hauteur de 76,2 m.

Pour vraiment sentir la puissance de la chute, il faut se rendre au **Table Rock Complex** afin d'entreprendre le **Journey Behind the Falls ★** *(10$; lun-ven 10h à 18h, sam-dim 9h à 18h; ☎905-358-3268)*. On prend d'abord un ascenseur qui descend sous terre et qui mène à l'un des trois tunnels creusés

dans le roc, lesquels entraînent les visiteurs derrière la chute, d'où l'on peut contempler de près les trombes d'eau.

Et que diriez-vous d'une balade franchement aérienne au-dessus des chutes? La chose est possible par l'intermédiaire de **Niagara Helicopter** *(90$; tlj dès 9h, si le temps est au beau fixe; 3731 Victoria Ave., ☎905-357-5672)*.

Vous pourrez aussi opter pour la **Great Gorge Adventure** *(4,75$; avr à mi-oct dès 9h à 17h; 4330 River Rd., ☎905-374-1221)*, un ascenseur vous permettant d'aller jusqu'aux rapides.

Niagara compte également d'innombrables musées, dont certains d'un intérêt plutôt douteux. Plusieurs d'entre eux ont poussé dans le quartier de Clifton Hill, le centre-ville de Niagara Falls.

Un **cinéma Imax** *(7,50$; mai à oct tlj; 6170 Buchanan Ave., ☎905-358-3611)* projette sur écran géant un film sur les chutes.

Les personnes souhaitant oublier quelques instants les chutes et assister à des spectacles d'otaries, de dauphins et de baleines peuvent se rendre à **Marineland** *(les prix varient, en été 29,95$; 7657 Portage Rd., ☎905-356-9565)*. En outre, un petit zoo et des manèges sauront également amuser les enfants.

Plein air

L e Toronto que nous connaissons aujourd'hui a fait ses débuts comme un ensemble de petits villages jadis autonomes, de sorte qu'il s'embellit de centaines de jardins publics et parcs invitants dont bon nombre recèlent des bâtiments historiques tout en présentant les plus grands espaces naturels de la ville.

P lus de 80 km de sentiers entretenus y attendent en outre les marcheurs, les coureurs, les cyclistes et les amateurs de patin à roues alignées. Les possibilités de plein air sont nombreuses dans la métropole canadienne.

Parcs

Le **High Park** (☎392-7306), situé dans l'ouest de la ville et délimité par Bloor Street au nord, The Queensway au sud, Parkside Drive à l'est et Ellis Avenue à l'ouest, s'impose comme le grand parc urbain de Toronto. Vous pouvez aussi bien vous y rendre en métro (stations Keele ou High Park) qu'en tramway (College ou Queen). Ce parc, le plus vaste de la capitale, offre des courts de tennis, des terrains de jeu, des aires de pique-nique, des pistes cyclables et des sentiers pédestres; vous pouvez aussi y pratiquer le patin (en hiver) ou la pêche sur le Grenadier Pond; sa flore cache même des espèces rares, et sa faune se compose d'espèces indigènes de la région, sans parler des enclos de bisons, de lamas et de moutons; on l'a même doté d'une piscine et d'une plage sur le lac Ontario. L'événement **Dream in High Park** (productions estivales shakespeariennes) fait partie des grandes attractions des lieux au cours de la saison estivale (voir p 262).

C'est enfin ici que vous pourrez voir l'historique **Colborne Lodge** *(3,50$; mai à sept, mar-dim 12h à 17h, oct à déc mar-dim 12h à 16h, jan à avr sam-dim 12h à 16h; ces heures changent fréquemment, de sorte qu'il vaut mieux les vérifier par téléphone avant de se présenter sur place, ouvert toute l'année sur réservation pour les groupes organisés; High Park,* ☎*392- 6916)*, une résidence de style Régence anglaise, construite en 1837 par l'architecte John Howard, qui y a d'ailleurs vécu. Sa belle véranda, qui couvre trois côtés de la maison, offre une vue dégagée sur le lac Ontario et la rivière Humber. Howard a cédé 67 ha à la municipalité de Toronto en 1873; les 94 autres hectares qui forment aujourd'hui le High Park ont été acquis séparément. La maison est désormais ouverte au public, et la visite est dirigée par des guides en costumes d'époque. Le **Howard Tomb and Monument** (tombe et monument de Howard), situé tout près, est entouré d'une clôture en fonte conçue par Christopher Wren, laquelle ceintura à une certaine époque la cathédrale St. Paul de Londres.

Le **Village of Yorkville Park** *(Cumberland St. entre Avenue Rd. et Bellair St.)* constitue un exemple fascinant d'écologie urbaine. Divisé en 13 zones, il

Bison

incarne l'histoire locale et l'identité régionale. Une promenade d'ouest en est à travers ce parc vous permettra de découvrir tour à tour l'Amelanchier Grove (bosquet d'amélanchiers), la Heritage Walk (Old York Lane) (promenade historique), le Herbaceous Border Garden (jardin herbacé), le Canadian Shield Clearing & Fountain (clairière et fontaine du Bouclier canadien), l'Alder Grove (aulnaie), l'Ontario Marsh (marais ontarien), la Festival Walk (promenade du festival), la Cumberland Court Cross Walk, le Crabapple Orchard (verger de pommiers sauvages), le Fragrant Herb Rock Garden (jardin de pierres et d'herbes aromatiques), le Birch Grove (massif de bouleaux), les Prairies Wildflower Gardens (jardins de fleurs sauvages des Prairies) et le Pine Grove (pinède). Le clou de la balade demeure toutefois le spectacle du rocher rainuré que vous verrez dans la zone du «Bouclier canadien»; vieux d'environ un milliard d'années, il pèse 650 tonnes et provient de la région des lacs Muskoka, au nord-est de Gravenhurst.

Les **Allan Gardens** (*délimités par les rues Dundas, Gerrard, Sherbourne et Jarvis*) se présentent comme un joli jardin public doté d'une ancienne serre victorienne débordant de fleurs éclatantes en toute saison (voir p 159).

La vallée de la rivière Don se profile à travers Toronto jusqu'au lac Ontario et est parsemée d'une série de parcs magnifiques reliés entre eux par des ponts et des sentiers. Les **Edwards Gardens** (*stationnement à l'angle de Leslie St. et de Lawrence Ave. E.; pour information: ☎397-1340*) font partie des premiers jardins fleuris de la métropole canadienne, et vous pourrez y admirer des rocailles, des vivaces, des massifs de roses, de petites cascades ainsi qu'une dense forêt. La rivière coule vers le sud à travers le **Wilket Creek Park** et l'**Ernest Thompson Seton Park**, que domine l'Ontario Science Centre. Près de Don Mills Road, le **Taylor Creek Park** s'étend quant à lui vers l'est jusqu'aux Warden Woods. Tous ces parcs et jardins se prêtent merveilleusement bien à la marche, à la bicyclette, au jogging, au ski de fond et même à l'observation des oiseaux.

Le **Scarborough Heights Park** et le **Cathedral Bluffs Park** offrent des vues à couper le souffle sur le lac Ontario du haut de falaises panoramiques, tandis que le **Bluffer's Park** dispose de belles plages spacieuses ainsi que d'aires de pique-nique.

Le **Toronto Islands Park** occupe un groupe de 17 îles connues sous le nom de Toronto Islands (îles de Toronto), à 8 min de bateau du port de Toronto. Des navettes lacustres, qui partent toutes du Mainland Ferry Terminal, au pied de Bay Street, desservent ces îles.

Plein air

Activités de plein air

Vélo

Le **Martin Goodman Trail**, un sentier de jogging doublé d'une piste cyclable de 22 km, longe la rive du lac Ontario depuis l'embouchure de la rivière Humber, à l'ouest du centre-ville, jusqu'au Balmy Beach Club des Beaches, en passant par l'Ontario Place et le Queen's Quay. Composez le ☎392-8186 pour obtenir un plan du sentier.

Des sentiers similaires serpentent également à travers les parcs du Toronto métropolitain dont High Park. Pour vous procurer les plans voulus ou obtenir tout autre renseignement désiré, composez le ☎392-8186.

Location de vélos

Toronto Island Bicycle Rental
Centre Island
☎203-0009

Wheel Excitement
5 Rees St. (au sud du SkyDome)
☎260-9000

Downtown Cycle
368 College St.
☎923-8189

High Park Cycle
High Park
☎614-6689

Patin à roues alignées

Les rues de la ville ne se prêtent sans doute guère à la pratique de ce sport, compte tenu des dangers qu'elles présentent, mais vous aurez tout le loisir de vous adonner à votre activité favorite le long des pistes revêtues qui sillonnent les îles de Toronto et le bord de l'eau aux Beaches et aux Bluffs.

Location de patins

Wheel Excitement
5 Rees St. (au sud du SkyDome)
☎260-9000
Cette boutique loue tout l'équipement nécessaire à la pratique de ce sport (comme les protecteurs) et propose des cours d'initiation. Comptez au moins trois heures pour faire le tour des îles.

Patin à glace

Plusieurs sites enchanteurs se prêtent à la pratique du patin à glace à l'intérieur des limites de la ville. Il s'agit entre autres de la patinoire qui se trouve en face de l'hôtel de ville, du Grenadier Pond du High Park et du York

Quay de Harbourfront. Pour de plus amples renseignements sur les patinoires municipales, composez le ☎392-1111.

Golf

On dénombre ici cinq golfs municipaux (trois parcours réduits et deux réguliers), qui accueillent tous les clients selon le principe du premier arrivé, premier servi. Le **Don Valley Golf Course** *(☎392-2465)* se présente comme un parcours régulier assez exigeant, avec plusieurs obstacles.

Pour un parcours encore plus difficile, faites un saut à Oakville, où se trouve le **Glen Abbey Golf Club** *(droits de jeu et voiturette 235$, prix réduit à 135$ hors saison et les fins de semaine après 14h; ☎905-844-1800)*. Ce parcours spectaculaire est la première création de Jack Nicklaus. Les tarifs sont élevés, mais quel plaisir de jouer là où les professionnels mesurent leur talent. C'est ici que se tient l'Omnium canadien.

Randonnée pédestre et ski de fond

Les nombreux vallons de la région de Toronto sont l'occasion d'heureuses découvertes à pied ou en skis. Une très belle piste part des Edwards Gardens et serpente le long de la rivière jusqu'au Taylor Creek. Les piétons peuvent rejoindre la vallée de la rivière Don par Leslie Street entre Lawrence et Eglinton, par Gateway Boulevard derrière l'Ontario Science Centre, par Moore Avenue près du cimetière Mount Pleasant ou encore par la passerelle de Gerrard Street. Des pistes sillonnent aussi les îles de Toronto (voir p 189).

Plus sauvage encore que la Don River Valley, le **Highland Creek**, à l'est de Scarborough, est aussi bordé de sentiers pédestres idylliques. Cette région est d'ailleurs réputée pour ses remarquables feuillages d'automne. Quant aux pistes sous couvert boisé du **Morningside Park**, elles sont idéales pour le ski de fond.

Les établissements qui se distinguent

Pour l'emplacement:
Toronto Marriott Eaton Centre (p 199)
Fairmont Royal York (p 196)

Pour la vue:
SkyDome Hotel (p 194)

Pour le charme victorien:
Beaconsfield (p 200)
Beverly Place Bed & Breakfast (p 201)

Pour les amateurs d'histoire:
Royal Meridien King Edward (p198)
Fairmont Royal York (p 196)

Pour le summum du luxe:
Sutton Place Hotel (p 203)

Hébergement

Nous vous proposons

quelques formules d'hébergement et divers types d'établissements dont les adresses sont répertoriées selon l'ordre des circuits touristiques de ce guide et selon une gamme de prix qui va croissant.

On trouve à Toronto une panoplie d'hôtels et d'auberges de toutes catégories. Le tarif de leurs chambres varie grandement d'une saison à l'autre. Ainsi, durant la haute saison, l'été, les chambres sont plus chères. Par contre, les prix sont généralement moins élevés la fin de semaine qu'en semaine à cause des congrès qui sont nombreux à Toronto. Notez enfin que les semaines du festival Caribana (fin juillet et début août) et du festival du film (début septembre) s'avèrent particulièrement fréquentées; il est recommandé de réserver longtemps à l'avance si vous prévoyez séjourner à Toronto en ces périodes. Hors saison, on pourra souvent obtenir un meilleur prix que celui mentionné dans ce guide. Plusieurs hôtels offrent des rabais aux

professionnels membres d'associations ou aux membres de clubs automobiles.

En ce qui concerne les gîtes touristiques *(bed and breakfasts)*, vous trouverez à la page 77 une liste d'associations répertoriant des établissements de ce genre.

Les tarifs indiqués dans ce guide s'appliquent, sauf indication contraire, à une chambre pour deux personnes en haute saison, et ils n'incluent pas les taxes.

$	50$ et moins
$$	50,01$ à 100$
$$$	100,01$ à 150$
$$$$	150,01$ à 200$
$$$$$	200,01$ et plus

Le Waterfront

Radisson Plaza Hotel Admiral
$$$$$
≡, ⊛, ≈
249 Queen's Quay W.
☎203-3333 ou 800-333-3333
⇄*203-3100*
www.radisson.com
Si vous aimez la mer, vous vous sentirez chez vous au Radisson Plaza Hotel Admiral. Toute la décoration de ce charmant hôtel a une connotation maritime, si bien que les chambres elles-mêmes donnent l'impression que l'on se trouve à bord d'un paquebot de croisière. La vue de la baie que vous offre la piscine du cinquième étage est tout à fait magnifique. Une navette fait régulièrement la liaison entre l'hôtel et le centre-ville.

SkyDome Hotel
$$$$$
≡, ℜ, ≈, ☉, △, ⊛
1 Blue Jays Way
☎341-7100 ou 800-237-1512
⇄*341-5091*
www.renaissancehotels.com
Le SkyDome Hotel, qui compte 348 chambres bénéficiant d'une vue panoramique, propose aussi à sa clientèle 70 chambres donnant sur l'intérieur du stade. Ces dernières se louent plus cher, mais quelle vue! Vous profiterez également d'un choix de restaurants et d'un bar-salon qui offre aussi une vue sur le terrain de jeu. Les chambres, décorées dans un style moderne, sont plus ou moins confortables. Valet et services aux chambres sont disponibles jour et nuit.

Westin Harbour Castle
$$$$$
≡, ≈, ℜ, ☉, △, ℝ, ⊛
1 Harbour Square
☎869-1600 ou 800-228-3000
⇄*869-0573*
Situé sur les rives du lac Ontario, dans un endroit calme et paisible, le Westin Harbour Castle ne se trouve qu'à quelques pas du Harbourfront et de la navette lacustre qui mène aux îles de Toronto. Afin de faciliter les déplacements vers le centre-ville, l'hôtel met à la disposition des visiteurs un service de navette et se trouve par ailleurs relié au réseau de transports en commun de la métropole par le Light Rail Transit (LRT).

Le quartier des affaires et du spectacle

Global Village Backpackers
$-$$
bc/bp, ℂ
460 King St. W.
☎*703-8540 ou 800-844-7875*
⇄*703-3887*
www.globalbackpackers.com
Le Global Village Backpackers
occupe les anciens locaux de
l'infâme Spadina Hotel. Aujour-
d'hui complètement rénové en
auberge de jeunesse, il se
trouve à trois rues seulement
de la zone artistique branchée
de Queen Street West. Avec
ses 200 lits, c'est la plus grande
auberge de jeunesse internationale de Toronto (bien qu'elle
ne fasse pas partie du réseau
international des Auberges de
Jeunesse), et son hébergement
de type dortoir assure une
atmosphère unique aux étudiants et aux autres voyageurs à
petit budget.

Hotel Victoria
$$$ pdj
ℜ,
56 Yonge St.
☎*363-1666 ou 800-363-8228*
⇄*363-7327*
www.toronto.com/botelvictoria
En optant pour l'Hotel Victoria,
vous serez choyé par sa situa-
tion, à mi-chemin entre le
Financial District et la gare
Union. Il propose en outre des
chambres simples à des prix

très abordables. Bien qu'il ne
dispose pas d'un stationnement
qui lui soit propre, vous n'aurez
pas trop de mal à vous garer
car des stationnements publics
l'avoisinent.

Strathcona Hotel
$$$
≡, ℜ
60 York St.
☎*363-3321 ou 800-268-8304*
⇄*363-4679*
www.toronto.com/strathconahotel
De taille plus modeste que ses
comparses du centre-ville, le
Stathcona est un hôtel plaisant
situé à deux pas du Fairmont
Royal York Hotel et à quelques
minutes de marche du Waterfront. Ses chambres agréables
proposent un confort standard.

Travelodge Toronto
Downtown West
$$$
≡
621 King St. W.
☎*504-7441 ou 800-578-7878*
⇄*504-4722*
*www.travelodgetorontodown
town.com*
Quelque peu en retrait du
cœur du quartier des affaires et
du spectacle, le Travelodge
Toronto Downtown West
constitue l'une des meilleures
options petit budget du centre-
ville. Les 88 chambres de ce
petit hôtel à trois étages con-
viennent bien aux familles, tout
comme son prix, d'ailleurs.
Stationnement gratuit.

Fairmont Royal York
$$$$$
≡, ≈, ☉

100 Front St. W.
☎ 368-2511 ou 800-441-1414
≈ 368-2884
www.royalyorkhotel.com

Le Fairmont Royal York fait honneur à sa réputation: dès les premiers pas dans le luxueux hall, le séjour s'annonce inoubliable et le confort exceptionnel. Les chambres, au charme vieillot, sont agréables et pourvues de toutes les commodités. Contrairement à d'autres hôtels, le Fairmont Royal York a ceci de particulier qu'il est particulièrement animé. Que ce soit pour prendre un café dans son restaurant permettant d'observer le va-et-vient du hall, ou encore pour siroter une bière dans son réputé Library Bar, il fait bon participer à l'activité ambiante. Situé juste en face de la gare Union, il s'avère un des hôtels les plus fréquentés de Toronto.

Le Germain
$$$$$
≡, ☉, ℑ

30 Mercer St.
☎ 345-9500 ou 866-345-9501
www.germaintoronto.com

Dernier-né des hôtels du quartier des affaires et du spectacle, Le Germain séduit par sa taille modeste et le charme de sa décoration épurée. Les quelque 120 chambres de l'hôtel sont élégantes dans leur simplicité et allient à merveille le plaisir et le repos aux besoins plus spécifiques de la clientèle d'affaires. Un bijou...

Hilton Toronto
$$$$$
≡, ⊛, ≈, ℜ, ☉, △

145 Richmond St. W.
☎ 869-3456 ou 800-445-8667
≈ 869-3187
www.hilton.com

Le Hilton Toronto ressemble à beaucoup d'autres Hilton avec sa décoration aux tons pastel. Il propose des chambres très confortables, propres et bien équipées. Le Hilton est aussi le pied-à-terre de plusieurs équipes sportives, comme Les Canadiens de Montréal, les Kings de Los Angeles ou les A's d'Oakland, lorsqu'ils viennent affronter les équipes locales.

Holiday Inn on King
$$$$$
≡, ≈, △, ☉

370 King St. W.
☎ 599-4000 ou 800-263-6364
≈ 599-4785
www.hiok.com

Situé sur la vibrante King Street, le Holiday Inn on King ne passe pas inaperçu avec sa taille imposante, son architecture à paliers et sa couleur blanche. Les quelque 425 chambres ont un décor moderne et agréable, mais sans charme particulier. Plusieurs ont l'avantage d'être attenantes à un balcon.

InterContinental Toronto Centre
$$$$$
☼, ℜ, ≡

225 Front St. W.
☎ 597-1400 ou 800-422-7969
≈ 597-8128
www.torontocentre.intercontinental.com

Un des grands favoris de la clientèle d'affaires, et adjacent au Metro Toronto Convention Centre, l'InterContinental Toronto Centre est devenu, à la suite de travaux de rénovation de 36 millions, l'une des meilleures adresses à Toronto. Le premier regard sur le hall dernier cri et sur l'immense verrière du restaurant donnant sur Front Street laisse présager du bon goût des chambres, qui présentent une décoration contemporaine, au luxe moderne, aéré et recherché. On y retrouve également le Victoria Spa, un des spas les plus recherchés de Toronto.

Old Town of York

Hostelling International
$
ℂ
76 Church St.
☎ **971-4440 ou 877-848-8737**
⇄ **971-4088**
www.hostellingint-gl.on.ca
Hostelling International propose 180 lits dans des chambres semi-privées ou des dortoirs, et ce, à prix très abordable. Vous y trouverez aussi un salon avec télévision, une laverie, une cuisine, une table de billard et un jeu de fléchettes, un poste Internet de même qu'une petite terrasse.

Quality Hotel Downtown
$$$-$$$$
≡, ◷
111 Lombard St.
☎ **367-5555 ou 800-228-5151**
⇄ **367-3470**
www.toronto.com/qualityhotel
Le Quality Hotel Downtown propose une formule qui plaira aux personnes se préoccupant de leur budget: des chambres simples mais confortables, à bon prix et sans extravagance.

Ambassador Inn Downtown Toronto
$$$-$$$$$ pdj
≡, ⊛
280 Jarvis St.
☎ **260-2608**
⇄ **260-1219**
www.ambassadorinntoronto.com
L'Ambassador Inn Downtown Toronto est un chic *bed and breakfast* de prestige aménagé à l'intérieur d'un manoir victorien de 20 pièces pourvu de cheminées, d'un plafond cathédrale, d'un toit à pignon, de vitraux et de lucarnes. Les chambres se caractérisent par une décoration unique, qui marie les accents d'antan au confort moderne. De plus, l'établissement est aménagé pour combler les besoins des gens d'affaires qui y séjournent.

**Cawthra Square
Bed & Breakfast**
$$$-$$$$$ pdj
bc/bp, ≡, ✪
10 Cawthra Square
☎*966-3074 ou 800-259-5474*
⇋*966-4494*
www.cawthrasquare.com
Le Cawthra Square Bed &
Breakfast se compose de deux
élégantes demeures, l'une vic-
torienne et l'autre édouardien-
ne, au cœur du village gay de
Toronto, près de Church et
Wellesley. Ses salles communes
sont grandioses, et les hôtes
ont accès à une terrasse et à
une librairie.

Novotel
$$$$-$$$$$
≡, ⊛, ℜ, ⊘, ≈, △
45 The Esplanade
☎*367-8900 ou 800-668-6835*
⇋*360-8285*
www.novotel.com
L'hôtel de la chaîne française
Novotel bénéficie d'un empla-
cement des plus agréables, à
quelques minutes à peine du
Harbourfront, des salles
St. Lawrence et Hummingbird
et de la gare Union. Il n'y a rien
à redire sur le confort de cet
hôtel, sauf peut-être pour les
chambres donnant sur l'espla-
nade, car en été leur tranquillité
est troublée en raison des ter-
rasses qui l'avoisinent.

**🏆 Le Royal Meridien King
Edward**
$$$$$
≡, ⊘
37 King St. E.
☎*863-3131 ou 800-543-4300*
⇋*367-5515*
www.toronto.lemeridien.com

Construit en 1903, ce qui en
fait le plus vieil hôtel de To-
ronto, Le Royal Meridien King
Edward fait partie, encore au-
jourd'hui, des plus beaux hôtels
de la métropole canadienne.
Fort élégant, il renferme des
chambres ayant leur caractère
propre mais n'offrant malheu-
reusement pas une vue des
plus jolies. Cet inconvénient est
cependant largement compen-
sé par le magnifique hall et les
deux grandes salles de bal. Une
navette pour l'aéroport y passe
régulièrement.

Queen Street West

St. Lawrence Residences
$$ pdj
bc, ℜ, ≡
137 Jarvis St.
☎*361-0053 ou 800-567-9949*
⇋*361-0837*
www.saintlawrenceresidences.com
Les St. Lawrence Residences
proposent un hébergement
sans cérémonie de type *bed
and breakfast*, hôtel ou dortoir.
Les chambres de cet établissement du centre-ville, à distance
de marche de l'Eaton Centre et
de Yonge Street, du quartier
des affaires et de nombreux
restaurants, sont claires et
aérées.

Bond Place Hotel
$$$-$$$$
≡, ℜ
65 Dundas St. E.
☎*362-606 ou 800-268-9390*
⇋*360-6406*
Le Bond Place Hotel est sans
doute l'hôtel le mieux situé si

vous voulez vivre au rythme de la ville et vous mêler à la foule bigarrée qui fourmille à l'angle des rues Dundas et Yonge.

Cambridge Suites Hotel
$$$$-$$$$$ pdj
≡, ⊛, ℂ, ⊘, △, ℜ
15 Richmond St. E.
☎*368-1990 ou 800-463-1990*
⇄*601-3751 ou 601-3753*
www.cambridgesuiteshotel.com
Le Cambridge Suites Hotel propose des suites confortables et spacieuses. Pourvues de cuisinettes et d'espaces de travail, elles plairont tant aux gens d'affaires qu'aux familles.

Sheraton Centre Toronto
$$$$$
≡, ≈, ℜ, ⊘, △, ✪
123 Queen St.
☎*361-1000 ou 800-325-3535*
⇄*947-4854*
www.sheratontoronto.com
Un énorme complexe comprenant une quarantaine de boutiques, des restaurants et des bars ainsi que deux salles de cinéma abrite le Sheraton Centre Toronto. Très confortable, cet hôtel compte plusieurs chambres dont les plus belles, celles des deux tours, disposent d'un ascenseur privé. Mais c'est peut-être le hall qui vous surprendra le plus avec son magnifique jardin intérieur de 0,8 ha. Vous aurez en outre directement accès au PATH, le labyrinthe de couloirs qui relient différents points du centre-ville.

Toronto Marriott Eaton Centre
$$$$$
≡, ≈, ℜ, ⊛, △, ⊘
525 Bay St.
☎*597-9200 ou 800-905-0667*
⇄*597-9211*
www.marriott.com
Si vous aimez tout avoir sous un même toit, le Toronto Marriott Eaton Centre a tout pour vous plaire. Relié à l'Eaton Centre, la Mecque du magasinage et l'un des attraits de la ville (voir p 278), l'hôtel Marriott met à votre disposition de très grandes chambres tout équipées (il y a même une planche et un fer à repasser). Si vous désirez vous détendre, vous trouverez deux salons au rez-de-chaussée dont un comptant de nombreuses tables de billard et des téléviseurs.

Chinatown
et Kensington

Alexandra Hotel
$$
≡, ℝ, ℂ
77 Ryerson Ave.
☎*504-2121 ou 800-567-1893*
⇄*504-9195*
www.alexandrahotel.com
Au cœur de la zone branchée de Queen Street West et sous la même administration que le Grange Hotel (voir ci-dessous), l'Alexandra Hotel loue des suites-studios confortables pourvues de cuisinettes.

Grange Hotel
$$
≡, ℝ, ℂ
165 Grange Ave.
☎*603-7700 ou 888-232-0002*
⇄*603-9977*
www.grangehotel.com
Le Grange Hotel, situé dans le
centre-ville près du Chinatown,
de Kensington et de Queen
Street West, vous réserve, à
prix abordable, des suites-stu-
dios, sans oublier le service de
buanderie et le stationnement.

 Beaconsfield
$$-$$$ pdj
38 Beaconsfield Ave.
☎/⇄*535-3338*
Le Beaconsfield, aménagé dans
une superbe construction victo-
rienne datant de 1882 et située
dans un petit quartier tranquille
tout près de Queen Street, est
l'endroit tout indiqué si vous
cherchez une auberge qui fait
changement des grands hôtels.
Il renferme des chambres mi-
gnonnes, toutes décorées avec
beaucoup d'imagination et de
goût. Parmi les bons moments
à y passer, mentionnons les
sympathiques petits déjeuners
musicaux.

Metropolitan Hotel
$$$$$
≡, ⊛, ≈,⊘, △, ℜ
108 Chestnut St.
☎*977-5000 ou 800-668-6600*
www.metropolitan.com
Le Metropolitan Hotel est un
des plus importants ajouts sur la
scène hôtelière de Toronto. En
pénétrant dans le hall, vous
découvrirez un magnifique
atrium tout à fait invitant; il vous
donnera une bonne idée de ce
qui vous attend, des chambres
on ne peut plus invitantes qui
bénéficient en outre de l'accès
à Internet.

Queen's Park et l'université de Toronto

Les Amis
$$ pdj
≡, *bc/bp*
31 Granby St.
☎*928-1348*
⇄*591-8546*
www.bbtoronto.com
Venus de France il y a plusieurs
années, Michelle et Paul-An-
toine Buer ont ouvert Les Amis,

petit *bed and breakfast* sans prétention où vous vous sentirez comme chez vous. Décorées simplement mais avec soin, les trois chambres de la maison possèdent chacune un confortable lit avec matelas allemand, couette et oreillers en duvet. Situé sur une petite rue peu passante et résidentielle, le gîte des Buer ne s'en trouve pas moins à quelques minutes de l'animation du centre de Toronto. Au petit déjeuner végétarien, la fraîcheur est au rendez-vous, et tout est fait maison, sans protéines animales, en utilisant des produits biologiques.

Neil Wycik College Hotel
$$ pdj
bc, ℜ, ⌂
96 Gerrard St. E.
☎*977-2320 ou 800-268-4358*
⇌*977-2809*
www.neil-wycik.com/hotel
De la mi-mai à la fin août, le Neil Wycik College Hotel ouvre les portes de ses résidences pour étudiants aux voyageurs. Les chambres sont très simples et ne renferment que le strict nécessaire. La clientèle dispose cependant d'un service aux chambres régulier, d'un salon avec télévision, et d'une laverie.

Victoria University-University of Toronto
$$ pdj
⊘, bc, ℜ
140 Charles St. W.
☎*585-4524*
⇌*585-4530*
Si vous êtes de passage à Toronto au cours de l'été et que

vous cherchiez un établissement propre et pas cher où dormir, vous pourrez profiter d'une des 425 chambres de la Victoria University, en plus de la laverie et de la cafétéria qui s'y trouvent.

St. George Campus
$$
ℂ, ℜ, ⊘
214 College St., Scarborough
☎*978-8045*
De la mi-mai à la mi-août, l'University of Toronto St. George Campus, offre une excellente proposition d'hébergement. L'université dispose de maisonnettes pouvant loger de quatre à six personnes, chacune renfermant une cuisinette tout équipée. Ces maisonnettes sont en outre situées à proximité d'une cafétéria, d'un pub et d'un centre de conditionnement physique.

🏝 Beverley Place Bed & Breakfast
$$-$$$ pdj
bc/bp, ≡, ℝ
235 Beverly St.
☎*977-0077*
⇌*599-2242*
Le Beverly Place Bed & Breakfast occupe une maison victorienne de 1887 à laquelle on a redonné son éclat d'origine. Il arbore de très beaux meubles antiques et s'est même vu décerner le très convoité «Certificat d'ambassadeur touristique» du gouvernement canadien. Il se trouve par ailleurs à proximité de tout, près du campus de l'université de Toronto, du Chinatown et des cafés et boutiques de The Annex.

The House on McGill
$$-$$$ pdj
bc/bp
110 McGill St.
☎ *351-1503 ou 877-580-5015*
www.mcgillbb.ca

Le Canadien Dave Perks et l'Australien Adam Tanner-Hill vous accueillent dans leur sympathique gîte nommé The House on McGill, belle résidence victorienne érigée en 1894. Situé sur une petite rue résidentielle à quelques pas de Church Street et du quartier gay de Toronto, l'établissement propose six chambres colorées, décorées avec goût, dans un cadre qui a gardé le meilleur de l'époque victorienne tout en possédant le confort moderne. Les hôtes apprécient le calme et l'intimité de l'endroit, son aménagement soigné, son petit jardin et sa localisation centrale.

Victoria's Mansion
$$-$$$
ℝ, ℂ, ≡
68 Gloucester St.
☎ *921-4625*
⇄ *944-1092*
*www3.sympatico.ca/victorias
.mansion*

Situé sur une rue paisible près des quartiers animés, à quelques rues au sud de Bloor, le Victoria's Mansion est une superbe maison du début du XXᵉ siècle. L'extérieur, minutieusement ouvragé, détonne avec le décor intérieur modeste et les suites simplement meublées. Le Victoria's Mansion est bien équipé pour les long séjours. Chacune des chambres renferme une cuisinette et un bureau, offrant un niveau de confort semblable à celui d'un petit appartement.

Comfort Hotel Downtown
$$$
ℜ, ≡
15 Charles St. E.
☎ *924-1222 ou 800-228-5150*
⇄ *927-1369*

Le Comfort Hotel Downtown se trouve près de la zone commerciale huppée de la rue Bloor, à une rue de l'intersection centrale de Yonge et de Bloor. Cet hôtel rénové dispose de chambres au décor élégant.

Jarvis House
$$$
≡, ⊗, ℂ
344 Jarvis St.
☎ *975-3838*
⇄ *975-9808*
www.jarvishouse.com

La Jarvis House propose 11 chambres impeccables dans une maison victorienne rénovée. Services de buanderie et de petit déjeuner.

Best Western Primrose Hotel
$$$$
≡, ≈, ℜ, △, ☺
111 Carlton St.
☎ *977-8000 ou 800-268-8082*
⇄ *977-6323*
www.bestwestern.com

Le Best Western Primrose Hotel se dresse au cœur même du centre-ville de Toronto, en face du Maple Leaf Gardens. Il propose des chambres spacieuses équipées de deux lits doubles ou d'un très grand lit et d'un canapé, sans parler des salles de réunion, de la salle de bar et de la piscine extérieure.

Delta Chelsea
$$$$$
≡, ⊛, ≈, ℜ, ⊘
33 Gerrard St. W.
☎*595-1975 ou 800-243-5732*
⇄*585-4375*
www.deltahotels.com
Le Delta Chelsea est très populaire auprès des visiteurs, et
pour cause, car il propose des
chambres tout confort à des
prix raisonnables. Avec plus de
1 500 chambres, il a pu se
permettre de concevoir des
chambres pour les besoins plus
spécifiques des gens d'affaires,
ou encore pour le confort des
familles voyageant avec des
enfants. D'ailleurs, les enfants
ou adolescents de moins de 18
ans peuvent partager la chambre de leurs parents gratuitement. En outre, la tour attire
une clientèle d'affaires grâce à
son centre de bureautique
pourvu de chaises ergonomi-
ques, de télécopieurs et de
téléphones.

Ramada Hotel and Suites
$$$$$
≡, ≈, ℜ, ⊘, △
300 Jarvis St.
☎*977-4823 ou 800-567-2233*
⇄*977-4830*
www.ramadahotelandsuites.com
Bien situé, le Ramada Hotel and
Suites propose une centaine de
chambres confortables, avec
une décoration propre à ce
type d'établissement. Le service
s'avère excellent.

Sutton Place Hotel
$$$$$
≈, ℜ, ⊘
955 Bay St.
☎*924-9221 ou 800-268-3790*
⇄*924-1778*
www.suttonplace.com
Le Sutton Place Hotel a acquis
une solide réputation en ce qui
concerne le luxe de son confort
et la qualité de son service, et
tout cela sur un emplacement
idéal près du Queen's Park, du
Royal Ontario Museum et des
boutiques de Bloor Street et de
Yorkville Avenue. Chacune des
chambres et des suites est
équipée pour la clientèle d'affaires. Les suites renferment de
plus une cuisinette tout équipée
et présentent un étonnant
décor antique.

Bloor Street et Yorkville Avenue

Marlborough Place
$$ pdj
≡
93 Marlborough Ave.
☎*922-2159*
Le Marlborough Place est un
bed and breakfast installé dans
une charmante maison victo-
rienne en rangée datant de
1880, non loin du secteur
commercial à la mode de York-
ville Avenue. Il propose un loft
spacieux et une chambre.

Howard Johnson Inn Yorkville
$$$ pdj
≡, ℝ
89 Avenue Rd.
☎964-1220 ou 800-654-6423
Le Howard Johnson Inn Yorkville est un pittoresque hôtel de 71 chambres situé dans le secteur branché de Yorkville Avenue. Il est un peu moins cher que les hôtels cinq étoiles de ce quartier, mais ne s'en trouve pas moins qu'à deux pas des rues bordées de boutiques, sans oublier certaines des meilleures galeries d'art de Toronto. Vous trouverez toujours du café et du thé dans le hall, et les chambres bénéficient toutes d'un accès haute vitesse à Internet.

Days Inn – Toronto Downtown
$$$-$$$$
≡, ≈, ℜ, ℝ, ⌂
30 Carlton St.
☎977-6655 ou 800-329-7466
⇄977-2865
Le Days Inn – Toronto Downtown propose un hébergement convenable et abordable. Il ne se trouve qu'à une demi-rue du métro, à distance de marche de la rue Yonge et de l'Eaton Centre. Rénové, le Days Inn vous offre entre autres un service de buanderie, le stationnement gratuit, une piscine intérieure et des films dans les chambres.

Quality Hotel Midtown
$$$$
≡, ℜ
280 Bloor St. W.
☎968-0010 ou 800-228-5151
⇄968-7765

Le Quality Hotel Midtown repose directement sur la rue à la mode qu'est Bloor Street West, parmi les boutiques, les musées et le magnifique campus arboré de l'université de Toronto. Les nombreux restaurants de The Annex ne s'en trouvent qu'à courte distance de marche, sans compter que l'hôtel se trouve à proximité d'une bouche de métro. Les chambres se révèlent propres et spacieuses. Vous aurez de plus accès au centre de conditionnement physique qui se trouve à quelques portes de l'hôtel.

🏨 Four Seasons Hotel Toronto
$$$$$
≡, ⊛, ≈, ℜ, ⊘
21 Avenue Rd.
☎964-0411 ou 800-268-6282
⇄964-2301
www.fourseasons.com
Si vous êtes à la recherche d'un hôtel de grand luxe, le Four Seasons Hotel Toronto, l'un des établissements les mieux cotés en Amérique du Nord, est sans nul doute un incontournable. L'endroit est d'ailleurs fidèle à sa réputation, le service y étant impeccable et les chambres présentant un fort beau décor. En outre, il abrite une somptueuse salle de bal garnie de tapis persans et de lustres en cristal. Enfin, même le restaurant de l'hôtel, le **Truffles** (voir p 241), avec à l'entrée les sculptures d'Uffizi représentant deux sangliers sauvages, saura vous combler, car il s'agit vraisemblablement d'une des meilleures tables du tout Toronto.

Hotel Inter-Continental Toronto

$$$$$

≡, ≈, ℜ, ☺, △

220 Bloor St. W.

☎*960-5200 ou 800-267-0010*

⇄*960-8269*

À deux pas du **Royal Ontario Museum** (voir p 144) et de Yorkville Avenue, vous serez séduit par l'Hotel Inter-Continental Toronto, dont les chambres sont vastes et décorées avec goût et où le service est exemplaire.

Park Hyatt

$$$$$

≡, ℜ, ☺, ✿

4 Avenue Rd.

☎*925-1234 ou 800-233-1234*

⇄*924-4933*

www.hyatt.com

Les chambres du Park Hyatt ont été rénovées avec goût; même les salles de bain sont maintenant revêtues de marbre. L'établissement est avantageusement situé au cœur de Yorkville, à quelques minutes de marche du Royal Ontario Museum. Le Park Hyatt dispose d'un centre de bureautique pour les gens d'affaires.

Cabbagetown

Homewood Inn

$$ pdj

ℜ

65 Homewood Ave.

☎*920-7944*

⇄*920-4091*

www.homewoodinn.com

Établi en 1990, le Homewood Inn se veut un *bed and breakfast* aux allures britanniques.

Cette demeure quasi centenaire dégage une ambiance d'époque avec son mobilier antique, sa décoration respectueuse d'un autre temps et sa bibliothèque où les hôtes apprécient le thé d'après-midi. Les trois chambres sont à l'image du reste de la demeure, confortables et au charme d'antan. Un petit jardin est aménagé à l'arrière de la maison.

1871 Historic House Bed & Breakfast

$$-$$$ pdj

bc/bp, ≡, ℝ

65 Huntley St.

☎*923-6950*

⇄*923-1065*

Le 1871 Historic House Bed & Breakfast a pignon sur rue entre la zone commerciale de Yonge et Bloor et le Cabbagetown, à courte distance de marche de l'une comme de l'autre. Cette maison victorienne ensoleillée, confortable, garnie d'antiquités et de tableaux d'époque arbore des planchers de bois dur, un bassin à remous et un mobilier antique en osier.

Aberdeen Guest House

$$-$$$ pdj

≡, *bc/bp*

52 Aberdeen Ave.

☎*922-8697*

⇄*922-5011*

www.betterbedandbreakfast .com/aberdeen/

L'Aberdeen Guest House se veut un sympathique *bed and breakfast* impeccablement bien tenu par ses propriétaires, Gary et Richard, qui mettent un soin tout particulier à l'aménagement paysager du jardin, d'ailleurs remarquable. Leur petite maison de briques, typique du quartier, comporte quatre chambres au décor antique. Une adresse où se sentir comme à la maison et bénéficier d'un service attentionné.

Banting House
$$-$$$ pdj
≡, bc/bp
73 Homewood Ave.
☎924-1458 ou 800-823-8856
⇄922-2718
www.bantinghouse.com
De style édouardien, et érigée il y a plus d'un siècle, l'extraordinaire Banting House a accueilli de célèbres hôtes au cours de son histoire. Achetée par l'université de Toronto dans les années 1920, elle servit de bureau au Dr Frederick Banting, au Dr Best et à leurs collaborateurs lorsqu'ils faisaient leurs recherches qui allaient mener à la découverte de l'insuline. Dès que l'on pénètre dans la vénérable demeure, on ne peut qu'être impressionné par le magnifique escalier de chêne qui relie les trois étages de la maison. Les actuels propriétaires, qui ont acquis la Banting House en 1997, l'ont rénovée d'une façon exemplaire en gardant les vitraux et les fenêtres d'origine, et en la garnissant de superbes antiquités. Les sept chambres disponibles, au charme singulier, invitent au calme et à la sérénité. Une superbe adresse où revivre l'histoire et profiter d'un confort remarquable.

Mulberry Tree
$$$ pdj
≡, ≈, ℂ
122 Isabella St.
☎960-5249
⇄960-3853
Le Mulberry Tree repose sur la rue Isabella, qu'ombragent des rangées d'arbres à proximité du Cabbagetown, du village gay et de la zone commerciale huppée de Yonge et Bloor. Il s'agit d'une maison patrimoniale du centre-ville d'allure quelque peu européenne, avec salon, stationnement gratuit, sans oublier le café et le thé qu'on y sert à toute heure.

Selby Hotel
$$$ pdj
≡, ☺
592 Sherbourne St.
☎921-3142 ou 800-387-4788
⇄923-3177
www.hotelselby.com
Vous découvrirez un établissement peu coûteux près de Rosedale: le Selby Hotel. Construite en 1880, cette demeure victorienne qui héberge des visiteurs depuis 1915 accueillit Ernest Hemingway et sa femme pendant quelque temps. Ses 82 chambres proposent un confort moderne.

Toronto Downtown Bed and Breakfast
$$$$-$$$$$ pdj
572 Ontario St.
☎941-1524 ou 877-950-6200
⇄941-1525
www.tdbab.com
Situé sur une petite rue au cœur du très sympathique

quartier de Cabbagetown, le Downtown Toronto Bed and Breakfast propose trois chambres et une suite dans un cadre familier et détendue. Les hôtes, Roger et Jim, entretiennent impeccablement leur maison et offrent un service discret et attentionné à leurs clients.

The Annex

Annex House Bed & Breakfast
$$ pdj
≡, ℝ, ℂ
147 Madison Ave.
☎920-3922
L'Annex House Bed & Breakfast avoisine les ravissantes maisons victoriennes et georgiennes des rues arborées de The Annex, à courte distance de marche des nombreux restaurants de la rue Bloor et du métro.

B & B in The Annex
$$ pdj
≡, ℝ, ℂ
31 Dalton Rd.
☎962-2786 ou 888-272-2718
⇄964-8837
Le B & B in The Annex est une demeure historique à la fois élégante et abordable aux limites de The Annex, à l'intersection des lignes est-ouest et nord-sud du métro. Boiseries de chêne, vitraux et trois chambres confortables.

Global Guest House
$$
bp/bc, ≡
9 Spadina Rd.
☎923-4004
⇄923-1208

La Global Guest House s'impose comme une option fort prisée, peu coûteuse et respectueuse de l'environnement, sans compter qu'elle est merveilleusement bien située, tout juste au nord de la rue Bloor. Ses neuf chambres irréprochables présentent un décor simple. Café et thé gratuits, service de buanderie et accès aux cuisines.

The French Connection Bed & Breakfast
$$$-$$$$ pdj
bc/bp, ⊛, ≡
102 Burnside Dr.
☎537-7741 ou 800-313-3993
⇄537-0747
www.thefrenchconnection.com
Situé dans un quartier résidentiel huppé accessible par Bathurst Street, The French Connection propose six luxueuses chambres, dont une avec balcon privée. Installé dans une grande demeure en brique érigée en 1925, l'établissement offre le calme, la tranquillité ainsi qu'un confort chaleureux, loin de la cohue du centre-ville, tout en étant facilement accessible par le métro.

Lowther House
$$$-$$$$ pdj
bc/bp, ≡, ℨ
72 Lowther Ave.
☎323-1589 ou 800-265-4158
⇄961-9332
www.lowtherhouse.ca
La Lowther House est une charmante résidence victorienne magnifiquement restaurée et située en plein cœur de The Annex, à quelques minutes seulement de plusieurs

des attraits les plus intéressants de la ville. Bassin à remous, solarium, foyer, baignoire sur pieds et délicieuses gaufres belges ne sont que quelques-unes des agréables surprises qui vous attendent dans cet établissement où vous vous sentirez comme chez vous.

Palmerston Inn
$$$-$$$$ pdj
bc/bp, ≡, ℜ
322 Palmerston Blvd.
☎920-7842
⇄960-9529

Une très jolie maison de style georgien avec deux élégantes colonnes blanches, sur une des rares rues tranquilles de la ville, abrite le *bed and breakfast* Palmerston Inn. Cet établissement propose huit chambres réservées aux non-fumeurs dont cinq avec air conditionné, toutes garnies de meubles d'époque. En guise d'atouts complémentaires, peignoirs et fleurs fraîches dans chaque chambre, et sherry aux frais de la maison l'après-midi.

Madison Manor Boutique Hotel
$$$$ pdj
≡, ℜ
20 Madison Ave.
☎922-5579 ou 877-561-7048
⇄963-4325
www.madisonavenuepub.com

Le Madison Manor Boutique Hotel fait partie d'un ensemble de trois vieilles demeures bourgeoises victoriennes transformées depuis une vingtaine d'années en pub et en établissement hôtelier. Au n° 20 de Madison Avenue, vous trouverez l'hôtel avec ses 23 chambres réparties sur quatre étages. Le cachet d'époque a été conservé grâce aux boiseries d'origine et au mobilier antique. Aux n°s 14 et 18 se trouve un pub anglais typique servant des repas légers et une bonne sélection de bières pression.

Terrace House B&B
$$$$ pdj
bc/bp, ≡
52 Austin Terrace
☎535-1493
⇄535-9616
www.terracehouse.com

Antiquités et vitraux contribuent à agrémenter le somptueux décor du Terrace House B&B, installé près de la Casa Loma et des transports publics. Vos charmants hôtes francophones et les deux chats de la maison vous feront sentir comme chez vous. Et que dire du petit déjeuner gastronomique, sinon qu'il vous transportera au septième ciel!

Rosedale, Forest Hill et le nord de Toronto

YWCA
$ pdj
bc/bp
80 Woodlawn Ave. E.
☎923-8454

Le YWCA ne reçoit exclusivement que des femmes, qui y trouveront des chambres de type dortoir ou des chambres privées ou semi-privées.

Ainsley House Bed and Breakfast
$$ pdj
≡, *bc/bp*
19 Elm Ave.
☎*972-0533 ou 888-423-3337*
⇄*925-1853*

Commodément situé au cœur du quartier de Rosedale, l'Ainsley House se trouve près des transports publics, d'un musée, des boutiques, des restaurants et des galeries. Le petit déjeuner, avec pain frais, muffins maison, confitures et café frais moulu, constitue un excellent départ pour l'exploration de ce quartier historique. Non-fumeurs.

Vanderkooy Bed & Breakfast
$$ pdj
bc/bp, ≡
53 Walker Ave.
☎*925-8765*
⇄*925-8557*

Le Vanderkooy Bed & Breakfast siège dans le prestigieux quartier résidentiel et arboré de Rosedale, à seulement 5 min de marche de la station de métro Summerhill et à 15 min de marche des rues Yonge et Bloor. Chat à demeure et jardin pourvu d'un étang. Les propriétaires affectionnent particulièrement la musique de jazz.

L'est de Toronto

Scarborough

Scarborough's Guild Inn
$$
≈, ℜ
201 Guildwood Pkwy.
☎*261-3331*
⇄*261-5675*

Vous pouvez logez dans une auberge champêtre traditionnelle à quelques minutes à peine de Toronto en descendant au Scarborough's Guild Inn. Ce bâtiment des années 1930 repose dans une forêt verdoyante, tandis que les 82 chambres de l'établissement occupent une aile moderne adjacente.

The Beaches

Beaches Bed & Breakfast
$$ pdj
bc/bp, ≡
174 Waverly Rd.
☎*699-0818*
⇄*699-2246*

Le Beaches Bed & Breakfast s'impose comme une charmante résidence telle qu'on en voit peu au cœur du quartier des plages, tout près du lac, des parcs, des commerces, des cafés et du tramway du centre-ville. Les chats partagent la maison avec les hôtes, et le petit déjeuner servi chaque matin s'avère savoureux et nutritif.

L'ouest du centre-ville

Marigold Hostel
$ pdj
bc
2011 Dundas St. W.
☎*536-8824 après 19h*
⇌*596-8188*

Pour faire changement des grands hôtels trop souvent coûteux, optez pour le Marigold Hostel, ce charmant petit hôtel souvent rempli de jeunes voyageurs et d'étudiants qui préfèrent économiser un peu plutôt que de profiter d'une salle de bain privée. Toutes les chambres sont de type dortoir, exception faite d'une chambre privée réservée aux couples. Ouvert jour et nuit.

Islington Bed & Breakfast House
$$ pdj
bc, ≡
1411 Islington Ave.
☎*236-2707*
⇌*233-3192*

L'Islington Bed & Breakfast House repose à l'ouest de la ville dans un des prestigieux quartiers domiciliaires de Toronto, non loin de la Humber Valley et à quelques pas seulement de la ligne de métro vers le centre-ville. Au menu du petit déjeuner, des délices fraîchement sortis du four et une abondance de fruits frais. Stationnement gratuit. Non-fumeurs.

Novotel Mississauga Hotel
$$$$
≡, ≈, ℜ, ⊘, △
3670 Hurontario St.
☎*(905) 896-1000 ou*
800-695-8284
⇌*(905) 896-2521*

Le Novotel Mississauga Hotel se trouve immédiatement à l'ouest de la ville, en plein centre du Mississauga City Centre, non loin des restaurants et de la zone commerciale, et à courte distance de route de l'aéroport. Outre ses 325 chambres, on y trouve entre autres un terrain de racquetball, une piscine intérieure, un bassin à remous et un service de navette gratuit pour l'aéroport.

Près de l'aéroport

Ramada Hotel Toronto Airport
$$$
≡, ≈, ℜ, △, ⊘
2 Holiday Dr., Etobicoke
☎*621-2121 ou 800-272-6232*
⇌*621-9840*
www.avari.com

Le Ramada Hotel Toronto Airport n'est qu'à 5 min de l'aéroport et offre un service de navette gratuit de même que le stationnement gratuit. Bassin à remous, piscines intérieure et extérieure, et salle à manger avec permis d'alcool.

Quality Suites
$$$-$$$$ pdj
≡, ℜ
262 Carlingview Dr.
☎*674-8442 ou 800-228-5151*

Hôtel de catégorie moyenne-élevée, le Quality Suites propose de jolies chambres sans prétention. Bien que situé un peu loin de l'aéroport, il offre un des meilleurs rapports qualité/prix de la région. Les personnes ne possédant pas de voiture n'ont toutefois pas de souci à se faire, car un autocar fait la navette entre l'hôtel et l'aéroport toutes les demi-heures.

Holiday Inn Select Toronto Airport
$$$$
≡, ≈, ℜ, △, ⊘
970 Dixon Rd.
☎*675-7611 ou 800-695-8284*
≠*675-9162*
Le Holiday Inn Select Toronto Airport dispose entre autres de piscines intérieures et extérieures chauffées, d'un bassin à remous, d'un stationnement et d'une salle à manger avec permis d'alcool. Vous y trouverez en outre une salle de bar avec repas légers et un centre d'affaires. Service de navette pour l'aéroport gracieusement offert.

Regal Constellation Hotel
$$$$
≡, ≈, ℜ, ⊛, △, ⊘
900 Dixon Rd.
☎*675-1500 ou 800-950-1363*
≠*675-1737*
www.regal-hotels.com
Le Regal Constellation Hotel est un grand hôtel pourvu de salles de congrès et de salles d'exposition commerciale à

proximité de l'aéroport international Lester B. Pearson. Piscines intérieure et extérieure chauffées, salon de beauté, agence de voyages, quatre restaurants et salle de bar.

Best Western Carlton Place Hotel
$$$$$
≡, ⊛, ≈, ℜ, ℝ, △
33 Carlson Court
☎*675-1234 ou 800-528-1234*
≠*675-3436*
Si vous cherchez à vous loger à proximité de l'aéroport, le Best Western Carlton Place Hotel dispose de chambres correctes et confortables à prix raisonnable. Services de buanderie et de gardiennage.

Sheraton Gateway at Terminal Three
$$$$$
≡, ⊛, ℜ, ⊘
Terminal 3, Toronto International Airport
☎*(905) 672-7000 ou 800-565-0010*
≠*672-7100*
www.sheraton.com
L'hôtel Sheraton Gateway at Terminal Three, relié directement à l'aérogare n° 3, est sans aucun doute le mieux situé pour les voyageurs en transit. Il compte 474 chambres joliment décorées et entièrement insonorisées, avec vue panoramique sur l'aéroport ou sur la ville.

Restaurants

Toronto est une ville
où abondent les occasions d'expériences culinaires.

En effet, comme il s'agit d'une métropole cosmopolite aux très nombreuses cultures et aux quartiers ethniques voisins les uns des autres, ses restaurants, qui proposent des cuisines des quatre coins du monde, s'avèrent aussi diversifiés que sa population. Il va sans dire que les découvertes qui en résultent sont souvent assorties d'additions salées, quoique même les voyageurs les plus soucieux de leur budget soient à même d'y dénicher de petits restaurants uniques et intéressants à souhait sans pour autant avoir à vider leur portefeuille. Les établissements qui suivent sont présentés dans l'ordre des circuits touristiques que propose ce guide, de manière à ce que vous les trouviez plus facilement, et ce, où que vous en soyez dans votre exploration de Toronto.

Les tarifs indiqués dans ce guide s'appliquent à un

repas pour une personne, avant taxes, boissons et pourboire.

$	10$ et moins
$$	10,01$ à 20$
$$$	20,01$ à 30$
$$$$	30,01$ et plus

Restaurants par types de cuisine

Les établissements qui se distinguent

Pour la gastronomie:
> Truffles (p 241)

Pour une cuisine innovatrice:
> Fez Batik (p 227)
> North 44 (p 245)

Pour un choix intéressant:
> Marché Mövenpick (p 221)

Pour l'ambiance chaleureuse:
> Select Bistro (p 234)
> The Paddock (p 234)

Pour la vue:
> 360 Restaurant (p 219)

Pour le décor:
> Addis Ababa (p 225)
> Bombay Palace (p 224)
> Fez Batik (p 227)

Pour le petit déjeuner ou le brunch:
> Café du Marché (p 223)

Pour le thé d'après-midi:
> Queen Mother Cafe (p 227)

Pour petits budgets:
> Epicure Cafe (p 231)

Pour les amateurs de sport:
> C'est What (p 223)

Pour la terrasse:
> By the Way Cafe (p 244)

Restaurants

Pour la terrasse (suite):
Pappas Grill (p 240)

Pour voir et être vu:
Cafe Nervosa (p 240)

Pour les desserts:
Bibiche Bistro (p 247)

Le Waterfront

Boathouse Bar & Grill
$$-$$$
207 Queen's Quay W.
☎*203-6300*
À l'intérieur du Queen's Quay
Terminal, le Boathouse Bar &
Grill revêt une allure maritime
rehaussée de nombreux éléments en laiton. Ce restaurant
achalandé de type familial offre
une terrasse extérieure et propose un menu composé de
plats de bifteck et de pâtes.

Hard Rock Cafe
$$-$$$
1 Blue Jays Way, SkyDome
☎*341-2388*
Le Hard Rock Cafe du Sky-
Dome se présente comme un
monument aux grands noms du
rock-and-roll, d'ailleurs, tous les
Hard Rock Cafe du monde se
définissent ainsi. Les murs et le
plafond sont recouverts d'instruments dont se sont servis
Paul McCartney et Janis Joplin.
En plus d'y jouir d'une vue sur
le terrain du SkyDome, y prendre un repas est une expérience que vous n'êtes pas près
d'oublier. On retrouve les tra-

ditionnels hamburgers et frites
au menu.

Planet Hollywood
$$-$$$
277 Front St. W.
☎*596-7827*
Comme toutes les succursales
de la méga-chaîne américaine
éponyme, le Planet Hollywood
de Toronto y va pour le luxe
tapageur d'Hollywood dans un
décor de souvenirs de films,
d'ampoules clignotantes et de
grands écrans de télévision. Installé au pied de la tour du CN,
il attire principalement les touristes. La nourriture n'est toutefois pas aussi prestigieuse que
ce restaurant tente de l'être,
puisque vous y trouverez une
cuisine typiquement nord-
américaine de hamburgers, de
pâtes et de sandwichs sans intérêt particulier, et à des prix
exorbitants.

Wayne Gretzky's
$$-$$$
99 Blue Jays Way
☎*979-7825*
Le Wayne Gretzky's pourrait
fort bien être le dernier endroit
où vous aurez la chance d'apercevoir ce prodige du hockey,
maintenant que le virtuose du

gouret a pris sa retraite. Situé tout près de la tour du CN, ce bar sportif aux dimensions aussi monumentales que son propriétaire peut accueillir des centaines de personnes, et constitue un véritable hommage au héros, rempli de souvenirs de sa carrière, de chandails de hockey, de trophées et de patins. La terrasse Oasis, aménagée sur le toit, se pare en outre d'une cascade rocailleuse et de faux palmiers, et sert des grillades telles que hamburgers et côtes levées préparées sur un barbecue. Un bon choix de pâtes complète le menu de pub de cet établissement.

Whistling Oyster Seafood Cafe
$$-$$$
11 Duncan St.
☎598-7707
Le Whistling Oyster Seafood Cafe a quotidiennement, comme beaucoup d'autres établissements, un «5 à 7», quoique l'accent y porte non pas sur l'alcool, mais plutôt sur les fruits de mer et les mets thaïlandais à prix d'aubaine.

Captain John's Seafood
$$$
1 Queen's Quay W.
☎363-6062
Un imposant paquebot construit en 1957 et amarré en permanence au pied de Yonge Street constitue le cadre du restaurant Captain John's Seafood. Avec une localisation et un nom pareils, il n'apparaît pas étonnant que les produits de la mer soient au menu! Crevettes, requin, saumon, langouste,

coquilles Saint-Jacques et autres rougets tiennent le haut du pavé sur la carte de cet établissement à l'ambiance décontractée.

Pearl Harbourfront
$$$
207 Queen's Quay W.
☎203-1233
Le Pearl Harbourfront, également sur Queen's Quay, se veut légèrement plus formel. Ses nombreuses lucarnes contribuent à éclairer et à aérer la salle, et son personnel est avenant. Quant aux spécialités chinoises de la maison, entre autres de délicieux plats de poulet et de crevettes, elles sont élaborées à partir d'ingrédients frais du marché.

360 Restaurant
$$$$
tour du CN, 301 Front St. W.
☎362-5411
Imaginez-vous devant un repas arrosé d'une bonne bouteille, avec, pour toile de fond, une vue panoramique de Toronto et du lac Ontario. Eh bien, voilà ce que le 360 Restaurant, qui tourne sur lui-même au sommet de la tour du CN, propose: une cuisine de qualité et le spectacle le plus saisissant de la ville.

Susur
$$$$
601 King St. W.
☎603-2205
Pour une suprême sensation gustative, rendez-vous chez Susur, une valeur sûre. Bien qu'ici l'addition s'élève rapidement, le chef propriétaire Susur

Lee atteint lui aussi des sommets, culinaires cette fois, grâce à sa fabuleuse cuisine fusion. Il va sans dire que les cinq succulents menus de cet établissement gastronomique sont très populaires auprès des clients réguliers, sans compter que l'ambiance, le service et le décor du Susur plaisent à tout coup.

Les îles de Toronto

Island Paradise Restaurant
$$$
9 Queen's Quay, à côté du Centre Island Ferry
☎203-0245
On se rend au Island Paradise Restaurant pour la vue spectaculaire qu'il offre sur le lac Ontario et sur Toronto, que l'on peut contempler tout en savourant un plat des Caraïbes ou un steak. Ouvert jusqu'au départ de la dernière navette lacustre.

Le quartier des affaires et du spectacle

Shopsy's Deli & Restaurant
$-$$
33 Yonge St.
☎365-3333
Il est de ces endroits qui ont su plaire à leurs clients depuis des décennies. C'est le cas de Shopsy's, ce *delicatessen* qui a ouvert ses portes en 1921 et qui a depuis conquis sans relâche le cœur et la bouche des

Torontois grâce à ses petits déjeuners traditionnels et, surtout, à ses hot-dogs. Il est situé à deux pas du Hockey Hall of Fame, à l'angle des rues Yonge et Front.

Hey Lucy
$$
295 King St. W.
☎408-3633
Hey Lucy rehausse quelque peu le plaisir de savourer une pizza avec ses murs de brique nus et son four à bois. Gens d'affaires et amateurs de théâtre se rassemblent à l'intérieur ou sur la terrasse en bordure du trottoir pour déguster des entrées de *nachos* ou de moules fraîches, un choix de salades gastronomiques, 16 variétés de pizzas et des pâtes, dont des linguini aux fruits de mer. L'établissement propose même une pizza-dessert, soit une croûte grillée sur feu de bois saupoudrée de cannelle et de sucre brun, le tout garni d'un coulis de framboises, de fruits frais et de crème fouettée. Soirées martini les mercredis.

Duke of Argyle
$$-$$$
86 John St.
☎340-9700
Situé en plein cœur de Toronto, tout près du SkyDome, le Duke of Argyle se veut un pub traditionnel. Vous y trouverez notamment plus de 60 scotchs pur malt, et plus de 50 sauces piquantes pour relever votre hamburger ou vos côtes levées, d'ailleurs succulentes.

Golden Thai
$$-$$$
105 Church St.
☎**868-6668**
Le Golden Thai est un endroit prisé le soir venu, tout spécialement pour son Pad Thai, quoiqu'on y serve l'éventail complet des mets thaïlandais. Plusieurs repas combinés figurent au menu.

Marché Mövenpick
$$-$$$
BCE Place, angle Front et Yonge
☎**366-8986**
Au Marché Mövenpick, vous pouvez vous servir à même les nombreux comptoirs de mets gastronomiques offrant tout aussi bien des sushis frais que des pâtes et des salades. La seule difficulté consiste à faire un choix parmi une telle variété de plats, tous plus alléchants les uns que les autres. Cet endroit est très fréquenté, et l'on y fait souvent la queue, surtout à l'heure du déjeuner.

N'Awlins Jazz Bar & Grill
$$-$$$
299 King St. W.
☎**595-1958**
Vous ne pouvez pas manquer le N'Awlins Jazz Bar & Grill, où l'on a suspendu un piano au-dessus de la porte d'entrée. Son atmosphère confortable attire par ailleurs une clientèle branchée et raffinée. D'excellents musiciens de jazz s'y produisent tous les soirs sauf le lundi, créant une ambiance propice à la dégustation de savoureux plats de viande et de pâtes gastronomiques.

Szechuan, Szechuan
$$-$$$
100 King St. W., First Canadian Place, niveau mezzanine
Fuyez le tohu-bohu du centre-ville en vous réfugiant dans la chaleureuse atmosphère de cet authentique restaurant chinois qu'est le Szechuan, Szechuan. Des plats comme les crevettes à l'ail et légumes, l'émincé de bœuf aux épices et le poulet sauce piquante à l'arachide se révèlent tous cuits à point. De plus, le personnel s'avère attentionné.

Acqua
$$$
10 Front St. W., BCE Place
☎**368-7171**
Chez Acqua, comme le laisse sous-entendre son nom, tout le décor intérieur tourne autour du thème de l'eau. Tout en contemplant le beau décor quelque peu inusité de ce restaurant très à la mode, vous dégusterez de succulents plats issus des traditions culinaires méditerranéenne.

Friscos
$$$
133 John St.
☎**595-8201**
Avec ses plafonds hauts, ses couleurs chaudes et ses banquettes rouges, le Friscos est un de ces restaurants animés où il fait bon discuter entre amis. Le menu propose des plats aux accents parisiens comme le coq au vin et le cassoulet, qui côtoient pizzas et steaks-frites. Il ne reste plus qu'à choisir une bouteille sur l'impressionnante

carte des vins et à se laisser porter par l'atmosphère fébrile!

Kit Kat
$$$
297 King St.
☎977-4461

Populaire restaurant italien typique tenu depuis nombre d'années par John Carbone, Kit Kat sert une cuisine authentique, sans trop de compromis, bien appuyée par une carte des vins riche de sélections italiennes, californiennes et australiennes. Dans un décor un peu brouillon, on sert sur des nappes à carreaux rouges quelques excellentes spécialités, notamment la polenta grillée et l'osso bucco. Étroit et relativement exigu, l'établissement a tout pour créer cette animation qui en fait une maison appréciée autant des hommes d'affaires, des artistes – Keith Richards des Rolling Stones y a déjà mangé – et des habitués plus modestes.

Fenice
$$$-$$$$
319 King St. W.
☎585-2377

Le Fenice vous invite à déguster de délicieux plats italiens, préparés à partir d'ingrédients toujours frais, et à profiter d'une atmosphère chaleureuse à souhait. Vous savourerez votre repas en vous laissant bercer par la musique classique.

Fred's Not Here
$$$-$$$$
321 King St. W.
☎971-9155

Le tronçon de King Street qui s'étend entre les rues John et Peter attire aussi bien les amateurs de théâtre que la foule des employés de bureau mettant fin à leur journée de travail. Fred's Not Here se donne des airs tranchants avec ses nappes blanches et son décor de verre sculpté. Au menu, du steak, du poisson, des fruits de mer et du gibier, entre autres du canard et du faisan. L'atmosphère y est plutôt civilisée, quoique le bar The Red Tomato, au-dessous de l'établissement, puisse parfois devenir assez bruyant.

Epic
$$$$
Fairmont Royal Hotel, 100 Front St. W.
☎860-6949

L'Epic est à l'image du grand hôtel qui l'abrite. En plus de marier les ingrédients européens classiques avec la nouvelle cuisine nord-américaine, on y utilise seulement les meilleurs produits locaux ou internationaux. Vrai festin, le repas, qui se termine par un délicieux dessert, s'avère tout simplement mémorable.

Senses
$$$$
328 Wellington St. W.
☎935-0400

Le restaurant Senses saura comment transporter de joie vos papilles. En goûtant ses plats inspirés des cuisines de l'Asie et de l'Amérique centrale, vous en resterez bouche bée, tellement délicieux sont l'omble-chevalier arctique rôti et les poitrines de pigeon fumées au thé qu'il concocte. Au dessert, offrez-vous une pointe de tarte à la crème aux bananes, pour vous retrouver au septième ciel.

Old Town of York

Café du Marché
$$
45 Colborne St.
☎368-0371
Le Café du Marché ne sert que le petit déjeuner et le déjeuner (il ferme à 15h), mais présente un excellent rapport quali-té/prix. Vous y trouverez aussi bien un comptoir de mets à emporter qu'une salle à manger où l'on sert des salades, des sandwichs, des quiches, des omelettes et divers plats de résistance couronnés d'un délicieux assortiment de desserts. De plus, on y parle le français!

C'est What
$$
67 Front St. E.
☎867-9499
C'est What propose un merveilleux mélange de cuisines. On peut y aller jusque tard dans la nuit, ou encore avant ou après le théâtre. Le menu affiche d'excitantes salades ainsi que des sandwichs innovateurs. L'ambiance ressemble beaucoup à celle d'un pub avec ses chaises confortables, ses jeux de société et sa musique d'ambiance.

The Old Spaghetti Factory
$$
54 The Esplanade
☎864-9761
Avec ses centaines de places, en plus d'être animée et abondamment et chaleureusement décorée de toutes sortes d'objets et d'antiquités, la Old Spaghetti Factory n'a rien d'ennuyeux! Elle fera le bonheur des petits et des grands, avec les pâtes, comme son nom l'indique, au centre de sa thématique!

Le Papillon
$$
16 Church St.
☎363-0838
Au restaurant Le Papillon, vous serez comblé car le menu affiche une alléchante variété de plats combinant les délices des cuisines française et québécoise. Les crêpes sont particulièrement réussies.

Young Thailand
$$
81 Church St.
☎368-1368
Le chef propriétaire du Young Thailand, Wandee Young, est l'un de ceux qui ont introduit au Canada, en 1980, la cuisine thaïlandaise, alors que le premier restaurant thaï ouvrit ses portes sur Yonge Street. Aujourd'hui, il possède trois établissements à Toronto, où sont élaborés des classiques tels que la salade de mangue verte, les satays arrosés d'une sauce piquante à l'arachide et, bien sûr, le Phad Thai, dont vous vous délecterez.

Bombay Palace

$$-$$$

71 Jarvis St.

☎ *368-8048*

Le Bombay Palace présente un intérieur richement orné avec lumière tamisée, tout en étant rehaussé d'œuvres d'art typiquement indiennes, qui tranche avantageusement sur les cafétérias inondées de néon caractéristiques de nombreux restaurants indiens de Toronto. Ses nappes blanches et ses serveurs en uniforme lui confèrent une certaine réserve, mais la nourriture est excellente et offerte à juste prix. Le menu se veut très varié et complété par un buffet chaud.

Hiro Sushi

$$$

171 King St. E.

☎ *304-0550*

Reconnu comme le plus adroit des chefs spécialisés dans les sushis à Toronto, Hiro Yoshida fait des heureux dans son populaire restaurant Hiro Sushi. Bien qu'il s'appuie sur les préparations les plus classiques du pays du Soleil levant, où il va d'ailleurs se ressourcer quelquefois, le chef se laisse aller à quelques originalités pour le plus grand plaisir des convives. Intime, l'établissement possède un cadre dépouillé et minimaliste qui laisse toute la place aux créations d'Hiro.

Biaggio Ristorante

$$$$

155 King St. E.

☎ *366-4040*

À deux pas du St. Lawrence Hall, vous pourrez savourer une cuisine italienne digne des plus fins palais au Biaggio, car cet élégant restaurant sert peut-être les meilleures pâtes fraîches en ville. Après avoir longuement hésité à choisir l'un des plats, tout aussi tentants les uns que les autres, offrez-vous une bouteille parmi l'excellente sélection de la carte des vins. Heureusement, le serveur pourra vous venir en aide.

Queen Street West

La rue Queen West est au cœur de la vie nocturne de Toronto et s'anime jour et nuit d'une faune bigarrée, allant des jeunes habitués des boîtes de nuit aux amateurs de musique underground, en passant par les couples en quête d'une soirée au restaurant dans un secteur branché de la ville. Cette artère est d'ailleurs émaillée de douzaines de restaurants originaux couvrant une gamme variée de cuisines. La plupart affichent des prix modérés, mais vous y trouverez également de purs joyaux offrant des repas à des prix qui défient toute concurrence.

Les environs de Queen Street West se divisent en quelques secteurs distincts, la portion la plus embourgeoisée se trouvant entre les avenues University et Spadina, où cafés et restaurants se succèdent à quelques pas les uns des autres, entrecoupés d'importants détaillants tels que Gap (vêtements) et HMV (disquaire). Les adresses qui suivent comptent résolument parmi les meilleures.

Addis Ababa
$

1184 Queen St. W.

☎*538-0059*

Si vous êtes à la recherche d'une atmosphère résolument exotique, sachez que l'Addis Ababa est un antre capiteux servant une cuisine éthiopienne traditionnelle. Le dîner y prend des allures de rite communautaire, dans la mesure où les plats épicés sont servis sur des plateaux qu'on se passe à tour de rôle autour de la table, et où l'on mange avec ses doigts (de la main droite) en emprisonnant la nourriture dans l'*injera*, ce pain éthiopien apparenté à la crêpe. Des volutes d'encens flottent dans la salle bercée par une musique africaine, les tables se parent de nappes tissées hautes en couleur, et les murs arborent des sculptures de bois de même que des peintures d'origine éthiopienne. Musiciens de jazz sur scène les vendredis et samedis soirs.

Salad King
$

335 Yonge St.

☎*971-7041*

Le Salad King, niché à l'angle des rues Yonge et Gould, est un établissement si discret qu'on peut facilement le passer sans le voir. Néanmoins la nourriture qu'on sert à son comptoir de cafétéria flanqué d'une cuisine à aire ouverte vaut bel et bien la peine qu'on

s'y arrête. Oubliez l'atmosphère (la plupart des tables sont disposées dans une salle dépourvue de fenêtres et mal éclairée): on ne vient ici que pour savourer d'excellents mets thaïlandais, d'ailleurs on ne peut plus authentiques, et offerts à des prix imbattables.

Babur
$$

273 Queen St. W.

☎*599-7720*

Le Babur est un restaurant typiquement indien où l'on prépare des mets de différentes régions de l'Inde, du poulet tandouri au *paneer korma*, sans oublier de savoureux *pakoras* (beignets frits) de légumes comme entrée. À l'instar de beaucoup d'autres restaurants de Queen West, le Babur s'avère particulièrement affairé, surtout les fins de semaine, de sorte qu'il serait sage de réserver à l'avance.

Everest Cafe & Bar
$$

232 Queen St. W.

☎*977-6969*

À la fois tibétain et indien, l'Everest Cafe & Bar présente pourtant un décor résolument occidental, léché et dépouillé. Si certains peuvent trouver ce cadre peu adapté aux plats servis, ils n'en apprécient pas moins les excellentes spécialités venues de l'Asie himalayenne, notamment les *momo* tibétains et les currys indiens aux pois chiches et aux pommes de terre.

Restaurants

Korean Grill House
$$
214 Queen St. W.
☎*263-9850*

Le Korean Grill House propose une expérience culinaire originale et inoubliable. La formule à volonté permet de cuire ses propres viandes et poissons sur un barbecue de forme circulaire encastré dans chacune des tables de ce restaurant à la décoration moderne et épurée, aux tons de rouge et d'acier. Le tout, agrémenté de condiments coréens. Si l'aventure vous intéresse, assurez-vous de réserver une table, puisque l'établissement est fort populaire, notamment auprès de la clientèle coréenne. Menu à la carte de spécialités coréennes disponible.

Little India
$$
255 Queen St. W.
☎*205-9836*

Si vous voulez vous offrir de véritables mets indiens, allez chez Little India. Parmi sa grande variété de plats végétariens et d'assiettes de viande, vous retrouverez les classiques de la cuisine de l'Inde tels que *tandoori*, *aloo gobi*, *paneer palak* et poulet au beurre. Un buffet est proposé tous les jours pour le déjeuner.

Sushi Bistro on Queen
$$
204 Queen St. W.
☎*971-5315*

Populaire petit restaurant animé d'une clientèle fidèle, Sushi Bistro on Queen sert évidemment les rouleaux aux algues et poissons crus typiquement japonais, autrement dit les sushis. Des arrivages quotidiens de poissons viennent compléter une sélection sur la carte qui peut paraître quelque peu limitée. La décoration très dépouillée et l'éclairage vif, jumelés au service affable et aux prix raisonnables, viennent donner à l'établissement son caractère simple et honnête si apprécié.

Sushiman Japanese Restaurant
$$
26 Richmond St. E.
☎*362-8793*

Le Sushiman Japanese Restaurant sert d'excellents sushis et tempuras à des prix raisonnables, et arbore un décor japonais traditionnel. Le midi, ses plats du jour attirent en général une foule nombreuse.

Tiger Lily's Noodle House
$$
257 Queen St. W.
☎*977-5499*

L'intérieur de la Tiger Lily's Noodle House se veut sobre, pour ne pas dire minimaliste et son service ultrarapide. Au menu, un éventail monstre de potages chinois et thaïlandais, servis dans ce qui ressemble davantage à des plats de service qu'à de simples bols, mais constituant tout de même des repas complets en soi. Cela dit, et bien que les potages soient indubitablement la spécialité de la maison, le menu affiche aussi un assortiment de plats de nouilles alléchants.

Hard Rock Cafe
$$-$$$
279 Yonge St.
☎362-3636

Le second Hard Rock Cafe de
Toronto se trouve au cœur
même du centre-ville. Établi
directement en face de l'Eaton
Centre, cet endroit couru des
touristes fait honneur à sa
réputation et déborde de souvenirs et d'objets relatifs à des
décennies d'histoire rock. Menu
de hamburgers, frites et autres
«classiques» typiquement nord-
américains.

Queen Mother Cafe
$$-$$$
208 Queen St. W.
☎598-4719

Le Queen Mother Cafe appartient aux mêmes propriétaires
que le populaire restaurant-bar
Rivoli, un peu plus loin sur la
même rue. Contrairement à ce
que son nom pourrait laisser
croire, il ne s'agit nullement
d'un salon de thé à la britannique, mais plutôt d'un restaurant à service complet spécialisé
dans les mets du Laos et de la
Thaïlande, d'ailleurs fort variés.
Tables et banquettes intimes y
emplissent trois salles prolon-
gées d'une petite terrasse à
l'arrière. Le Pad Thai est un
grand favori des habitués de la
maison, et ce, depuis une
époque de loin antérieure à
celle où tous les établissements
du coin se sont mis à en servir.
Quant au riz collant sauce arachide, c'est un pur délice. Le
menu propose quotidienne-
ment de nombreux plats du
jour, et les desserts, sont tout
simplement divins.

Fez Batik
$$$
129 Peter St.
☎204-9660

Le Fez Batik résulte du travail
de deux restaurateurs locaux
qui ont transformé une an-
cienne boîte de nuit en un chic
restaurant marocain. Il s'agit
d'un vaste établissement amé-
nagé sur trois étages où une
imposante tête de bouddha
domine l'entrée, tandis que la
salle de bar se pare de canapés
couverts de coussins marocains.
Quant au menu, il fait une
fusion remarquable entre diffé-
rentes traditions culinaires, de la
marocaine à la japonaise, la
présentation des plats se vou-
lant aussi soignée que leur
préparation. Et, tandis que vous
ferez votre choix, votre serveur
cordial, d'allure tout à fait
branchée, vous apportera du
pain frais accompagné d'une
délicieuse tapenade aux toma-
tes séchées, aux olives et à l'ail,
pour vous aider à patienter. En
plus d'une carte des vins en-
viable, on y sert quelque 40
thés différents. On y propose
également de nombreuses
bières pression que vous pour-
rez déguster devant un bon feu
de foyer. Des DJ y font valoir
leurs talents tous les soirs.

Peter Pan Restaurant
$$$
373 Queen St. W.
☎593-0917

Le Peter Pan Restaurant offre
un très beau décor qui rappelle
les années 1930. Plus encore,
on y propose une cuisine imaginative et délicieuse: pâtes,
pizzas et poissons prennent ici

des allures inédites. Le service y est même distingué.

Rivoli
$$$
332 Queen St. W.
☎597-0794
Grâce à sa cuisine fusion qui change au rythme des saisons et ses plats aux influences italiennes, françaises et thaïlandaises, le Riv en a pour tous les goûts. L'arrière-salle accueille, quant à elle, des musiciens, des pièces de théâtre et autres prestations de *spoken word*. L'établissement abrite de plus un bar à cocktails et une salle de billard, sans compter sa grande terrasse donnant sur le va-et-vient de Queen Street West.

Mildred Pierce Restaurant
$$$-$$$$
99 Sudbury St.
☎588-5695
Nommé d'après le grand classique du cinéma avec Joan Crawford, le Mildred Pierce, avec ses hauts plafonds et ses murales romantiques, donne le ton pour une soirée enchanteresse. Les plats inscrits à son menu éclectique, multiethnique, incluant les accents méditerranéens, italiens et thaïlandais, se révèlent savoureux. Les desserts maison sont tout simplement délicieux.

Avalon
$$$$
270 Adelaide St. W.
☎979-9918
Pour une soirée en tête-à-tête réussie, offrez-vous l'une des meilleures tables de Toronto.

Au menu du Avalon, inspiré de la cuisine française et méditerranéenne, et qui change presque tous les jours, vous ne retrouverez que les produits les plus frais. Aussi aurez-vous l'eau à la bouche devant le fromage au lait cru et les desserts dont vous mourrez déjà d'envie. Service impeccable et plein d'attention.

Barberian's
$$$$
7 Elm St.
☎597-0225
Il n'y a rien de tel qu'un bon steak de surlonge grillé et tendre à souhait comme on en prépare si bien au Barberian's. Le steak occupe d'ailleurs une place de choix au menu, qui pourra paraître peu étoffé aux yeux des personnes souhaitant s'offrir autre chose. Il est préférable de réserver à l'avance.

The Fifth
$$$$
225 Richmond St. W.
☎979-3005
Pour accéder au chic et romantique loft du «cinquième étage» où se niche le Fifth, vous devrez d'abord vous frotter aux videurs plantés dans le passage qui mène au cabaret de prestige dénommé The Easy, puis vous enfermer dans un vieux monte-charge conduisant au restaurant, au superbe design. Ici vous vous sustenterez de fine cuisine française, et, qui plus est, pendant la belle saison, vous pourrez vous faire servir dans l'un des plus élégants patios du Grand Toronto. La crème brûlée y est réputée.

Monsoon
$$$$
100 Simcoe St.
☎**979-7172**
Le décor unique et singulier du restaurant Monsoon tend à faire oublier le caractère subtil et délicieux de sa cuisine. Il est vrai que le cadre léché et bichrome, tout à fait particulier, ne peut que retenir l'attention du convive. Pourtant, les fins palais apprécieront l'invention et l'audace du chef qui transforme viandes, poissons et légumes bien nord-américains en de véritables splendeurs aux parfums d'Asie.

Chinatown et Kensington

Vous ne serez guère étonné d'apprendre qu'on trouve beaucoup de restaurants chinois, vietnamiens et japonais dans le Chinatown, et plus particulièrement le long de Spadina Avenue entre les rues Queen et College, de même que sur Dundas entre Spadina et University.

Amato
$
534 Queen St. W.
☎**703-8989**
Les amateurs de pizza seront transportés d'extase à cette succursale de la chaîne Amato, où les pointes ne sont rien de moins que le quart d'une grande pizza. Tous les jours, on y offre le choix de 30 variétés gastronomiques, de la traditionnelle pizza au pepperoni à la pizza végétarienne, «blanche» (sans sauce tomate) ou garnie d'ingrédients chouettes tels que cœurs d'artichauts, fromage feta et épinards. L'Amato dispose par ailleurs, à l'arrière, d'une section intime pourvue de grandes banquettes confortables où vous pourrez vous installer pour commander des pâtes somptueuses, des salades, des sandwichs sur pain *focaccia* (fougasse) ou des pizzas «sur mesure».

Canteena Azul
$
dîner seulement, sauf le dimanche où un brunch est offert
181 Bathurst St.
☎**703-9360**
La Canteena Azul, nichée au détour de la rue Queen sur Bathurst Street, exsude un air décontracté et nonchalant avec sa table de salon couverte de revues dans un coin de la pièce. Le chef propriétaire de cet établissement est parvenu à composer une atmosphère détendue et un impressionnant menu de plats fusion d'inspiration asiatique et latino-américaine. Quel que soit le repas, cependant, l'emphase porte toujours sur des mets on ne peut plus sains: beaucoup de plats végétariens, un choix remarquable de jus de légumes et de fruits bien frais et des laits frappés au yogourt. Toutes les boissons, plus alléchantes les unes que les autres, comme le Mind Fuzz Be Gone (carotte, pomme, gingembre, betterave et ginkgo), font largement honneur à leur nom.

Dufflet Pastries

$

787 Queen St. W.

☎ *504-2870*

Dufflet Pastries est une pâtisserie qui peut se vanter de
produire des gâteaux, des tartes
et d'autres douceurs parmi les
plus divins qui soient à Toronto.
Ses créations se retrouvent
d'ailleurs sur les chariots de
desserts de bon nombre de
restaurants de la ville, quoique
rien ne remplace l'approvisionnement à la source. Vous pourrez aussi bien y acheter un gâ-
teau entier pour une occasion
spéciale qu'y prendre place à
une petite table invitante pour
siroter un cappuccino ou un
café au lait, tout en succombant
à quelque irrésistible délice.

Lotus Garden Vietnamese Vegetarian Restaurant

$

393 Dundas St. W., Unit G

☎ *598-1883*

Le Lotus Garden Vietnamese
Vegetarian Restaurant est un
petit restaurant vietnamien
unique en son genre qui attire
surtout les jeunes en quête de
plats de soja et de tofu, de
salades et de potages. Toutes
les préparations se font sans
MSG et avec très peu de sel, et
certaines créations intègrent
même des légumes biologi-
ques.

Pho Hung Vietnamese Restaurant

$

350 Spadina Ave.

☎ *593-4274*

Cette succursale de la chaîne
de restaurants Pho Hung Vietnamese Restaurant, sur Spadina
à l'angle de Baldwin, est affectueusement surnommée la
«vache qui rit» du fait du bovin
rieur qui lui sert d'effigie. On y
sert des mets vietnamiens à
bon prix ainsi que des bières à
la portée de toutes les bourses
et pour tous les goûts. Vin,
bière et spiriteux.

Tequila Bookworm

$

490 Queen St. W.

☎ *504-7335*

Attirant une clientèle jeune,
branchée et alternative, Tequila
Bookworm propose des repas
légers à ses convives et leur
permet d'acheter ou de feuille-
ter les revues et livres mis à
leur disposition. L'établissement
est sans prétention et sympathi-
quement bohème.

Vienna Home Bakery

$

626 Queen St. W.

☎ *703-7278*

La Vienna Home Bakery sem-
blerait mieux à sa place dans
une petite ville du nord de
l'Ontario qu'à un jet de pierre
de Queen et Bathurst. Ce
comptoir de déjeuner à la fois
simple et chaleureux se pare de
murs rose clair et s'emplit
d'effluves de pain chaud. Les
potages végétariens maison y
sont toujours frais du jour, et le
pain sort directement du four.
On y sert en outre des sandwichs et des tartes parmi les
meilleurs en ville. Ici tout est on
ne peut plus frais. On y propose aussi des plats du jour,
entre autres de la quiche et du

chili con carne, toujours très appréciés.

Happy Seven
$-$$
358 Spadina Ave.
☎ **971-9820**
Le Happy Seven est une autre institution du Chinatown, et, comme beaucoup d'autres établissements de ce quartier, il se caractérise par un éclairage éblouissant, si ce n'est que la propreté en est irréprochable. Son menu vous offre un choix vertigineux de 298 plats, dont des douzaines de potages et plusieurs assiettes de fruits de mer, de porc, de poulet, de canard, de tofu, de nouilles et de légumes servis en généreuses portions. Bien qu'essentiellement cantonais, le menu comporte aussi des spécialités sichuanaises.

Citron
$$
813 Queen St. W.
☎ **504-2647**
En face du Terroni (voir ci-dessous), le Citron, éclairé à la bougie, révèle un raffinement discret qui le distingue de certains de ses voisins. Le personnel se veut cordial et détendu, et la cuisine à aire ouverte fait en sorte que la petite salle s'emplit toujours d'arômes envoûtants. Une salade frisant la perfection (composée de verdure biologique, de poires grillées, de noix et de feta) et des entrées, tel ce chausson à base de farine de riz fourré de légumes thaïlandais et parfumé à la menthe et à la citronnelle, préparent bien le terrain pour

les plats principaux. Offerts à des prix très raisonnables, une foule de plats végétariens et végétariens sont servis ici, de même que du canard (on n'y sert aucune viande rouge). Plusieurs bons vins sont en outre servis au verre. Ouvert tous les soirs pour le dîner, de même qu'à l'heure du brunch du vendredi au dimanche.

Epicure Cafe
$$
512 Queen St. W.
☎ **504-8942**
L'Epicure Cafe s'auréole d'une chaleureuse atmosphère de bistro et regroupe deux salles superposées de même que deux terrasses, l'une directement sur Queen et l'autre, plus tranquille, sur le toit de l'établissement. En plus des hamburgers, pâtes et sandwichs, on y sert du calmar frit à la cajun et des moules provençales qui ajoutent par ailleurs une touche de Louisiane française au menu, sans oublier un assortiment de bières pression et un comptoir à cappuccino.

🚣 Margarita's Fiesta Room
$$
14 Baldwin St.
☎ **977-5525**
Quel dépaysement que le Margarita's Fiesta Room, avec sa musique latino-américaine entraînante, ses plats savoureux, comme les *nachos* (possiblement les meilleurs de Toronto), et son délicieux *guacamole*: c'est véritablement le Mexique en plein cœur de la Ville reine. Vous y passerez à coup sûr une excellente soirée, plaisante à

souhait, et vous vous sentirez loin de la ville et de sa grisaille.

Squirly's
$$

807 Queen St. W.
☎ **703-0574**

Le Squirly's propose une atmosphère décontractée et un menu de pizzas, pâtes, sautés, *quesadillas*, hamburgers et salades que vous pourrez apprécier sans avoir à vider vos poches. L'établissement est par ailleurs tout juste assez feutré et astucieusement décoré pour se transformer en un bar accueillant en fin de soirée. Ne vous attendez toutefois pas à y trouver des vins exceptionnels, et notez que la musique prend parfois passablement d'amplitude après 23h. L'arrière-salle, éclairée à la chandelle et agrémentée de sofas en velours rouge, se veut enfin un antre intime et détendu dont le toit se rétracte pour créer une terrasse au cours de la saison estivale.

Terroni
$$

720 Queen St. W
☎ **504-0320**

Cet établissement de la chaîne de restaurants éponyme se présente comme une longue et étroite pizzeria fine parsemée de banquettes en bois et d'étagères remplies de denrées italiennes, que complète une minuscule terrasse à l'arrière. Salades, pizzas et sandwichs y sont toujours frais, et préparés à partir d'ingrédients de qualité (il est intéressant de noter qu'on ne sert ici aucun plat de

pâtes). Fréquenté par des artistes locaux, c'est un endroit où il fait bon s'attarder devant un express tout en étant entouré d'acteurs, de photographes et autres créateurs.

Tortilla Flats
$$

429 Queen St. W.
☎ **593-9870**

Le Tortilla Flats est un bazar Tex-Mex voisin de l'intersection de Queen et Spadina, paré de vives couleurs et de babioles mexicaines on ne peut plus caractéristiques de ce genre d'établissement. Vous trouverez à l'arrière un bar, des tables, des banquettes et une terrasse. La nourriture, naturellement Tex-Mex, se compose de *burritos* fromagers, de *nachos*, d'*enchiladas* et de *fajitas* à tout le moins passables. Et pourquoi ne pas essayer les Jalapeños Poppers, ces piments entiers (et brûlants) farcis de fromage en crème, panés et plongés dans la friture? Spécial *fajitas* «deux pour un» le mardi.

Gypsy Co-Op
$$-$$$

815 Queen St. W.
☎ **703-5069**

La Gypsy Co-Op s'impose comme un pilier branché de cette partie de la ville. On y propose d'ailleurs un menu fusion particulièrement raffiné comportant plusieurs plats de pâtes, des spécialités végétariennes, ainsi que du porc, du poulet et du saumon. La moitié arrière de l'établissement accueille un bar confortable, rehaussé de canapés et de fauteuils douillets, où se produisent certains des meilleurs DJ de la ville. Notez toutefois que le bruit émanant du bar peut troubler l'atmosphère d'un dîner en tête-à-tête, de sorte que, si telle est votre intention, vous feriez sans doute mieux d'y aller tôt.

Lee Garden
$$-$$$
331 Spadina Ave.
☎593-9524

Certains jours, on croirait que la Chine tout entière se retrouve dans le petit restaurant Lee Garden, tant il est bondé. Tout ce monde s'y presse pour goûter une cuisine chinoise délectable (surtout cantonaise, mais aussi sichuanaise), notamment en ce qui a trait aux fruits de mer, au canard et au poulet à la mangue.

Cafe La Gaffe
$$$
24 Baldwin St.
☎596-2397

Le Cafe La Gaffe occupe les locaux d'un ancien magasin de la rue Baldwin. Connu sous le simple vocable de "Gaffe", il accueille aussi bien la foule de Queen Street West que les étudiants torontois sur ses terrasses avant et arrière. L'intérieur présente pour sa part un décor passablement dépareillé, allant des chaises précaires aux œuvres d'art qui ornent les murs. Sitôt attablé, vous vous ferez offrir un panier de pain de maïs portugais. On y sert des bouchées de fruits de mer comme entrée, ainsi que des potages maison et des plats de

résistance tels que pâtes nourrissantes, biftecks, poissons, fruits de mer et poulet biologique. Le tout se voit couronné d'une bonne carte des vins, dont plusieurs blancs et rouges servis au verre. Également couru pour son brunch de fin de semaine, où les œufs bénédictine trônent en roi.

Cities
$$$
859 Queen St. W.
☎504-3762

Cities illustre à merveille la joie de cuisiner et de manger. Le décor comme le menu, où figure principalement une cuisine fraîche de marché, révèlent une imagination exceptionnelle. La carte, qui change quotidiennement, propose du porc, du bœuf, de l'agneau, du poisson et des plats de fruits de mer, auxquels on peut ajouter un dessert fait maison. Vu la fraîcheur des ingrédients, le rapport qualité/prix est excellent. Bonne liste des vins.

Lai Wah Heen
$$$
108 Chestnut St., Metropolitan Hotel
☎977-9899

Toronto compte quantité d'excellents restaurants chinois, mais peu d'entre eux rivalisent de qualité avec Lai Wah Heen, qui propose une haute gastronomie chinoise, principalement cantonaise, préparée et présentée avec un remarquable souci du détail. Ce grand raffinement dans les saveurs des mets est aussi présent dans l'aménagement des lieux et dans la qualité du service. En vedette, canard de Pékin, homard et autres fruits de mer frais, et une fabuleuse «salade de paon», soit une création colorée qui intègre du canard grillé, du poulet, du melon et de la mangue. On s'y rend également en matinée pour ses *dim sum*.

Left Bank
$$$
567 Queen St. W.
☎*504-1626*

Décor caverneux et austère, présentation exquise, attitude de mise et éclairage feutré contribuent tous à étayer le menu de bistro nord-américain de ce restaurant. Saumon, biftecks et gigot d'agneau braisé ne sont que quelques-uns des délices qui figurent au menu. Cela dit, les végétariens ne seront pas en reste, car on fabrique sur place une variété de pâtes fraîches. Et n'oubliez pas de vous garder de la place pour les desserts maison dont vous pourrez vous délecter avant d'aller entendre les musiciens ou les DJ à l'affiche.

The Paddock
$$$
178 Bathurst St.
☎*504-9997*

Il n'y a pas si longtemps, The Paddock était connu comme un bar de type saloon – de ceux contre lesquels votre arrière-grand-mère vous aurait mis en garde. Aujourd'hui entièrement remodelé, il s'impose plutôt comme un chic et chaleureux restaurant où la jeune trentaine du quartier se rend volontiers pour s'offrir un bon repas. Les

portions sont menues, mais admirablement présentées, et vous réservent des délices tels qu'un *crumpet* (petite crêpe épaisse) garni de patates douces et de gorgonzola, le tout accompagné de mini-légumes verts, ou encore un bifteck fumé au *mesquite* assorti d'une gaufrette de pommes de terre et de poivrons grillés. L'endroit se transforme par ailleurs en bar à cocktails le soir venu.

Select Bistro
$$$
328 Queen St. W.
☎*596-6405*

En pénétrant dans le Select Bistro, vous serez tout de suite enveloppé par un jazz qui vous donnera envie d'y rester des heures. Mais ce bistro aux allures très parisiennes n'offre pas qu'une atmosphère chaleureuse et décontractée, il propose également un alléchant menu, ce qui explique qu'il soit fréquenté par une clientèle de connaisseurs qui reviennent sans arrêt pour déguster des délices tels que la bouillabaisse, le cassoulet, la bavette, l'agneau et le confit de canard. Lauréat du prix d'excellence de Wine Spectator pour l'an 2000, cet établissement vous propose plus de 1 000 crus! Une terrasse des plus invitantes vous accueille au cours de la belle saison.

Swan Restaurant
$$$
892 Queen St. W.
☎*532-0452*

Le Swan Restaurant attire les amateurs de théâtre et de

cinéma en quête d'un bon repas. Sa longue salle étroite est garnie de banquettes rétro, et le cool-jazz y est de rigueur. Ses brunchs en surpassent par ailleurs beaucoup d'autres et se composent notamment de mollusques et crustacés frais (le chef y ouvre les huîtres sous vos yeux). Quant au menu régulier, il fait défiler un assortiment exquis de délices, entre autres des potages maison servis avec du pain portugais.

Bodega
$$$$
30 Baldwin St.
☎*977-1287*
Le Bodega sert une cuisine française résolument gastronomique, concoctée à partir d'ingrédients on ne peut plus frais. Les tapisseries, la dentelle et la musique qui envahissent la salle à manger contribuent à créer une authentique ambiance française. La seule mention de ses spécialités, qu'il s'agisse de la crème brûlée, des escargots maison au porto, du carré d'agneau dijonnaise, de la poitrine de canard à l'orange, du fromage de chèvre ou du chutney à la pomme, devrait vous mettre en appétit!

Taro Grill
$$$$
492 Queen St. W.
☎*504-1320*
Le Taro Grill fait partie de ces restos où l'on se rend pour bien manger, certes, mais aussi un peu pour «être vu». Ici le spectacle est incessant, car vous pourrez également observer le

chef à l'œuvre dans la cuisine à aire ouverte.

Queen's Park et l'université de Toronto

La rue College constitue la meilleure artère du quartier pour se promener et s'imprégner de l'atmosphère animée de cette partie de la ville. Bien que ce secteur (à l'ouest de Bathurst) fasse partie de la Petite Italie, et regorge en effet de culture italienne sous l'impulsion de plusieurs générations d'immigrants, il a, ces dernières années, été transformé en carrefour branché, ponctué de douzaines de restaurants aux horizons culinaires les plus variés, et d'un nombre comparable de bars (certains établissements remplissant tout ensemble ces deux fonctions). Par conséquent, cette zone attire une foule d'étudiants et demeure animée jusqu'à une heure très avancée de la nuit.

Kalendar's Coffee House
$
546 College St.
☎*923-4138*
Le décor décontracté du Kalendar's Coffee House se prête fort bien à un tête-à-tête intime autour d'un café et d'une pâtisserie, à moins que ce ne soit pour un déjeuner léger. Le menu affiche tout un assortiment de sandwichs intéressants (à savoir ces sandwichs roulés

qui ont fait la renommée de la maison) et de plats sans façon pourtant savoureux.

Lucky Dragon
$
418 Spadina Ave.
☎*598-7823*
Le Lucky Dragon se veut représentatif des restaurants chinois de l'avenue Spadina, avec son éclairage éblouissant, sa décoration terne et son immense citerne grouillante de poissons. Le menu varié comprend des centaines de plats inspirés des traditions culinaires de différentes régions de la Chine, entre autres des riz épicés garnis de diverses façons (calmar sauce au piment et à l'ail, par exemple), et des poissons entiers, braisés puis arrosés d'une sauce au soja et au gingembre.

Maggie's
$
400 College St.
☎*323-3248*
Les quelques tables du minuscule Maggie's sont le plus souvent occupées par de jeunes gens qui discutent et sirotent un café ou grignotent un peu. Avec son décor dépouillé, on comprend pourquoi le petit établissement, qui concocte des repas légers et se spécialise dans les déjeuners servis toute la journée, attire quelques habitués pour qui la simplicité du cadre et de la cuisine compte peu.

Not Just Noodles
$
570 Yonge St.
☎*960-8898*
Tout petit resto sino-vietnamien de quelques tables, Not Just Noodles propose un bon choix de spécialités asiatiques servies dans une ambiance typique de ce genre d'établissement. Les convives sont priés de laisser leurs habitudes nord-américaines à l'entrée et de se laisser aller à la convivialité et à la familiarité asiatique.

Irie Caribbean Restaurant
$-$$
808 College St.
☎*531-4743*
Il convient de savoir que l'Irie Caribbean Restaurant sert peut-être les meilleurs *rotis* en ville. Cet établissement étant surtout fréquenté par des Antillais, son

authenticité ne laisse d'ailleurs aucun doute. La salade de poulet boucané se voit rehaussée de monceaux de fruits tropicaux, et, outre les *rotis* dont l'éloge n'est plus à faire, vous trouverez au menu des plats épicés à la mode des îles, notamment du vivaneau rouge cuit à la vapeur et différentes spécialités *jerk*.

Peter's Chung King
$-$$
281 College St.
☎928-2936
Le Peter's Chung King, quant à lui, se spécialise dans la tradition culinaire presque oubliée des plats grésillés à la sichuanaise.

Cette institution locale de longue date présente un décor dépourvu de charme et un personnel somme toute indifférent, et, bien que la nourriture bénéficie toujours d'une bonne cote, vous devrez expressément demander qu'on épice vos plats comme il se doit (c'est-à-dire fortement pimentés), si tel est bien sûr votre désir.

Swatow
$-$$
309 Spadina Ave.
☎977-0601
Le Swatow, un petit restaurant sans prétention, propose un menu varié capable de satisfaire tous les appétits. Malgré toute sa simplicité, rien ne peut se comparer à l'authenticité de la délicieuse cuisine cantonaise, servie rapidement, tout comme en Chine.

Bar Italia
$$
582 College St.
☎535-3621
Le Bar Italia est un restaurant de pâtes chic et branché qui attire du beau monde jusqu'aux petites heures du matin. Les miroirs à hauteur des yeux qui entourent les simples banquettes de bois de cet établissement font en sorte qu'on peut y voir et être vu à souhait. Les paninis relèvent de la plus fine gastronomie, et les pâtes brillent par leur richesse sous leur sauce à la crème et au gorgonzola. Le filet de bœuf, le poulet rôti et les fruits de mer sont aussi fort prisés. Et pourquoi ne pas couronner votre repas d'une délicieuse glace italienne maison?

El Bodegon
$$
537 College St.
☎944-8297
El Bodegon baigne dans un décor on ne peut plus sud-américain, avec ses murs peints de scènes de village aux couleurs primaires sur fond de stuc orangé, tandis que des sombreros et des flûtes de Pan ornent les murs, et que de faux perroquets se nichent sous un dais de lierre en plastique, sans parler de la musique péruvienne qui accentue l'effet thématique des lieux. L'impressionnante liste de bouillons gorgés de fruits de mer n'est reléguée au second plan que par les plats de calmar, tendre et grillé à la perfection. Un vaste assortiment de mets péruviens à la fois simples et nourrissants (tels que *ceviches*,

Restaurants

ragoûts de viande et tortillas, ces omelettes épaisses) complète le menu, qui comprend même (on se demande pourquoi) des pâtes, des sandwichs au bacon, à la laitue et aux tomates, un potage de raviolis chinois et d'autres propositions aussi disparates.

The Living Well
$$
692 Yonge St.
☎922-6770
Petit «resto-bar» au décor sympathique avec ses murs de briques, ses peintures modernes, ses banquettes fleuries et son zinc en bois, The Living Well propose une cuisine variée et résolument internationale. Le chef, originaire d'Asie du Sud, met un soupçon d'exotisme sur la carte et transforme ce qui pourrait être des plats sans originalité en d'agréables surprises culinaires. Comme plats se démarquant, mentionnons le ragoût marocain, la soupe à la citrouille et la «fricassée internationale».

Oasis
$$
294 College St.
☎975-0845
En dépit de la proximité du Chinatown, l'Oasis a préféré les tapas exclusifs à la traditionnelle cuisine asiatique. Vous aurez le choix entre 80 inscriptions au menu, y compris de nombreux plats végétaliens et végétariens, sans compter de nombreuses trempettes maison. Les chefs se permettent en outre quelques variantes sur la cuisine espagnole, telles que ces boulettes

de riz thaïlandaises à la noix de coco et ce curry de légumes à la malaise. Venu le temps du dessert, essayez le chausson aux poires et au brie sauce à la framboise. L'ambiance est ici décontractée à souhait, la nourriture est bonne, et les prix se révèlent tout à fait raisonnables.

Pony
$$
488 College St.
☎923-7665
Lumière tamisée, carrelage d'un blanc étincelant, fleurs fraîchement coupées et simples chaises habillées de housses blanches dorées au pochoir s'unissent pour créer une ambiance romantique, propre à savourer les spécialités italiennes du Pony. Le veau et le calmar méritent une mention spéciale.

Utopia Cafe & Grill
$$
586 College St.
☎534-7751
Ni le menu ni l'intérieur de l'Utopia Cafe & Grill n'ont de quoi impressionner à première vue, si ce n'est que les boiseries sombres, la lumière tamisée et les bougies disposées sur les quelque 8 ou 10 tables confèrent à ce petit établissement une ambiance chaleureuse. De doux airs de musique nord-africaine et Nouvel Âge bercent les dîneurs. On présente ici des expositions d'art mensuelles, et une terrasse arrière accueille les convives par les belles journées d'été. Les hamburgers, au bœuf ou entièrement végétariens, sont tout à fait délicieux

et les frites croustillantes et dorées à point. Le menu maison de l'Utopia, composé de hamburgers grillés sur feu de bois, de blanc de poulet grillé, de sandwichs au saumon fumé, de *burritos*, de *quesadillas* et de bifteck d'aloyau à la new-yorkaise, n'est sans doute pas unique, mais la qualité compense ici le manque d'originalité, et les repas offerts présentent un excellent rapport qualité/prix. Informez-vous des plats du jour.

College Street Bar
$$$
574 College St.
☎*533-2417*
Le chaleureux College Street Bar s'enorgueillit d'un savoureux menu méditerranéen et d'une atmosphère animée. Cet établissement branché est fréquenté par une clientèle jeune, et nombreux sont ceux qui y font un saut simplement pour prendre un verre et s'imprégner de l'ambiance.

Kensington Kitchen
$$$
124 Harbord St.
☎*961-3404*
Vous pourrez déguster ici des plats méditerranéens tels que le couscous marocain et l'agneau d'Istanbul, de même que des entrées maison telles que l'hoummos, le taboulé et le baba ganouj. La chaleureuse et confortable salle à manger est garnie de tapisseries, et une intéressante collection de modèles réduits d'avions d'une autre époque agrémente le plafond. Il s'agit d'une bonne adresse à retenir pour les belles journées d'été, car vous pourrez savourer ces spécialités sur la terrasse aménagée sur le toit.

Bloor Street et Yorkville Avenue

Flo's
$-$$
70 Yorkville Ave.
☎*961-4333*
Dans le quartier de Yorkville, vous aurez la surprise de découvrir un *diner* dans la plus pure tradition: Flo's. Comme tous les établissements de ce genre, il s'agit d'une bonne adresse pour s'offrir un hamburger. À noter qu'en été on peut s'installer sur la terrasse aménagée sur le toit.

Swiss Chalet
$$
234 Bloor St. W.
☎*944-2472*
Depuis 1954, le Swiss Chalet se spécialise dans le poulet lentement rôti et cuit à point. Ce populaire restaurant familial sert des plats de poulet variés, des côtes levées, des salades et des sautés. Les jeunes apprécieront le menu spécial pour enfants, qui comprend une boisson, un dessert et un petit cadeau.

Allen's
$$-$$$
143 Danforth Ave.
☎*463-3086*
Situé dans le Greektown, Allen's présente un menu de type pub rehaussé par la créativité de son chef qui allie les saveurs de l'Irlande et de l'Asie: calmar

Restaurants

grillé à la sauce de feu mongole, moules vapeur à la Kilkenny, agneau à la Guinness et baguette accompagnée de mayonnaise au wasabi… Son décor sobre aux accents de bois, ses tapis Guinness qui ornent les planchers et sa nombreuse clientèle en font l'une des bonnes adresses du Greektown.

Cafe Nervosa
$$-$$$
75 Yorkville Ave.
☎961-4642
La terrasse du Cafe Nervosa est un endroit de premier choix d'où observer la foule mondaine de Yorkville. L'intérieur se veut une de ces jungles modernes et branchées, tendue de tissus en faux léopard et émaillée de fer forgé. Les touristes américains et les hôtes huppés du Four Seasons Hotel voisin s'y disputent les tables d'où ils pourront «voir et être vus» tout en se gavant de chics salades, pâtes et pizzas. Concerts de jazz les jeudis et vendredis soirs.

Pappas Grill
$$-$$$
440 Danforth Ave.
☎469-9595
Une adresse populaire du Greektown-on-the-Danforth et pour cause: Pappas Grill, un chaleureux restaurant aux teintes méditerranéennes et aux larges fenêtres, vibre au son de la musique grecque. Le menu est tout aussi réconfortant que son personnel: essayez l'une des spécialités maison, dont les succulentes pizzas cuites au four adjacent à l'entrée, ou les ham-

burgers et sandwichs, à moins que ce ne soit un classique kébab…

Serra
$$-$$$
378 Bloor St. W.
☎944-9211
Ce restaurant italien, chic mais décontracté, offre une excellente sélection de plats de pâtes fraîches, de sandwichs de *focaccia* grillés et de pizzas à pâte mince cuites au four à bois. Parmi les plats principaux, on retrouve du filet de bœuf, du saumon de l'Atlantique ainsi que des suprêmes de poulets biologiques aux fines herbes.

Opus Restaurant on Prince Arthur
$$$
37 Prince Arthur Ave.
☎921-3105
Affichant un décor moderne, l'Opus propose une cuisine raffinée et moderne, mélange de recettes traditionnelles et de différentes traditions culinaires dans un style qualifié de «cuisine canadienne contemporaine». Une pièce privée peut accueillir 22 personnes, et le jardin à l'arrière abrite une terrasse. Liste des vins exceptionnelle.

Yamato
$$$
18 Bellair St.
☎927-0077
Le Yamato propose une cuisine japonaise sous un jour différent, car c'est sous vos yeux que le chef concocte les plats. Quelques classiques de la cuisine nippone sont de la fête, tels le steak *teriyaki*, les fruits de mer,

le poulet, les sushis et les tempuras aux légumes, toujours frais et bons.

Bistro 990
$$$$
990 Bay St.
☎*921-9990*

Le Bistro 990 fait sûrement partie des meilleures adresses à Toronto. Une délicieuse cuisine provinciale française et continentale vous attend ici dans un décor méditerranéen. Escargots et champignons sauce à l'ail et au vin blanc, carré d'agneau farci d'ail et de camembert, et loup de mer garni de légumes braisés ne sont que quelques-uns des délices parmi lesquels vous devrez choisir.

Boba
$$$$
90 Avenue Rd.
☎*961-2622*

Dans le décor chaleureux d'une ancienne résidence se trouve une des bonnes adresses de la ville: le Boba. Ce restaurant a acquis une solide réputation grâce à la finesse de sa cuisine et la gentillesse du service. Les spécialités de la maison sont le bœuf, l'agneau le poisson et le canard, et les desserts y sont particulièrement savoureux.

Jacques Bistro du Parc
$$$$
126-A Cumberland St.
☎*961-1893*

Il faut vraiment se donner la peine de trouver le restaurant Jacques Bistro du Parc, aussi appelé Jacques l'Omelette. Ce tout petit endroit au charme indubitable est situé à l'étage

d'une belle maison de Yorkville. Français jusqu'au bout des doigts, le propriétaire est des plus sympathiques. Il propose une cuisine simple mais de qualité, comme ce lapin frais de l'Ontario et ce carré d'agneau dijonnaise. Le saumon frais de l'Atlantique et la salade d'épinards font partie des bonnes surprises que réserve le menu.

Sassafraz
$$$$
100 Cumberland St.
☎*964-2222*

C'est comme un grand bar-bistro avec baies vitrées permettant de ne rien rater du spectacle de la rue que se présente le Sassafraz. Ici le décor est d'un ton pastel, alors que les meubles et le plancher sont tout de bois. Mais derrière, une agréable salle à manger au mobilier et à l'éclairage modernes accueille les convives à la recherche d'une atmosphère plus feutrée. Menu de cuisine fusion franco-californienne aux accents nettement italiens. Parmi les spécialités affichées, retenons le saumon en croûte au riz pourpré, l'agneau, les fruits de mer, le bar et le filet de veau.

Truffles
$$$$
Four Seasons, 21 Avenue Rd.
☎*964-0411*

Le Truffles n'est certes pas à la portée de toutes les bourses, mais, si votre budget vous le permet, vous serez tout simplement ravi car il est réputé, et non à tort, comme l'un des meilleurs restaurants de toute la ville.

Cabbagetown

Mocha Mocha
$
489 Danforth Ave.
☎778-7896
Petit bistro familial de quartier, Mocha Mocha sert des petits déjeuners, des sandwichs, des salades et des brunchs tout en proposant des vins au verre. Les convives, qui sont invités à jeter un coup d'œil sur le menu (sur l'ardoise) et à commander au comptoir, bénéficient d'un cadre chaleureux et convivial.

Peartree
$$
507 Parliament St.
☎962-8190
En passant devant le Peartree, vous ne pouvez pas imaginer ce que recèle ce sympathique petit établissement. Le secret se trouve à l'arrière où les convives découvrent une attrayante véranda jouxtée d'une coquette cour-jardin, toutes deux agrémentées de couleurs chaudes et gaies. Un petit îlot de paix en pleine ville. La carte, simple, propose des salades, des hamburgers, des sandwichs au pain complet, des pâtes et des poissons, ainsi que quelques formules pour le brunch du dimanche. Le service y est attentionné et affable.

Rashnaa
$$
307 Wellesley St. E.
☎929-2099
Le Rashnaa, un modeste petit restaurant tamoulo-sri lankais du Cabbagetown, est tout indiqué pour un long repas entre amis, surtout lorsque votre budget se fait de plus en plus limité. Son intérieur ponctué de cabines et de représentations de dieux hindous est un endroit chaleureux où flottent constamment des effluves d'encens floral et de doux airs de sitar. La plupart des plats au menu sont, somme toute, assez peu épicés, si ce n'est que les chutneys se révèlent délicieusement piquants, et la maison rend on ne peut mieux diverses spécialités sri lankaises, y compris le *masala dosa*, le *kottu roti* et les *string hoppers*. Rien de bien élaboré, mais les prix et les chutneys font qu'on y retourne volontiers.

Timothy's Tikka House
$$
556 Parliament St. (angle Wellesley)
☎964-7583
Timothy's Tikka House prépare le poulet à la façon *tandoori*, *vindaloo* et *jalfrezi*: cuit sur le gril, frit ou cuit au four. Les saveurs de l'Inde sont à votre portée avec ce pain *nan* qui fond littéralement dans la bouche et une savoureuse soupe *mulligatawny*.

Keg Mansion
$$$
515 Jarvis St.
☎964-6609
Le Keg Mansion occupe une superbe résidence de la rue Jarvis. Dans cet environnement tout à fait charmant, on sert une cuisine assez traditionnelle qui met particulièrement en ve-

dette le steak et le rôti de
bœuf.

Myth
$$$
417 Danforth Ave.
☎*461-8383*
Charmant bar-restaurant, le
Myth présente un décor élé-
gant qui plaît aux convives qui
s'y attablent. Son menu, surtout
axé sur les mets grecs, affiche
des délices méditerranéens,
avec un clin d'œil à la cuisine
marocaine (poulet à la marocai-
ne garni d'aubergines braisées,
ragoût aux noix et fruits secs,
couscous royal). Des musiciens
grecs, relayés par un DJ, s'y
produisent à compter de 23h
les vendredis et samedis. Sans
parler de sa terrasse donnant
sur la rue, très populaire par les
chaudes journées de l'été.

Pan on the Danforth
$$$
516 Danforth Ave.
☎*466-8158*
On retrouvera dans l'assiette
des convives du Pan on the
Danforth une cuisine grecque
originale et ensoleillée, classique mais imaginative, qui se
conjugue au passé et au présent. La clientèle branchée, qui
applaudit le côté inventif du
chef, apprécie néanmoins le fait
de retrouver les parfums de la
bonne cuisine grecque.

Provence
$$$$
12 Amelia St.
☎*924-9901*
Dans une superbe et lumineuse
salle à manger aux couleurs
gaies et au carrelage typique

noir et blanc, le Provence apporte les saveurs de France
avec un menu saisonnier des
plus raffinés. Comme entrée, le
chef propose notamment une
originale soupe froide aux pommes et à la menthe, alors que,
pour la suite, la pastilla au homard et le confit de foie de
veau se démarquent assurément. Les serveurs, tirés à
quatre épingles, offrent un service professionnel digne d'un
établissement de grande classe.

The Annex

Future Bakery and Cafe
$
483 Bloor St. W.
☎*922-5875*
À la fois café, boulangerie et
cafétéria servant des repas
chauds, Future Bakery and Cafe
constitue un endroit apprécié
par une clientèle plutôt jeune et
branchée. Les concepteurs de
l'établissement ont su exploiter
le grand espace en y aménageant différents commerces
dans chaque coin. Ainsi le client
peut-il simplement y acheter
son pain ou prendre un café
sans avoir à faire la file derrière
les clients qui commandent un
plat chaud. Par ailleurs, le cadre
est agréable et dégagé avec son
plafond haut, son mobilier en
bois et ses peintures murales.

Country Style
$$
450 Bloor St. W.
☎*536-5966*
Petit restaurant de quartier sans
prétention, le Country Style est

Restaurants

le dernier bastion de cuisine est-européenne de The Annex. Ses nappes à carreaux, sa cuisine familiale aux effluves hongrois (ragoûts, goulash, rouleaux au chou) et la bonne humeur de son personnel attirent une clientèle d'habitués du quartier.

Nataraj Indian Restaurant
$$
394 Bloor St. W.
☎*928-2925*
Le Nataraj est un restaurant indien type au décor clairsemé et propre, baigné d'un éclairage trop vif. La cuisine, entièrement composée de spécialités du nord de l'Inde, s'avère très bonne, mais le service est un peu lent. Notez que les pains cuits au four tandouri s'approchent ici de la perfection.

Sushi on Bloor
$$
515 Bloor St. W.
☎*516-3456*
Le Sushi on Bloor est une adresse fort populaire. Attablée dans une pièce longue et étroite, la clientèle plutôt animée profite de petits prix et d'une atmosphère à l'opposé du chic et branché. Cela dit, les sushis et autres spécialités nippones ne manquent ici ni de classe ni de saveur! Populaire auprès des résidants du quartier, des passants et des Japonais.

By the Way Cafe
$$$
400 Bloor St. W.
☎*967-4295*
Petit restaurant intime et chaleureux en plein cœur de The Annex orné d'une immense peinture murale intérieure, le By the Way Cafe propose plusieurs plats du jour, un pour chacune des catégories de viandes ou de poissons disponibles dans ses cuisines. Le tout est apprêté à la française avec accents méditerranéens. Grande terrasse populaire, surtout pour le repas du midi et les brunchs.

Dooney's
$$$
511 Bloor St. W.
☎*536-3293*
Il fait bon s'arrêter au Dooney's pour prendre un thé ou un café, ou encore s'y attabler pour un repas. Son menu aux accents de bistro français compte également quelques choix de pâtes et de pizzas. Pendant la belle saison, la clientèle peut profiter d'une terrasse extérieure pour observer les activités qui ont cours dans The Annex.

Korea House
$$$
666 Bloor St. W.
☎*536-8666*
Vous trouverez un certain nombre de supermarchés et restaurants coréens sur Bloor à l'ouest de Bathurst. Le Korea House présente un agréable décor de bois et de stuc. Les dîners sont composés entre autres de riz ou de nouilles agrémentés de viandes ou de fruits de mer variés, sans oublier un assortiment de plats de légumes et de marinades. À ne pas confondre avec le gastronomique Korean Grill House.

Le Paradis

$$$

166 Bedford Rd.

☎*921-0995*

Le Paradis, un petit bistro, propose une cuisine française authentique à des prix tout à fait abordables. On se spécialise ici dans les plats en cocotte (agneau, canard et lapin) et dans les poissons. Le décor est simple, et le service réservé, mais sa délicieuse cuisine, comme en témoigne sa clientèle dévouée, en fait un restaurant à ne pas manquer.

Rosedale, Forest Hill et le nord de Toronto

Five Doors North

$$$

2088 Yonge St.

☎*480-6234*

Le Five Doors North, situé sur Yonge au sud d'Eglinton, ne se laisse pas facilement dénicher, mais s'impose comme une véritable trouvaille. Il n'a pas d'enseigne, mais vous pouvez tout de même le repérer grâce à la banderole de Future Furniture, le magasin sous lequel il a pignon sur rue. À l'intérieur, un étroit couloir donne accès à une grande arrière-salle animée et dépourvue de fenêtres, de sorte qu'y flottent en permanence des effluves capiteux provenant de la cuisine à aire ouverte. Le menu gravite autour d'un repas de quatre servi

ces composé de ce qu'on pourrait qualifier de tapas italiens, avec un choix d'*antipasto*, de pâtes, de viande ou de poisson, le tout garni de légumes; mais sachez, d'entrée de jeu, qu'à moins d'avoir un appétit d'ogre, vous aurez du mal à vous rendre au bout du repas. La nourriture et le service sont l'une comme l'autre excellents.

Millie's Bistro

$$$

1980 Avenue Rd.

☎*481-1247*

Avec sa vaste carte où se retrouvent des mets espagnols, italiens, marocains et provençaux, le restaurant méditerranéen qu'est le Millie's Bistro peut assouvir la faim de tout un chacun. Une grande variété de tapas, des assiettes végétariennes et d'autres plats préparés à partir de produits bio, sans oublier le faux-filet et le steak de thon, y sont offerts, de même qu'un menu pour enfants.

North 44

$$$-$$$$

2537 Yonge St.

☎*487-4897*

Le North 44 compte parmi les restos en vogue chez les Torontois branchés. On ne s'y rend toutefois pas seulement pour être vu, car la cuisine y est exquise. Le chef s'inspire de traditions culinaires multiples pour créer un menu résolument novateur.

Auberge du Pommier
$$$$
4150 Yonge St.
☎222-2220

Si vous avez envie de passer une soirée mémorable, l'Auberge du Pommier est l'endroit tout désigné, d'abord parce que vous profiterez d'une atmosphère élégante et feutrée, ensuite parce que vous savourerez une cuisine française des plus raffinées, le menu affichant des spécialités telles que le foie gras. Ce repas pourra en outre être délicieusement arrosé des plus grands crus, la carte des vins s'avérant très élaborée.

Filli po's
$$$$
744 St. Clair Ave. W.
☎658-0568

Fillipo's sert une pizza gastronomique et des pâtes de style méditerranéen. Vous pourrez y apprécier une atmosphère agréable et chic tout en dégustant un excellent repas.

L'est de Toronto

Les deux grands pôles de restauration de l'extrémité est de la ville sont ceux de The Beaches ("The Beach" pour les gens d'ici), aux trottoirs bondés de piétons, et de The Danforth (mieux connu sous le nom de "The Greektown"), dont les spécialités culinaires se sont grandement élargies au fil des ans pour intégrer un éventail de cuisines on ne peut plus variées. Enfin, la Petite Inde, immédiatement au nord des « plages» sur la rue Gerrard entre Coxwell et Greenwood, se veut un quartier unique imprégné de tout le caractère de la New Delhi et jalonné de restaurants voués à une authentique cuisine indienne.

The Beaches

Sunset Grill
$
2006 Queen St. E.
☎690-9985

Envie d'un copieux petit déjeuner traditionnel comme à la ferme? Le Sunset Grill propose tout au long de la journée œufs frits, bacon, saucisses et frites maison. Le pain doré (pain perdu) et les omelettes sont excellents. Hamburgers et sandwichs complètent le menu. On doit s'attendre à y faire la queue avant de s'offrir le fameux brunch du dimanche. Le restaurant est ouvert de 7h à 16h en semaine et de 7h à 17h les fins de semaine.

Whitlock's
$$
1961 Queen St. E.
☎691-8784
Le Whitlock's est une tradition depuis longtemps à la «plage». Situé dans un vieil édifice, ce charmant petit restaurant baigne dans une atmosphère sans prétention. On y sert de tout: pâtes, steaks, sandwichs et sautés aux accents asiatiques.

Yumei Sushi
$$
2116-F Queen St. E.
☎698-7705
Avec ses excellents sushis et sashimis, son choix de tempuras et de plats au teriyaki, Yumei Sushi comble les amateurs de cuisine nippone. Le cadre du petit restaurant apparaît fort sympathique, et ses cubicules cloisonnés à la japonaise lui donnent un cachet qui mérite d'être souligné.

Quigley's
$$$
2232 Queen St. E.
☎699-9998
De l'extérieur, le Quigley's peut facilement ressembler à un simple pub, si ce n'est qu'au-delà du bar et de ses bières pression vous attend une confortable salle à manger. On y sert de la nourriture de pub aux saveurs du monde, des pâtes au Pad Thai, et il s'agit à n'en point douter d'un endroit détendu où il fait bon manger, tout juste à l'est du brouhaha de l'artère principale de The Beaches.

Spiaggia Trattoria
$$$
2318 Queen St. E.
☎699-4656
The Beach constitue un endroit merveilleux où observer les passants depuis la terrasse d'un café, comme celle de la Spiaggia Trattoria. Avec son joyeux mélange de clientèles, toutes les conditions sont réunies pour faire de la Spiaggia Trattoria l'avant-scène par excellence de la «faune urbaine». Tous les ingrédients exotiques auxquels on s'attend d'une trattoria sont présents au menu, depuis les fines herbes fraîches au Asiago jusqu'aux tomates séchées.

The Danforth

Bibiche Bistro
$$
1352 Danforth Ave.
☎463-9494
Parce que le propriétaire du Bibiche Bistro est on ne peut plus gentil, on en arrive à oublier son décor des plus quelconques. Qu'à cela ne tienne, se dit-on en savourant son repas, et surtout les fabuleux desserts.

La Carreta Cuban Tapas Bar
$$-$$$
469 Danforth Ave.
☎461-7718
Une enseigne jaune vif encadrée d'ampoules clignotantes se dresse au-dessus de la porte de La Carreta, ce qui lui donne davantage des airs de bar de karaoké que de restaurant de

Restaurants

tapas cubain. Décor intérieur rutilant et moderne entre des murs texturisés de couleur menthe, rehaussé d'un long bar de verre et d'acajou, des lampes aux abat-jour de verre teinté bleu ainsi que des tables peintes à la main. Un vaste assortiment de tapas végétariens, à la viande ou aux fruits de mer offre ici de nombreuses possibilités aux indécis.

Christina's Ristorante
$$$
492 Danforth Ave.
☎ 463-4418
Le Christina's Ristorante s'impose vraisemblablement comme le plus réputé des petits restaurants grecs branchés de The Danforth. Sa réputation, il la doit entre autres à son «mur de la renommée», qui présente des douzaines de photos encadrées rendant hommage à d'illustres clients de la maison, de Tom Hanks à Alanis Morissette. On y propose un menu grec complet

jusqu'à 4h du matin les fins de semaine, agrémenté de musique grecque en direct et de spectacles de danse du ventre.

Silk Road Cafe
$$$
341 Danforth Ave.
☎ 463-8660
Le Silk Road Cafe transportera votre imaginaire sur cette voie commerciale historique qu'est la route de la soie. Il s'agit d'un voyage culinaire passant par le Tibet, l'Inde, la Thaïlande et la Chine, le tout dans une ambiance exotique.

Ouzeri
$$$-$$$$
500-A Danforth Ave.
☎ 778-0500
L'Ouzeri, bruyant et bondé mais qui propose un excellent menu, est un des cafés-restaurants typiques du quartier de The Danforth. Les ingrédients les plus frais se retrouvent dans les plats grecs raffinés, incluant plusieurs plats végétariens.

Sorties

Qu'il s'agisse d'activités culturelles, d'importants festivals, de hockey, de baseball ou de basket-ball professionnel, voire de course automobile, Toronto en a pour tous les goûts, et à tout moment de l'année.

La culture rave et ses *after-hours*, qui s'adressent principalement à une très jeune clientèle, font même en sorte que certains établissements bougent toute la nuit. Il ne faudrait pas non plus négliger les vibrantes scènes alternatives de Toronto, qui n'ont cessé d'intensifier leurs activités au cours des dernières années. N'importe quel soir de la semaine, vous aurez par ailleurs l'occasion d'assister à une foule de concerts dans les nombreux bars et boîtes réputés de la ville, où se produisent aussi bien de grands noms du spectacle que des vedettes montantes de la région. Sur les artères animées telles Queen Street West, College Street (dans la Petite Italie) et Bloor Street (dans The Annex), il se passe toujours quelque chose, et il vous suffira souvent de les

arpenter pour découvrir le bonheur d'un divertissement inattendu.

L'épanouissement de l'industrie théâtrale locale a également eu d'énormes répercussions sur la vie nocturne torontoise, tant et si bien que la Ville reine se classe aujourd'hui au troisième rang des villes théâtrales du monde d'expression anglaise, derrière New York et Londres. Enfin, l'été donne lieu à la tenue de toutes sortes de festivals célébrant aussi bien le jazz que la musique des Caraïbes.

Bars et discothèques

Le Waterfront

The Docks
11 Polson
☎461-3625
The Docks se présente comme un complexe de divertissement rénové à l'est du centre-ville, non loin de Cherry Beach. Sa terrasse, qui couvre plus de 3 700 m² et s'étend jusqu'au-dessus des eaux du lac Ontario, dispose de tables de billard extérieures et d'installations de plaisance. Des disques-jockeys s'y produisent les fins de semaine et lors d'événements spéciaux dans trois boîtes de nuit différentes.

The Guvernment
132 Queen's Quay E.
☎869-0045
The Guvernment est un gigantesque entrepôt converti en boîte de nuit dans les années 1980, et il s'agit depuis lors d'un des établissements les plus cool de la métropole canadienne.

Du jeudi au samedi, de dynamiques DJ y font entendre de la house et de la dance. The Guvernment est la salle principale d'un complexe branché qui en compte sept, en plus de deux terrasses extérieures. Les salles ayant chacune leur DJ proposent des atmosphères différentes: on retrouve dans la salle The Drink le tout Toronto, dans la Tanja une décoration aux accents marocains, tandis qu'on présente dans la Kool Haus des raves et des spectacles de groupes bien connus.

Loose Moose
220 Adelaide St. W.
☎971-5252
Loose Moose sert une nourriture typique de celle qu'on trouve normalement dans les pubs, y compris des hamburgers et des ailes de poulet, mais on le recommande surtout pour la drague! Une petite piste de danse s'anime au rythme des 40 plus grands succès du palmarès.

Quartier des affaires et du spectacle

Bien que certains bars présentés dans cette section s'étendent quelque peu plus à l'ouest que les limites officielles du quartier des affaires et du spectacle, il n'en demeure pas moins que leur concentration contribue à faire de ce secteur central de Toronto l'un des plus vibrants de la ville. Plutôt branché, quelquefois carrément jet-set et prétentieux, avec des boîtes de nuit populaires et abondamment fréquentées les fins de semaine, le quartier des affaires et du spectacle renferme toutefois des petits pubs sympas et des bars bohèmes sans prétention.

The 606
606 King St. W.
☎504-8740
Une foule branchée de journalistes, d'acteurs et de gens de cinéma se retrouve à The 606, qui réunit tout ensemble un restaurant, un bar et un salon, pour siroter des martinis tout en écoutant de l'acid jazz, du rhythm-and-blues et du funk présentés par des disques-jockeys.

Afterlife
250 Adelaide St. W.
☎593-6126
Plusieurs disques-jockeys animent les différents étages de l'Afterlife au fil des soirs de la semaine et témoignent d'une incroyable diversité, couvrant l'éventail de la musique de danse à la house en passant par le rétro, les courants électroniques et les classiques de la musique alternative.

C'est What?
67 Front St. E.
☎867-9499
C'est What?, un sympathique pub joliment aménagé dans le sous-sol d'un vieux bâtiment, présente régulièrement des spectacles de blues, de jazz, de funk ou de rock. On y propose une bonne sélection de bières et de scotchs.

Crocodile Rock
240 Adelaide St. W.
☎599-9751
Cette boîte décontractée et sans prétention est parfaite si vous voulez danser sur les grands succès du palmarès, de la musique disco aux tubes des années 1980, en passant par le rock. Les tables de billard et la terrasse sur le toit vous feront aussi passer d'agréables moments.

The Devil's Martini
476 Adelaide St. W.
☎603-9300
Il n'est guère difficile de deviner quelle est la boisson de prédilection des clients de The Devil's Martini, qui possède une terrasse et trois tables de billard.

Easy
225 Richmond St. W.
☎979-3000
L'Easy s'adresse à une clientèle sophistiquée, avec ses différents bars offrant une gamme étendu de vins, champagnes, scotchs et cognacs. On y retrouve également un bar à cigares et du jazz en direct.

Elephant & Castle
212 King St. W.
☎598-4455
Face au Roy Thomson Hall, le pub Elephant & Castle présente un aménagement chaleureux où dominent les boiseries typiques des pubs anglais.

Sorties

Fairmont Royal York
100 Front St. W.
☎368-2511

Si vous n'avez pas la chance de loger au Fairmont Royal York, mais que vous soyez sensible à l'élégance de l'établissement, allez prendre un verre à l'un de ses bars. Tant le Lobby Bar que le Library Bar donnent un avant-goût du charme classique de cet hôtel érigé au début du siècle dernier. Les lieux conviennent bien pour relaxer quelque peu avant de prendre le train à la gare en face.

Fez Batik
129 Peter St.
☎204-9660

Fez Batik est un restaurant marocain doublé d'une salle de bar et pourvu d'une fabuleuse terrasse extérieure. La salle de bar, richement garnie de canapés rehaussés de coussins marocains hauts en couleur, se trouve à l'étage supérieur et s'emplit de musique soul, de groove et de drum-and-bass présentés par des disques-jockeys. dès lors qu'avance la soirée.

Fluid Lounge
217 Richmond St. W.
☎593-6116

Le Fluid Lounge est une boîte de nuit en sous-sol qui en met plein la vue avec ses aires de détente garnies de nombreux canapés à motifs animaliers des années 1970 et ses disques-jockeys férus de sons éclectiques allant du disco au rhythm-and-blues, en passant par les succès d'autrefois. Les soirées hip-hop attirent toujours une foule très nombreuse et animée.

Helium
473 Adelaide St. W.
☎603-9300

Le Helium est une des plus récentes boîtes de nuit chics de Toronto, campée dans un entrepôt de près de 1 000 m^2 où l'on brûle les planches sur des airs de danse commerciaux diffusés par des disques-jockeys.

Horizons Bar
301 Front St. W., CN Tower
☎601-4719

Au sommet de la tour du CN, le Horizons Bar se targue avec raison d'être le bar le plus élevé du monde. On y sert des repas légers en soirée.

Joe
250 Richmond St. W.
☎971-6563

S'adressant à une clientèle plutôt jeune, Joe lui offre quatre étages de plaisir. Et il fait jouer de la musique qui lui est dévolue: de la house avec DJ aux platines, les grands classiques rétro et de l'alternatif. Les boissons se vendent à un prix raisonnable, et le code vestimentaire n'exige rien d'autre qu'une tenue décontractée.

Joker
318 Richmond St. W.
☎598-1313

Le Joker compte parmi les grands établissements (quatre étages) les plus courus du quartier des affaires et du spectacle. Des tables de billard vous attendent au sous-sol, tandis que d'éminents disques-jockeys locaux font jouer du rhythm-and-blues, de vieux succès et de la house progressive au rez-de-chaussée et au premier. Quant à la terrasse aménagée sur le toit, elle accueille 200 personnes et offre, à travers une verrière, une vue aérienne sur la piste de danse du second étage.

My Apartment
81 Peter St.
☎348-9884
My Apartment est une boîte branchée et populaire dont le centre névralgique est un bar de forme rectangulaire. La musique, forte dès le début de la soirée, ne semble pas gêner la clientèle de jeunes profes-sionnels dans la trentaine bien fringuée qui emplit les lieux. Terrasse à l'arrière.

N'Awlins
299 King St. W.
☎595-1958
Le N'Awlins est un élégant restaurant doté d'un bar en arrière-salle où se produisent tous les soirs d'excellents musi-ciens de jazz et de rhythm-andblues.

Peel Pub
276 King St. W.
☎977-0003
Le Peel Pub se veut l'incar-nation torontoise de l'infâme rendez-vous universitaire de la rue Peel de Montréal. Ni plus ni moins qu'un bar-pub comme tant d'autres, il attire des foules nombreuses les fins de se-maine.

Reservoir Lounge
52 Wellington E.
☎955-0887
La popularité de ce bar de jazz qui ressemble à un piano-bar des années 1950 attire une clientèle tant locale qu'interna-tionale. On y propose chaque soir un «après-office» fort cou-ru, comme le sont d'ailleurs ses spectacles de swing, de blues et de jazz.

Room 471
471 Richmond St.W.
☎703-6239
Le chic mais confortable bar-salon à martinis qu'est le Room 471 fait jouer de l'acid jazz et de la house variée. C'est l'une des bonnes boîtes en ville pour se dégourdir et s'amuser.

Shmooze
15 Mercer St.
☎341-8777
Situé dans un ancien bâtiment en brique, le prestigieux Shmooze fait courir les foules. Sous ses hauts plafonds où sont suspendus des candélabres peuvent s'amuser jusqu'à 900 personnes triées sur le volet. Sa clientèle sophistiquée va d'abord y prendre un repas, avant de s'élancer sur des pistes de danse animées par des DJ. On fait la queue dès 18h30 les fins de semaine pour se joindre à la fête: avis aux intéressés...

Smokeless Joe
125 John St.
☎591-2221
Il est tout petit, le Smokeless Joe, mais il ravira les amateurs

Sorties

de bières importées. Il propose effectivement une impressionnante sélection de bières de Belgique, d'Angleterre, d'Allemagne et d'Europe de l'Est. Vous y trouverez même une bière de Trinidad-Tobago et une autre du Kenya!

This is London
364 Richmond St. W.
☎351-1100
Chic bar-discothèque réservé aux jeunes professionnels à l'aise, This is London présente un décor inspiré et stylisé avec ses planchers en bois et ses canapés en cuir. Le disquejockey fait jouer un bon choix de musique allant des derniers succès au disco, en passant par le soul et le rhythm-and-blues.

Tonic
117 Peter St., entrée sur Richmond
☎204-9200
Le Tonic est une boîte populaire qui s'anime avec la musique des DJ. Code vestimentaire et cerbères de service à l'entrée.

Top O' the Senator
253 Victoria St.
☎364-7517
Top O' the Senator, une boîte de jazz ayant ouvert ses portes à la fin des années 1920, est l'une des grandes institutions de la Ville reine. On y reçoit régulièrement des vedettes internationales du jazz. Pour profiter d'une ambiance plus paisible et pour fumer un bon cigare, on se rend au Victory Lounge, dans le même bâtiment.

Old Town of York

Montreal Bistro-Jazz Club
65 Sherbourne St.
☎363-0179
Le Montreal Bistro-Jazz Club compte parmi les meilleures boîtes de jazz à Toronto. Des vedettes locales et internationales s'y produisent régulièrement.

Queen Street West

Sur Queen Street West se côtoient des bars alternatifs, dont plusieurs institutions de la scène alternative torontoise, et des clubs branchés. Les fins de semaine, cette rue est particulièrement animée; on y dîne puis on y passe ensuite la soirée et une bonne partie de la nuit, devant un verre, un bon spectacle de musique ou sur une piste de danse!

The 360
326 Queen St. W.
☎593-0840
The 360 propose de la bière pression et de la musique sur scène en arrière-salle. Sa terrasse dénudée manque sans doute de charme, mais ne s'en prête pas moins à l'observation privilégiée de la foule de Queen Street West.

The Bishop and The Belcher
361 Queen St. W.
☎591-2352
The Bishop and The Belcher est un traditionnel pub à l'an-

glaise où l'on offre un choix de
16 bières pression.

Black Bull Tavern
298 Queen St. W.
☎ *593-2766*
La Black Bull Tavern possède la
plus belle terrasse de la rue
Queen, soit un immense espace aménagé sur un des côtés
du bâtiment à proximité de la
rue Soho. Jadis surtout fréquentée par des motards qui se
plaisaient à aligner leur Harley
le long du trottoir, la «Bull»
accueille aujourd'hui tous les
passants en quête d'une bonne
bière fraîche sous le soleil.

The Bovine Sex Club
542 Queen St. W.
☎ *504-4239*
Son seul nom suffit sans doute à
en attirer certains et à en repousser d'autres. Il s'agit du
Bovine Sex Club, que n'indique
aucune enseigne mais que vous
pouvez difficilement manquer,
compte tenu de l'enchevêtre-
ment de roues de bicyclettes
recyclées et d'acier tordu qui
orne sa façade. Foule «alternative» et musique sur scène la
dernière semaine de chaque
mois.

The Cameron
408 Queen St. W.
☎ *703-0811*
Repérez la murale psychédé-
lique qui orne le mur extérieur
du Cameron, un des derniers
bastions de Queen Street
West. Jeunes et habitués de
longue date se retrouvent ici
pour écouter de l'acid jazz, de
la house music ou encore pour

voir des noms bien connus de
la scène musicale locale.

The Drake Hotel
1150 Queen St. W.
☎ *531-5042*
La clientèle de tout âge et de
tous styles confondus a visiblement un plaisir fou au Drake!
Elle est bruyante, éclectique
comme sa décoration, et elle
s'amuse ferme sous la musique
de DJ qui alternent rock, jazz et
blues. L'établissement fait certainement honneur à l'ambiance hip teintée de bohème-
branché de Queen Street
West. Le Drake Hotel offre un
nouveau concept qui fait courir
les foules. Comme en témoigne d'ailleurs la file de gens qui
trépignent sur le trottoir les fins
de semaine en attendant d'y
entrer...

Gypsy Co-Op
815 Queen St. W.
☎ *703-5069*
La Gypsy Co-Op accueille tous
les soirs des disques-jockeys se
consacrant au funk dans son bar
aménagé en arrière-salle, de
même que des groupes de
musique. Son "General Store"
propose un assortiment complet de friandises à l'ancienne.

The Horseshoe Tavern
370 Queen St. W.
☎ *598-4753*
The Horseshoe Tavern est une
institution de longue date de
Queen Street West. Taverne
en devanture, musique rock et
indépendante sur scène en
arrière-salle.

Sorties

Left Bank
567 Queen St. W.
☎ *504-1626*
Ce bar de style «Renaissance parisienne» se réserve une foule âgée de 25 ans et plus. Le DJ crée au Left Bank une ambiance relaxe mais rythmée, et la salle de billard de l'établissement s'entoure de cheminées et de canapés.

Raq' n' Waq
739 Queen St. W.
☎ *504-9120*
Le Raq' n' Waq fait jouer du rock commercial, de la musique latine et du rythm-and-blues dans ce qui se veut d'abord et avant tout une salle de billard distinguée, pourvue de 13 tables.

Reverb/Big Bop/Holy Joe's
651 Queen St. W.
☎ *504-6699*
Reverb/Big Bop/Holy Joe's propose de la musique sur scène en tout genre sur trois étages la plupart des soirs de la semaine.

Rex Hotel Jazz Bar & Grill
194 Queen St. W.
☎ *598-2475*
Le Rex Hotel Jazz Bar & Grill s'imprègne d'une atmosphère de pub décontractée et présente tous les soirs des concerts de jazz ou de blues.

The Rivoli
332 Queen St. W.
☎ *596-1908*
The Rivoli est un des établissements les plus branchés du secteur, pourvu d'un bar intime, d'une petite terrasse extérieure en plein cœur de la scène alternative de Queen Street West, d'un restaurant de cuisine fusion asiatique et d'une arrière-salle offrant de la musique alternative en direct ou des spectacles d'humour.

Savage Garden
550 Queen St. W.
☎ *504-2178*
Le Savage Garden est «goth» sur toute la ligne, et à toute heure. Musique industrielle, rétro, goth et électronique.

Velvet Underground
508 Queen St. W.
☎ *504-6688*
C'est entre les murs du Velvet Underground que fut lancée la carrière de la chanteuse canadienne Alanis Morrissette. On y retrouve une clientèle variée qui danse au rythme de la musique alternative, ou qui discute simplement. Pour ceux qui désirent éviter les clubs bruyants.

College Street/ Queen's Park et l'université de Toronto

La portion de College Street qui s'étend à l'ouest de Bathurst a su conserver toute la saveur méditerranéenne de la Petite Italie, et vous y retrouverez des terrasses de café à profusion où l'on sert *gelato* et cappuccino, de même que des trattorias

Dominé par les bâtiments en hauteur du Toronto moderne, le Gooderham Building est remarquable par son architecture de château. *Patrick Escudero*

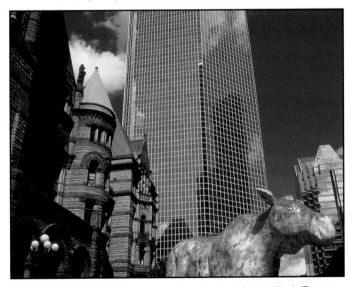

Un «orignal en liberté» monte la garde devant l'ancien hôtel de ville de Toronto, que surplombe une tour de verre et d'acier. - *Patrick Escudero*

À Niagara-on-the-Lake, l'été permet de vivre au rythme des calèches qui emmènent les visiteurs dans leur tour de ville. *Patrick Escudero*

L'ancien hôtel de ville de Toronto s'élève fièrement au beau milieu des gratte-ciel qui ombragent en partie sa façade pendant la journée. *- Patrick Escudero*

ouvertes tard le soir. Cela dit, ce secteur a également été adopté par une foule branchée de jeunes étudiants et musiciens qui passent leurs soirées dans les nombreux bars du quartier.

Bar Italia
582 College St.
☎*535-3621*
Le Bar Italia est un petit restaurant italien qui se transforme en bar chic le soir venu. Des disques-jockeys y animent la foule toute la semaine, tandis que des musiciens montent sur scène le samedi.

The Chelsea Room
923 Dundas St. W.
☎*364-0553*
Situé dans un quartier résidentiel dont les trottoirs ne sont pas envahis par la foule les fins de semaine, le Chelsea Room rompt avec le chic, le branché et l'underground traditionnel. Sobre bar à la déco épurée, mais qui a de la gueule, sombre à souhait, il fait partie de ces bars de Dundas Street West qui affirment leur différence, tout comme sa clientèle éclectique, d'ailleurs, composée de jeunes professionnels, d'artistes et d'étudiants qui viennent simplement discuter, ou encore danser sous les rythmes soul, funk ou house du DJ.

College Street Bar
574 College St.
☎*533-2417*
Le College Street Bar constitue l'un des rendez-vous des étudiants de l'université de Toronto.

The Comfort Zone
480 Spadina Ave.
☎*763-9139*
On voue à "The Zone" un véritable culte religieux. Et pour cause: lors de ses Devine Sundays, la fête commence à 6h du matin et se poursuit pendant 24 heures au cours desquelles les DJ se succèdent devant une foule plutôt jeune. Les autres matins, ou après-midi, on y présente des DJ ou groupes locaux. Idéal comme «après-après-office», pour commencer ou continuer la fête à des heures incongrues.

El Covento Rico
750 College St.
☎*588-7800*
El Covento Rico est un bar chaud où l'on danse sur des rythmes latins. Musiques dance, disco et latine. On y donne même gratuitement des cours de danses latines.

El Mocambo
462 Spadina Ave.
☎*777-1777*
Depuis que les Rolling Stones y ont joué dans les années 1960, El Mocambo est demeuré l'un des rendez-vous les plus légendaires de la scène musicale torontoise.

Free Times Cafe
320 College St.
☎*967-1078*
Le Free Times Cafe se veut un endroit intime où l'on peut entendre, en arrière-salle, de la musique acoustique et folk en direct tous les soirs de la semaine.

Sorties

Fuse Room
418 College St.W.
☎ **920-5937**
Le Fuse Room, un endroit surprenant et ô combien réconfortant, a pignon sur la très branchée College Street. Petit bar aux allures de café présentant des expositions d'œuvres d'artistes locaux sur ses murs d'un bleu vibrant, il propose un calendrier d'activités fort variées. Des soirées animées par des DJ aux lectures de poésie, en passant par les spectacles de musique, il demeure simple et fort attachant. Clientèle d'habitués et de résidants du quartier.

Lava Lounge & Restaurant
507 College St.
☎ **966-5282**
Le Lava Lounge & Restaurant présente un décor suave des années 1970 et attire une clientèle branchée qui tantôt flâne nonchalamment, tantôt se trémousse sur des mélodies en direct ou présentées par des disques-jockeys.

The Midtown
552 College St.
☎ **920-4533**
The Midtown est un rendez-vous incontournable de la jeunesse estudiantine de College Street où l'on prend volontiers un verre entre amis. Bière pression, pur malt et trois tables de billard.

Oasis
294 College St.
☎ **975-0845**
L'Oasis est un bar terre à terre et sans cérémonie où l'on se gave de tapas. Musiciens sur scène, disques-jockeys et spectacles d'humoristes.

Orbit Room
580-A College St.
☎ **535-0613**
L'Orbit Room est un grand favori pour voir certaines des meilleures formations de rhythm-and-blues de la ville.

The Silver Dollar Room
486 Spadina Ave.
☎ **975-0909**
The Silver Dollar Room, boîte dans la plus pure tradition de Chicago, présente des spectacles de blues locaux et internationaux.

Sneaky Dee's
431 College St.
☎ **603-3090**
Le Sneaky Dee's est un petit bar Tex-Mex où la foule *grunge* locale s'attarde devant une bière pression tout en jouant au flipper ou au billard sur fond de musique alternative. Des groupes de musique animent le tout.

Souz Dal
636 College St.
☎ **537-1883**
Le Souz Dal donne la vedette à l'acid jazz, aux rythmes du monde et aux martinis, qu'on sirote à la chandelle.

Sutra
612 College St.
☎ **537-8755**
Comme son nom l'indique, le Sutra est chaud et exotique. Officiellement, il s'agit d'un Tiki Bar: le bambou est omnipré-

sent, les statues Tiki également, et le menu propose une grande variété de cocktails, du *piña colada* au *mojito*, en passant par les «martikis». Comme la plupart des bars de College Street, le Sutra est un bar pour «voir et être vu»... mais avec une atmosphère qui a un je-ne-sais-quoi de plus relax.

The Annex

Brunswick House
481 Bloor St. W.
☎964-2242
Le rendez-vous étudiant le plus populaire de Toronto n'est autre que la Brunswick House. Écrans de télévision géants, jeu de palets, tables de billard et bières bon marché, sans oublier un personnage local surnommé *Rockin' Irene*.

Dooney's
511 Bloor St. W.
☎536-3293
Le soir venu, le charme tranquille du Dooney's, en plus de sa musique du monde et de sa terrasse, attire une foule composée d'étudiants en quête d'un endroit pour discuter et refaire le monde ou bien pour préparer le prochain travail tout en sirotant une bière. Sans prétention, juste parfait.

Insomnia
563 Bloor St. W.
☎588-3907
Bar-restaurant branché, l'Insomnia accueille sa jeune clientèle dans un cadre léché et dépouillé. Un disque-jockey anime les soirées.

James Joyce Irish Pub
386 Bloor St. W.
☎324-9400
Le nom du James Joyce Irish Pub dit tout: bières pression importées, musique irlandaise traditionnelle sur scène, atmosphère animée et tables de billard.

Lee's Palace
529 Bloor St. W.
☎532-1598
Le Lee's Palace se distingue par sa façade colorée, ornée de personnages de dessins animés. C'est ici que se sont produits Nirvana et Oasis avant d'être connus, et l'on y vient nombreux en quête de bons spectacles de musique rock et alternative ou pour découvrir de nouveaux talents. La Dance Cave à l'étage supérieur accueille des DJ.

Madison Avenue Pub
14 Madison Ave.
☎927-1722
Avec ses quatre étages et ses quatre terrasses, ce pub de style anglais est l'un des établissements les plus courus en ville – on y voit surtout des étudiants, anciens ou nouveaux, de l'université de Toronto. Le piano-bar du Madison Avenue Pub et la salle de billard, avec ses 10 tables, sont également pris d'assaut par la gent estudiantine.

Sorties

Panorama

55 Bloor St. W., 51e étage
☎967-5225

Tout juste à l'est de l'artère principale de The Annex, le Panorama a élu domicile au sommet du Manulife Centre. Les boissons et les cocktails y sont coûteux, quoique la vue soit spectaculaire. Code vestimentaire de rigueur. La terrasse est ouverte tout l'été.

Pauper's Pub

539 Bloor St. W.
☎530-1331

Situé dans une ancienne banque, le Pauper's Pub accueille une clientèle variée dans une atmosphère détendue et tranquille. Il dispose d'une terrasse avec une belle vue panoramique sur le toit.

Niagara-on-the-Lake

The Oban

160 Front Str.
☎(905) 468-2165

The Oban est l'endroit par excellence en ville pour prendre un verre entre amis, ou même seul, confortablement assis dans un fauteuil au bord de la cheminée.

Bars et discothèques gays

5ive

droit d'entrée
5 St Joseph St.
☎964-8685

Bar-discothèque à la mode, 5ive propose des soirées animées par un disque-jockey.

Black Eagle

457 Church St.
☎413-1219

Le Black Eagle est un bar de rencontre pour hommes vêtus de cuir. Table de billard, projections vidéo et accessoires de donjon.

Byzantium

499 Church St.
☎922-3859

Le Byzantium se veut un chic salon de martini doublé d'un bar de quartier. La carte des martinis en est une des plus complètes de la ville.

Ciao Edie

489 College St.
☎927-7774

Le Ciao Edie revêt l'allure d'un bar à cocktail des années 1970 en plein secteur branché de College Street. Soirée lesbienne le dimanche, au son d'excellents enregistrements de soul et de drum-and-bass présentés par des disques-jockeys; les hommes et la clientèle hétéro sont également les bienvenus. Cet événement, qui contraste avec ceux des établissements de Church Street, attire des lesbiennes tatouées, fantaisistes ou imbues de prétentions artistiques qu'on ne voit normalement pas dans ces parages. Les martinis sont fabuleux, mais la musique devient franchement assourdissante après 23h.

Crews
508 Church St.
Tango
510 Church St.
☎*972-1662*
Crews et Tango sont deux bars aménagés à l'intérieur d'une belle et vieille maison victorienne. Vous y trouverez de tout, allant du karaoké au billard, en passant par les spectacles d'humour et de travestis. Le Tango, un bar intime garni de fauteuils posés sous une fenêtre en rotonde, s'adresse principalement aux lesbiennes mais accueille néanmoins les hommes.

Pegasus Billiard Lounge
489 Church St., 2ᵉ étage
☎*927-8832*
Le Pegasus Billiard Lounge est une solution de rechange aux bars dansants. Pourvu de tables de billard et de cibles de fléchettes de dimensions réglementaires, l'endroit se prête on ne peut mieux à la détente. Clientèle aussi bien gay qu'hétéro composée d'hommes et de femmes.

Remington's
droit d'entrée
379 Yonge St.
☎*977-2160*
Le Remington's offre deux étages de pistes de danse agrémentées d'écrans vidéo, où se rencontre une clientèle strictement masculine.

Slack Alice Bar & Grill
562 Church St.
☎*969-8742*
Le Slack Alice Bar & Grill est joliment ponctué de fer forgé dans un décor moderne de type industriel. Vous trouverez un restaurant convenable à l'arrière, mais la moitié frontale de l'établissement, qui déborde un tant soit peu sur le trottoir de la rue Church, demeure un bar de cocktail animé et un lieu de rencontre original pour les représentants des deux sexes.

The Stables / The Barn
418 Church St.
☎*977-4702*
The Stables / The Barn est un bar dansant de trois étages où les hommes préfèrent le denim au cuir, ce qui n'empêche pas la maison d'exploiter une boutique de cuir (pantalons, gilets et fétiches).

Tallulah's Cabaret
droit d'entrée
12 Alexander St.
☎*975-8555*
Le Tallulah's Cabaret ouvre ses portes à une clientèle gay après les spectacles parfois controversés du Buddies in Bad Time Theater (voir ci-dessous), dans lequel il est situé.

Woody's
465-467 Church St.
☎*972-0887*
Woody's, établi au cœur du village gay, quartier aussi surnommé "The Ghetto", est un populaire lieu de rencontre pour hommes gays où flotte une chaleureuse atmosphère de pub décontracté.

Zelda's
542 Church St.
☎*922-2526*
Si vous aimez la musique des années 1970, rendez-vous

Sorties

chez Zelda's, coloré et animé bar-restaurant où l'on propose en outre des soirées thématiques les samedis et dimanches.

Zipperz
droit d'entrée
72 Carlton St.
☎*921-0066*
Piano-bar, tables de billard et piste de danse attendent les clients chez Zipperz.

Activités culturelles

Salles de spectacle

Toronto s'impose, derrière New York et Londres, comme le troisième centre théâtral en importance du monde anglophone, et ce, grâce à plus de 200 compagnies professionnelles de théâtre et de danse. Le nombre de spectacles présentés ici est renversant, et une soirée au théâtre, à l'opéra ou au concert devient rapidement de plus en plus incontournable lors d'une visite de Toronto.

Buddies in Bad Times Theatre
12 Alexander St.
☎*975-8555*
Buddies in Bad Times, une des plus grandes compagnies théâtrales gays et lesbiennes du monde, monte des pièces canadiennes radicales et controversées qui font date. Le **Tallulah's Cabaret** y présente par ailleurs des événements de moindre envergure, qu'il s'agisse de spectacles, d'expositions

d'art, de lancements de livres ou de projections de films.

Canon Theatre
263 Yonge St.
☎*872-1212*
Théâtre de vaudeville.

Dream in High Park
High Park, angle Bloor et Keele
☎*367-1652, poste 2*
Productions estivales shakespeariennes dans un cadre enchanteur.

Elgin and Winter Garden
Theatres
189 Yonge St.
☎*872-5555*
Deux salles spectaculaires posées l'une sur l'autre où l'on présente du théâtre classique, des comédies musicales, de l'opéra, des concerts de jazz, etc. Des visites guidées des lieux sont proposées (voir p 124).

Factory Theatre
125 Bathurst St.
☎*504-9971*
Le dernier cri en matière de théâtre anglophone canadien.

Harbourfront Centre Theatre
231 Queen's Quay W.
☎*973-4000*
Situé dans un ancien entrepôt frigorifique, le Harbourfront Centre Theatre est devenu un endroit prisé par la communauté artistique qui y présente des pièces de théâtre de renom.

Hummingbird Centre
1 Front St. E.
☎*872-2262*

S'y produisent la Canadian Opera Company et le National Ballet of Canada, sans compter les pièces à succès de Broadway et les prestations des grands noms de la musique.

Lorraine Kimsa Theatre for Young People
165 Front St. E.
☎*862-2222*
Une option sensationnelle pour les jeunes visiteurs, puisque toutes les productions sont destinées aux enfants.

Massey Hall
178 Victoria St.
☎*872-4255*
L'excellente acoustique de cette salle rehausse la qualité des spectacles les plus variés, des concerts rock aux représentations théâtrales.

Premiere Dance Theatre
207 Queen's Quay W., Queen's Quay Terminal
☎*973-4000*
Situé au troisième étage du Queen's Quay Terminal, un bâtiment à l'architecture surprenante, le Premiere Dance Theatre accueille des compagnies locales et internationales de danse contemporaine.

Princess of Wales Theatre
300 King St. W.
☎*872-1212*
Construit tout spécialement pour accueillir la production de la comédie musicale *Miss Saigon*, ce théâtre continue aujourd'hui de présenter du théâtre musical, entre autres.

Royal Alexandra Theatre
260 King St. W.
☎*872-1212*
Inauguré en 1907, ce vénérable théâtre de style Beaux-Arts est une merveille pour les yeux. On y présente du théâtre musical de Broadway et d'autres spectacles du même ordre.

Roy Thompson Hall
60 Simcoe St.
☎*593-4828*
Le Toronto Symphony Orchestra et le Toronto Mendelssohn Choir ont tous deux élu domicile dans cette salle à l'acoustique exceptionnelle.

St. Lawrence Centre for the Performing Arts
27 Front St. E.
☎*366-7723*
La Canadian Stage Company s'y produit. Des concerts classiques complètent la programmation.

Tafelmusik Baroque Orchestra
St. Paul Centre (Trinity Church), 427 Bloor St. W.
☎*964-6337*
Pour jouir en toute intimité d'un concert de musique de chambre exécuté sur des instruments d'époque.

Théâtre français de Toronto
26 Berkeley St.
☎*534-6604*
Fondé en 1967 sous le nom de «Théâtre du P'tit Bonheur», c'est le seul théâtre francophone de Toronto. Le Théâtre français de Toronto doit déménager après sa saison 2004-2005.

Sorties

Theatre Passe Muraille
16 Ryerson Ave.
☎*504-7529*
Des productions innovatrices
du théâtre indépendant canadien.

Toronto Centre for the Arts
5040 Yonge St.
☎*872-1111*
Un complexe destiné à accueillir les meilleures productions de
Broadway.

Cabarets/
dîners-spectacles

**Famous People Players Dinner
Theatre**
110 Sudbury St.
☎*532-1137 ou 888-453-3385*
Cette troupe de spectacle
canadienne offre un divertissement unique et remarquable
ponctué d'une musique enle-
vante.

**Medieval Times Dinner
and Tournament**
Exhibition Place
☎*260-1234 ou 800-563-1190*
Vous apprécierez au plus haut
point la soirée de sorcellerie,
d'apparat, d'art équestre et de
divertissement que vous réserve cette représentation
théâtrale à saveur médiévale.
Des chevaliers y recréent un
authentique tournoi espagnol
du XIe siècle, tandis que les
hôtes se régalent d'un dîner de
banquet à quatre services.

**Mysteriously Yours... Mystery
Dinner Theatre**
☎*486-7469 ou 800-668-3323*

Participez à un «meurtre-mys-
tère» interactif. Dîner-spectacle
ou spectacle seulement.

Yuk Yuk's Comedy Cabaret
1280 Bay St.
☎*967-6425*
La boîte d'humoristes la plus
courue en ville vous présente
certains de ses anciennes vedettes, entre autres Jim Carrey,
Norm McDonald et Howie
Mandel.

Billetteries

Vous pouvez vous procurer des
billets pour les spectacles à l'affiche dans les salles de Toronto
auprès de:

Ticketmaster
☎*870-8000*

Ticket King
☎*872-1212*

T.O. Tix
*mar-sam 12h à 19h30, dim 11h
à 15h*
angle Yonge et Dundas, centre Eaton
☎*536-6468, poste 1*
Billets à prix réduit pour les
comédies musicales et les
pièces de théâtre présentées le
jour même. Vous devez vous
rendre sur place.

Cinémas

Toronto compte plusieurs salles
de cinéma. Consultez les quotidiens pour connaître les programmes et les heures des
représentations des grandes

primeurs à l'affiche dans les différents cinémas de la ville. Des rabais sont offerts les mardis et en matinée.

Carlton Cinemas
20 Carlton St.
☎*598-2309*
On y présente plusieurs films indépendants alternatifs.

National Film Board
150 John St.
☎*973-3012*

Cinémas Imax

Il y a un cinéma Imax à l'**Ontario Place** (☎*314-9900*), de même qu'à l'intérieur du complexe **Paramount** (☎*925-4629*) du centre-ville, à l'angle des rues Richmond et John.

Cinémas de répertoire

Toronto s'enorgueillit de six cinémas de répertoire, appelés "Festival Cinemas".

The Fox
2236 Queen St. E.
☎*691-7330*

Kingsway Theatre
3030 Bloor St. W.
☎*236-1411*

The Music Hall
147 Danforth Ave.
☎*778-8272*

Paradise Cinema
1006 Bloor St. W.
☎*537-7040*

Revue Cinema
400 Roncesvalles Ave.
☎*531-9959*

The Royal Cinema
608 College St.
☎*516-4845*

Plusieurs de ces cinémas de répertoire occupent d'anciennes salles somptueuses et richement ornées. Pour connaître l'horaire des représentations, vous pouvez également appeler la **Festival Hotline** (☎*690-2600*).

Cinematheque Ontario
317 Dundas St. W., Ontario's Jackman Hall
☎*968-3456*
Cinéma de répertoire, la Cinémathèque présente uniquement des films en version originale, majoritairement en anglais ou sous-titrés en anglais.

Sports professionnels

Air Canada Centre
40 Bay St.
☎*815-5500*
Saison de hockey: de novembre à avril. Les éliminatoires peuvent avoir lieu jusqu'en juin.

L'Air Canada Centre présente les matchs des Maple Leafs, l'équipe torontoise de la National Hockey League. C'est aussi le domicile de l'équipe de basket-ball des Raptors de la National Basketball Association (NBA).

Sorties

Canadian International Marathon
☎*972-1062*
Le Canadian International Marathon a lieu dans les rues de la ville à la fin d'octobre.

Molson Indy
☎*872-4639*
La course automobile Molson Indy se tient à la mi-juillet.

Royal Agricultural Winter Fair
☎*872-7777*
Ce festival comprend le Royal Horse Show, un événement équestre de tout premier ordre qui se tient chaque année en novembre sur les terrains de la Canadian National Exhibition.

SkyDome
1 Blue Jay Way
☎*341-3663*
Les Blue Jays de la Ligue américaine de baseball et les Argonauts de la Ligue canadienne de football y disputent leurs matchs.

Tennis Masters Canada
au nord du centre-ville, Rexall Centre, sur le campus de la York University
☎*665-9777*
Les plus grands noms du tennis s'affrontent lors de ce championnat canadien. Compétitions masculines (années paires) et féminines (années impaires) présentées en alternance à la fin du mois d'août.

Fêtes et festivals

Harbourfront Centre
231-235 Queen's Quay W.
☎*973-3000 information*
☎*973-4000 billets*
Campé dans un décor aéré et pittoresque de front de mer, le Harbourfront Centre propose des objets d'arts, des événements culturels et des activités récréatives toute l'année durant. Parmi les événements annuels qui s'y tiennent, mentionnons divers concerts (certains gratuits, d'autres payants), des prestations musicales variées d'artistes de jazz, de rythmes du monde et pop, des spectacles de danse, des pièces de théâtre, des expositions d'art, des activités artisanales et diverses célébrations festives.

Wintercity
début février
☎*395-0490*
Toronto organise une grande fête pour célébrer l'hiver. Trois sites faisant bon accueil aux familles vous y réservent aussi bien des spectacles de patinage artistique que des manèges et des petits déjeuners de crêpes.

Canada Blooms, The Flower and Garden Show
mi-mars
☎800-730-1020
Le plus grand salon intérieur du Canada entièrement consacré à l'horticulture et au jardinage: 2,5 ha de jardins et d'arrangements floraux ainsi que de jardinerie.

Toronto International Dragon Boat Race Festival
début juin
☎364-0046
Au début du mois de juin se tient le Toronto International Dragon Boat Race Festival, qui est l'occasion d'assister à des courses de bateaux assez particulières.

North by Northeast
mi-juin
☎863-6963
Plus de 300 groupes de musique folk, rock, blues, punk et funk présentent des concerts dans plusieurs bars torontois.

Toronto International Festival Caravan
☎856-6482
Célébration des diverses communautés culturelles avec entre autres de la danse, des films, du théâtre, de la musique et des plats exotiques.

International Fireworks Festival, The Symphony of Fire
mi-juin à fin juil
Ontario Place, près du lac
☎870-8000 ou 314-9900
Feux d'artifice.

Toronto Downtown Jazz
fin juin
www.tojazz.com
Festival de jazz au centre-ville.

Gay Pride
dernière semaine de juin
☎927-7433
Un des événements les plus colorés de l'été est le défilé qui couronne toute une semaine de festivités. Il s'agit d'une des plus importantes célébrations de la Fierté gay et lesbienne en Amérique du Nord.

The Fringe – Toronto's Theatre Festival
début juil
☎966-1062
Près d'une centaine de troupes de théâtre participent à ce festival qui révèle des mises en scène ne pouvant être qualifiées que d'uniques, diversifiées et inattendues.

Toronto Outdoor Art Exhibition
mi-juillet
☎408-2754
Des artistes canadiens et internationaux affichent leurs œuvres dans le Nathan Phillips Square.

Caribana
mi-juil à début août
☎465-4884
Un festival de premier plan voué à la musique et à la culture des Caraïbes. Il se termine par un défilé spectaculaire de 12 heures, ce qui en fait le plus important au Canada!

Sorties

La fierté d'être gay!

Plus important rassemblement gay du Canada, voire de toute l'Amérique, **Pride Toronto** se veut une célébration des communautés gay, lesbienne, bisexuelle et transsexuelle. Festival d'une semaine tenu en juin de chaque année, **Pride Toronto** culmine par deux jours d'époustouflantes marches et parades ô combien relevées et vivantes, ainsi que de spectacles de toutes sortes!

Plus qu'une simple célébration festive qui attire des centaines de milliers de curieux et dont le cœur est Church Street, **Pride Toronto** se veut un événement hautement politique et revendicateur d'une grande importance pour la communauté gay de Toronto et du Canada. Plus de 750 000 personnes viennent chaque année dans la Ville reine pour célébrer la diversité et la liberté sexuelles ainsi que le respect de l'individu.

L'histoire de **Pride Toronto** remonte à plus de 35 ans. En 1969, Pierre Trudeau, alors ministre de la Justice au gouvernement fédéral, décriminalise l'homosexualité. Deux ans plus tard, le 1ᵉʳ août 1971, le premier **Gay Day Picnic** se tient sur Hanlan's Point dans les îles de Toronto, événement qui permet de recueillir des fonds pour envoyer quelques militants à Ottawa afin de participer à une marche commémorant le deuxième anniversaire de la décriminilisation de l'homosexualité. L'année suivante, un deuxième **Gay Day Picnic** a lieu, mais, cette fois, il s'inscrit dans le cadre de la première **Gay Pride Week**. Les militants en profitent pour présenter leurs récriminations au gouvernement de l'Ontario.

Après quelques années sans célébration, ponctuées de harcèlement policier, de manifestations qui tournent parfois au vinaigre et d'arrestations injustifiées en masse, le groupe de pression **Lesbian and Gay Pride Day** est officiellement formé, et plus de 1 500 personnes se rassemblent à Grange Park le 28 juin 1981.

C'est le début d'une grande aventure. Depuis, des milliers de gays venus de tout le Canada envahissent Toronto et célèbrent sur un thème différent chaque année pendant toute une semaine au mois de juin.

Beaches International Jazz Festival
troisième semaine de juillet
☎*698-2152*
Plus de 100 formations se produisent gratuitement sur des scènes intérieures et extérieures au cours de ce festival international de cinq jours qui se tient sur le site le plus estival de Toronto. Des milliers de pique-niqueurs envahissent alors le plus grand parc de The Beaches, où cafés en plein air et vendeurs ambulants ajoutent à l'atmosphère.

Fringe Festival of Independent Dance Artists
août
☎*410-4291*
Près d'une centaine de professionnels de la danse se donnent en spectacle à divers endroits de la ville.

Canadian National Exhibition
mi-août à début sept
☎*393-6000*
Des manèges et des jeux dans une atmosphère de carnaval que complètent des pavillons où l'on présente diverses expositions, de la musique et toutes sortes de divertissements.

Krinos Taste of The Danforth
première semaine d'août
The Greektown
☎*469-5634*
Le Greektown tout entier se transforme en festival de rue pendant cet événement qui dure une fin de semaine, des kiosques y proposant des plats des nombreux restaurants du quartier. On y présente en outre des spectacles sur des scènes extérieures.

Toronto International Film Festival
début sept
☎*968-3456*
Ce festival est rapidement devenu un événement reconnu par l'ensemble du monde artistique. Le magazine *Variety* le désigne même le «meilleur festival de films en Amérique du Nord».

Le festival Caribana

Haut en couleur et en musique, le festival Caribana représente l'un des événements culturels ethniques les plus importants d'Amérique du Nord. Chaque été, près d'un million de personnes se retrouvent sur les rives du lac Ontario pour 18 jours de festivités ensoleillées.

Créé en 1967 par un groupe d'intellectuels et de professionnels soucieux de souligner le rôle des Afro-Canadiens dans la mosaïque culturelle du Canada, le festival Caribana apporte aujourd'hui plus de 200 millions de dollars en revenus dans les coffres de la Ville de Toronto.

Bien que l'événement ait pris des proportions insoupçonnées par ses fondateurs, la mission du festival demeure toujours la même, soit de promouvoir le développement et la culture des communautés canadiennes originaires des Caraïbes et de l'Afrique. Le clou du festival est certes l'extraordinaire parade, tenue le dernier samedi du festival, animée par les plus belles couleurs et les plus beaux rythmes afro-canadiens. Battant son plein sur Lakeshore Boulevard, elle regroupe des milliers de festivaliers et des centaines de participants, toutes origines confondues.

Cet événement aide certainement à créer des liens entre les diverses communautés de la très multiethnique ville de Toronto. Le festival se tient chaque année de la fin juillet jusqu'au premier lundi d'août inclusivement, lequel est férié en Ontario.

International Festival of Authors
troisième semaine d'octobre
☎ *973-4000*
Cet événement continue d'ébahir les fervents de littérature en invitant les auteurs les plus populaires de l'heure à lire eux-mêmes des passages de leurs plus récentes œuvres.

Toronto International Pow Wow
fin nov/début déc
☎ *751-0040*
Festival de danse amérindienne au SkyDome.

The "One of a Kind" Canadian Craft Show & Sale
déc et fin mars
☎ *960-3680*
Foire d'artisanat.

Kensington Festival of Lights
troisième semaine de décembre
☎ *598-3729*
Ce festival célèbre le solstice d'hiver, Hanukkah et Noël par un défilé costumé, éclairé à la lanterne, dans les environs du marché de Kensington.

Niagara-on-the-Lake

De renommée internationale, le **Shaw Festival** *(pour réservations ☎468-2171 ou 800-511-7429, ≠468-3804, www.shaw-fest.com)* a lieu tous les ans depuis 1962, et, du mois d'avril au mois d'octobre inclus, vous aurez l'occasion d'assister à de nombreuses pièces de théâtre tirées de l'œuvre de George Bernard Shaw à l'un des trois théâtres de la ville: le Festival Theatre, le Court House Theatre et le Royal George Theatre.

Les Premières Nations se rassemblent

Le **Canadian Aboriginal Festival** se veut l'un des plus importants festivals culturels de Toronto. Occasion unique pour découvrir, partager et apprendre, le festival des Premières Nations en propose pour tous les goûts. Point culminant des festivités, le **Pow Wow** regroupe pendant deux jours des centaines de danseurs, chanteurs et percussionnistes autochtones de tout le Canada au SkyDome de Toronto. La cérémonie d'ouverture du Pow Wow, la «Grande Entrée», constitue certes l'un des cérémonials autochtones les plus fascinants, alors que des centaines de danseurs forment un immense cercle.

Le terme «Pow Wow» remonte au début de la colonisation. Pendant les rassemblements autochtones, les premiers colons entendaient souvent une expression qui faisait, en fait, référence au guérisseur. Personnage central d'une communauté, le guérisseur assistait toujours aux rassemblements et son nom, aux consonances s'apparentait au terme «Pow Wow», était souvent prononcé. L'altération de cette expression qu'ont interprétée les premiers colons blancs s'est perpétuée jusqu'à aujourd'hui, et «Pow Wow» en est venu à signifier tout rassemblement de communautés autochtones.

Un Pow Wow peut représenter plusieurs choses et être l'occasion de remercier le Créateur, honorer les guerriers, rencontrer d'anciens et de nouveaux amis, présenter et acheter des produits artisanaux, bref, de célébrer toutes les facettes de la culture et du patrimoine autochtone. La tradition se perpétue chaque année à la fin du mois de novembre.

Toronto a tout
pour plaire: lèche-vitrine dans les artères bordées d'élégantes boutiques ou fouiner dans les étalages de petits magasins cachant quelques trésors uniques, ou encore dénicher rapidement l'objet de son choix.

Mais, pour se procurer ce que l'on désire, il est nécessaire de savoir choisir le bon quartier. Nous vous proposons une courte description de quelques-uns des magasins de la ville répartis par quartiers, description qui, sans être exhaustive, vous permettra de vous en faire une idée et, sans doute, d'assouvir votre soif de magasinage.

Le Waterfront

Antiquaires

Harbourfront Antique Market
390 Queen's Quay W.
☎*260-2626*
Si vous disposez d'un peu de temps et que vous aimiez

fouiner parmi les vieilleries, antiquités et autres trésors issus d'une autre époque, vous devez vous rendre au Harbourfront Antique Market, qui compte une centaine d'antiquaires, certains proposant de très belles pièces.

Artisanat

Arctic Canada
207 Queen's Quay W., Queen's Quay Terminal
☎ *203-7889*
Pour de l'artisanat autochtone, rendez-vous à la boutique Arctic Canada, qui vend de belles pièces, notamment des gravures et des sculptures, ainsi que des vêtements de cuir et de fourrure.

The Bounty Shop
235 Queen's Quay W.
☎ *973-4993*
La boutique Bounty vend des produits artisanaux de fabrication canadienne, parfaits pour se faire plaisir ou pour offrir en cadeau, entre autres des pièces de verre soufflé à la main, des objets en céramique et des bijoux. Plusieurs des articles sont conçus par les artistes du Harbourfront Centre's Craft Studio.

Bières, vins et spiritueux

Beer Store
lun-mer 10h à 20h, jeu et ven 10h à 21h, sam 9h30 à 21h, dim 11h à 18h
350 Queen's Quay W.
☎ *581-1677*

Liquor Control Board of Ontario
lun-sam 9h à 22h, dim 12h à 18h
2 Cooper St., angle Yonge St. et Queen's Quay
☎ *864-6777*

On peut faire provision de bière à la première adresse; la seconde se spécialise dans les vins et les spiritueux.

Les amis de Bacchus qui se respectent consulteront le site Web du **LCBO** *(www.lcbo.com)* pour obtenir toutes les succursales qui se trouvent à Toronto. Un must.

Centres commerciaux

Queen's Quay Terminal
207 Queen's Quay W.
☎ *203-0510*
Magnifique centre commercial sur les rives du lac Ontario, le Queen's Quay Terminal regroupe plus de 50 boutiques (la plupart proposant des produits canadiens) et des restaurants. Il a été aménagé dans l'un des anciens hangars du port.

Vêtements

Tilley Endurable
207 Queen's Quay W., Queen's Quay Terminal
☎ *203-0463*
Les voyageurs connaissent Tilley Endurable depuis belle lurette. Tilley s'est fait connaître par la création de vêtements parfaitement adaptés aux exigences des voyageurs, avec ses tissus imperméables qui ne se froissent pas. C'est sans doute le chapeau, le Tilley Hat, très résistant, qui est le plus apprécié.

Le quartier des affaires et du spectacle

Artisanat

Native Stone Art
4 McCaul St.
☎593-0924
Native Stone Art possède une belle collection de produits artisanaux des Premières Nations acquis directement auprès des créateurs. On y retrouve des sculptures des Inuits, des Iroquois et des Mohawks, des mocassins des Cris et des Ojibways, des vêtements des Cowichans ainsi que des bijoux des Navajos, des Zunis et des Hopis.

Cadeaux

Spirit of Hockey
181 Bay St., BCE Place, étage inférieur
☎360-7765
Boutique du célèbre Hockey Hall of Fame, Spirit of Hockey vend les incontournables survêtements, chandails de hockey, casquettes, t-shirts, livres et accessoires rattachés au monde du hockey professionnel.

Livres

Open Air Books and Maps
25 Toronto St.
☎363-0719
Les voyageurs et aventuriers autant que les amants de la nature seront surpris de voir une aussi grande variété de guides de voyage, de livres de référence et de cartes géographiques offerte dans ce magasin plutôt exceptionnel.

Vêtements de pluie et parapluies

Rainmakers Queen's Shop
100 Front St. W., dans le Fairmont Royal York Hotel
☎203-7246
Si vous craignez la pluie, faites un arrêt à la boutique dénommée Rainmakers Queen's Shop, où se trouve une vaste sélection de parapluies (dont certains qui résistent au vent!) et d'imperméables, certains fort bien conçus.

Achats

Queen Street West

Alimentation

St. Lawrence Market
91 Front St. E.
Un endroit en ville plus que tout autre est réputé pour la fraîcheur de ses aliments: le St. Lawrence Market, où vous pourrez vous procurer une profusion de fruits et légumes ainsi que de la viande. L'expérience promet d'être particulièrement agréable le samedi matin, alors qu'à deux pas se tient le Farmer's Market, où les fermiers des environs de Toronto viennent vendre leurs produits.

Artisanat

Timbuktu
39 Front St. E.
☎366-3169
Au cœur du grouillant quartier du St. Lawrence Market, Timbuktu vend des vêtements, des meubles, des couvertures, de la porcelaine de Chine, des articles brodés importés de l'Inde et bien d'autres créations provenant de plus de 50 pays.

Cadeaux

Art Gallery of Ontario
317 Dundas St. W.
☎979-6610
À la fois librairie, boutique d'objets de décoration et bijouterie, la boutique de l'Art Galle-

ry of Ontario mérite qu'on s'y arrête quelques instants. Nombre de pièces proposées sont de très belle qualité et s'adressent tant aux adultes cherchant un objet hors de l'ordinaire qu'aux enfants de tout âge.

The Condom Shack
231 Queen St. W.
☎596-7515
Des petits, des longs, des roses, des bleus, des drôles, des pratiques et des originaux, Condom Shack a le préservatif qu'il vous faut, et ce, sous toutes ses formes! Outre les importations japonaises, européennes et américaines des articles en latex, on trouve des vêtements d'usage, des lotions pour le corps, des livres et des jeux.

Down East
508 Bathurst St.
☎961-7400
D'entrée de jeu, le client sait à quoi s'attendre lorsqu'il pénètre dans la boutique Down East, où l'enseigne suivante l'attend: *Some awful and some good stuff from Atlantic Canada*. Elle ne ment pas. C'est vrai qu'on y trouve de tout, du truc horrible et ringard aux beaux objets d'artisanat. Un seul point commun: tous les produits proviennent des Maritimes.

The Japanese Paper Place
887 Queen St. W.
☎703-0089
The Japanese Paper Place possède une excellente sélection de papier japonais de première qualité, à la fois moderne et traditionnel, ainsi que des albums de photos, des livres sur

l'art traditionnel japonais du papier plié (origami), des bijoux en papier et des cartes de vœux faites à la main.

Chaussures

The Australian Boot Company
791 Queen St. W.
☎*504-2411*
The Australian Boot Company se spécialise dans les chaussures australiennes confortables et résistantes avec des marques telles que R.M. Williams et Blundstone.

John Fluevog
242 Queen St. W.
☎*581-1420*
Si vous cherchez des chaussures à la mode, pas toujours confortables mais qui vous promettent le meilleur effet, John Fluevog constitue un choix à considérer.

Livres

Pages Books and Magazines
256 Queen St. E.
☎*598-1447*
Librairie alternative appréciée de la classe intellectuelle torontoise, Pages Books and Magazines propose nombre de revues spécialisées et de livres sur des sujets comme le féminisme, le monde gay, l'art, le design et l'architecture, les voyages, les sciences sociales et la philosophie.

World's Biggest Bookstore
20 Edward St.
☎*977-7009*
Autre institution torontoise, la World's Biggest Bookstore se veut la plus grande librairie au monde. Est-ce toujours vrai? Nous ne saurions le dire, mais sa collection de livres est impressionnante.

Matériel photo

Henry's
119 Church St.
☎*868-0872*
Spécialisé dans le matériel photo neuf et d'occasion, Henry's présente sa marchandise dans une boutique de quelques étages. On y trouve une bonne sélection d'appareils photo et de caméscopes numériques ou standards, d'accessoires de chambre noire, de sacs pour transporter appareils et caméras, de trépieds et, bien sûr, de pellicules. Henry's offre en outre les services de développement et de réparation.

Musique

The Music Store
60 Simcoe St., Roy Thomson Hall
☎*593-4822*
Cette belle boutique vend entre autres plusieurs des CD d'œuvres symphoniques et chorales enregistrées par l'orchestre symphonique de Toronto.

Achats

Plein air

Europe Bound – Travel Outfitters
47 Front St. E.
☎*601-1990*
Chez Europe Bound Travel Outfitters, vous trouverez des vêtements, des accessoires spécialisés et des livres pour les activités de plein air comme l'escalade et l'alpinisme, la randonnée pédestre, le kayak et le cyclisme. Vous pouvez également y louer de l'équipement pour le camping.

Mountain Equipment Co-op
400 King St. W.
☎*340-2667*
Mountain Equipment Co-op est une coopérative de vente au détail qui propose une panoplie de produits spécialisés pour les loisirs de grande nature non motorisés.

Vêtements

The Bay
176 Yonge St.
À deux pas de l'Eaton Centre se dresse une autre institution torontoise, le magasin The Bay, avec ses neuf étages regorgeant d'articles en tous genres.

Eaton Centre
220 Yonge St., angle Queen St. W.
☎*598-8700*
L'Eaton Centre est si connu à Toronto qu'il en est presque devenu une attraction. Il demeure qu'il regroupe plus de 320 magasins et qu'il est un

«incontournable» pour tout coureur de magasins. Parmi les boutiques les plus intéressantes, mentionnons Harry Rosen, Mexx, Banana Republic et Gap pour les vêtements, Bowrings pour la maison, Disney Store pour les enfants et un Liquor Control Board of Ontario pour les vins et spiritueux.

La Cache
Queen St. W.
Gap
Queen St. W.
Roots
Queen St. W.
Sur Queen Street West, les boutiques de mode s'adressant à un public relativement jeune ont également pignon sur rue. Parmi celles-ci, mentionnons La Cache, connue pour ses vêtements féminins en laine ou en coton, ses foulards et ses chapeaux, Gap pour ses vêtements et Roots pour ses vestes de cuir et ses chandails de laine.

Marilyn's
200 Spadina Ave.
☎*504-6777*
Marilyn's vend des vêtements de femmes de taille 2 à 24, et ce, à prix réduit. L'arrivage hebdomadaire comprend des ensembles qui vont du décontracté au plus chic.

Out on the Street
551 Church St.
☎*967-2759*
Au cœur du village gay, Out on the Street s'affiche comme *«your friendly neighbourhood queer store»*. Il n'y a pas de fausse représentation car il est vrai que le service est affable et

sa clientèle gay et lesbienne. On y vend principalement des vêtements, mais on peut y trouver aussi des bijoux, des accessoires, des cartes postales et autres menus articles.

Bloor Street

Bières, vins et spiritueux

Liquor Control Board of Ontario
55 Bloor St. W., Manulife Centre
☎925-5266
Pour faire provision de bières, vins et spiritueux, rendez-vous au Liquor Control Board of Ontario.

Bijoux

Birks
55 Bloor St. W.
☎922-2266
Fondé en 1879, Birks n'a plus besoin de présentation. La prestigieuse boutique propose des bijoux, des montres, de l'argenterie et des objets en cristal fabriqués par les plus grandes maisons du monde.

Tiffany & Co.
85 Bloor St. W.
☎921-3900
Bijouterie de réputation mondiale, Tiffany & Co. possède une collection à faire rêver. On y trouve les plus beaux diamants, perles et bijoux en or et en argent signés par les plus grands joailliers tels Elsa Peretti, Paloma Picasso et Jean Schlum-

berger. Outre les bijoux, l'élégante boutique propose des objets en cristal, des foulards, des montres et bien d'autres idées pour des cadeaux.

Cadeaux

Gardiner Museum
111 Queen's Park Ct.
☎586-8080
Le Gardiner Museum est connu pour sa magnifique collection de porcelaines et de poteries, et il attire les amateurs. Sa boutique se devait donc de répondre à leurs attentes, en proposant un beau choix de pièces de porcelaine ou de céramique des artistes d'aujourd'hui.

The ROM Shops
100 Queen's Park
☎586-5551
The ROM Shops vous permettront d'assouvir quelques-uns de vos rêves les plus fous: posséder quelques-unes des pièces exposées au musée. Il s'agit en fait de reproductions, souvent réalisées avec réalisme et constituant de fort beaux cadeaux. On peut également y acheter des livres, des bijoux et divers objets décoratifs.

Centres commerciaux

Holt Renfrew Centre
50 Bloor St. W.
☎923-2255
Le Holt Renfrew Centre compte plus de 25 boutiques incluant HMV, Eddie Bauer,

Achats

Emporio Armani, Mephisto et Femme de Carrière, qui proposent aussi bien de la haute couture que des vêtements sport, des chaussures et de la lingerie.

Manulife Centre
55 Bloor St. W.
☎923-9525
Le Manulife Centre, c'est 50 boutiques spécialisées au cœur du quartier commercial de Bloor-Yorkville. Relié à son voisin qu'est le Holt Renfrew Centre, il affiche entre autres les enseignes de William Ashley, Julian Edwards Boutique et Indigo Books.

Décoration

Boutique Sérénité
87 Yorkville Ave.
☎924-6398
Transportez-vous en Provence et en Toscane grâce au concept unique de cette boutique. Ici vous trouverez entre autres du luxueux mobilier traditionnel et moderne, des objets décoratifs pour la maison et une collection de produits de bain.

Urban Mode
389 Queen St. W.
☎591-8834
Urban Mode se spécialise dans la décoration intérieure. Bien que cette boutique présente aussi un beau choix d'articles, on n'y trouve pas toujours le même raffinement, les prix sont généralement plus accessibles ici.

Jeux

Science City
Holt Renfrew Centre, 50 Bloor St. W.
☎968-2627
La boutique Science City se spécialise dans le jeu intelligent et éducatif, et ce, pour tous les âges.

Livres

Bloor Street compte également son lot de gigantesques librairies où vous pourrez passer des heures à bouquiner, sans avoir eu suffisamment de temps pour tout voir. On y retrouve donc Chapters et Indigo Books, Music and Cafe, dont le superbe aménagement vous laissera pantois.

Chapters
110 Bloor St. W.
☎920-9299

Indigo Books, Music and Cafe
55 Bloor St. W., Manulife Centre
☎925-3536

Mable's Fables
2939 Bloor St. W.
☎233-8830
Librairie destinée uniquement aux jeunes lecteurs, Mable's Fables propose une vaste sélection de titres répartis en groupes d'âge, du tout-petit au jeune adulte.

Magasin d'aubaines

Honest Ed's
581 Bloor St. W.
☎537-1574
Réputé depuis plus d'un demi-siècle pour ses aubaines de toute sorte, Honest Ed's est un incontournable en ville pour quiconque aime économiser. On y trouve un large éventail d'articles en tout genre allant des produits d'alimentation aux vêtements.

Maroquinerie

Louis Vuitton
100 Bloor St. W.
☎968-3993
Depuis de nombreuses années, Louis Vuitton est synonyme de valises et d'articles de cuir de grande qualité. Il va sans dire que les prix en sont élevés.

Taschen!
162 Cumberland St., Renaissance Court
☎961-3185
Réputée boutique d'articles de cuir, Taschen! vend de magnifiques sacs à main, valises, porte-documents et autres produits de grande qualité. La boutique compte sur les plus grandes marques de designers telles la maison allemande Bree et l'italienne Mandarina Dick.

Mode

Chanel Boutique
131 Bloor St. W.
☎925-2577
La réputée maison Chanel Boutique propose de classiques mais élégants vêtements de la plus grande qualité, des sacs à main en cuir, des bijoux, des chaussures, des parfums et des cosmétiques. Une maison qui n'a plus besoin de présentation.

Hermès
131 Bloor St. W.
☎968-8626
Fondée en 1837, la maison Hermès est reconnue mondialement pour ses élégants foulards, ses articles de cuir, ses cravates, ses chics prêts-à-porter, ses parfums et ses bijoux.

Holt Renfrew
50 Bloor St. W.
☎922-2333
Holt Renfrew s'est taillé une place de choix parmi les grands magasins de la ville grâce à sa sélection de vêtements d'homme, de femme et d'enfant, d'accessoires, de cosmétiques et de parfums. Vous y trouverez des marques aussi réputées que Giorgio Armani, Calvin Klein, Donna Karan et Birger Christensen Furs.

Achats

Musique

HMV
50 Bloor St. W.
☎*324-9979*
À la recherche d'un disque
compact quelconque? HMV
vend une foule de disques, tous
genres musicaux confondus.

Vêtements

La rue Bloor n'est qu'une
succession de boutiques de
vêtements, certains signés par
les plus grands couturiers internationaux. En vous promenant,
votre œil sera inévitablement
attiré par leurs attrayantes
vitrines.

The Bay
2 Bloor St. W.
☎*972-3333*
Plus vieux détaillant du Canada,
la Hudson's Bay Company a
été fondée en 1670. Ses magasins The Bay vendent de tout,
des vêtements aux articles
domestiques, en passant par les
cosmétiques et les cadeaux ou
souvenirs. Le magasin compte
une quinzaine de succursales
dans le Grand Toronto.

Maxmara
131 Bloor St. W.
☎*928-1884*
Maxmara, grande maison
italienne en haute couture,
produit plus de 20 lignes de
vêtements de haute qualité
dont Weekend by Maxmara et
Sportmax.

Certains magasins présentent
de belles collections, souvent
pour une tenue décontractée.
Les boutiques suivantes sauront
séduire l'acheteur qui som-
meille en vous, et ce, sans vous
ruiner.

Banana Republic
80 Bloor St. W.
☎*515-0018*

Club Monaco
157 Bloor St. W.
☎*591-8837*

Gap
60 Bloor St. W.
☎*323-3391*

Roots
95-A Bloor St. W.
☎*323-3289*

Yorkville Avenue

Les environs de Yorkville
Avenue près de Bloor Street
forment le quartier par excellence à Toronto si vous désirez
vous promener et faire quelques haltes dans de charmantes
boutiques.

Accessoires

Jeanne Lottie
106 Yorkville Ave.
☎*975-5115*
Depuis près de 20 ans, la maison de design Jeanne Lottie
crée des sacs à main originaux,
colorés et imaginatifs, vendus à
des prix relativement raisonnables.

Antiquaires

Hazelton Avenue pourrait sans doute figurer parmi les plus belles rues torontoises, surtout en raison des boutiques qui la bordent. Parmi celles-ci, quelques antiquaires s'y sont établis et devraient retenir l'attention des amateurs d'objets et de meubles antiques.

Articles de maison

The Compleat Kitchen
18 Hazelton Ave.
☎ *920-6333*
Un grand chef ne saurait travailler dans une cuisine mal équipée! Vous pourrez parer à vos manques les plus criants à la boutique The Compleat Kitchen.

Multi Ceramica Italiana
88 Yorkville Ave.
☎ *969-0253*
Multi Ceramica Italiana dispose d'une foule d'ustensiles, casseroles, services de table et autres objets indispensables à toute cuisine qui se respecte.

Souleiado en Provence
20 Hazelton Ave.
☎ *975-9400*
Les tissus et nappes de Souleiado en Provence ont les couleurs chaleureuses de la Provence: jaune soleil, rouge et bleu marin.

Artisanat

Les amateurs d'art autochtone seront comblés car de bonnes adresses se trouvent dans les environs.

The Arctic Bear
125 Yorkville Ave.
☎ *967-7885*
Que vous cherchiez des mocassins, des vêtements de cuir ou de fourrure, des gravures ou des sculptures, tous réalisés par des artistes amérindiens, vous en trouverez à coup sûr chez Arctic Bear.

The Guild Shop
118 Cumberland St.
☎ *921-1721*

Feheley Fine Arts
14 Hazelton Ave.
☎ *323-1373*

Centres commerciaux

Hazelton Lanes
55-57 Avenue Rd.
☎ *968-8602*
Le centre commercial Hazelton Lanes possède plus de 70 boutiques de moyenne ou haute gamme spécialisées dans les vêtements et les bijoux. Des noms comme Monaco Boys and Girls, Jacadi et Browns y sont représentés.

Achats

Gravures anciennes

Elisabeth Legge Antique Prints
37 Hazelton Ave.
☎972-1378
La boutique Elisabeth Legge
Antique Prints n'a rien de commun avec les autres antiquaires.
Elle renferme des gravures
anciennes et même des chefs-
d'œuvre parfois vieux de plus
de 100 ans qui ornaient jadis les
plus beaux ouvrages. En fouil-
lant, vous y ferez à coup sûr
des trouvailles, idéales pour
décorer votre intérieur.

Jouets

The Toy Shop
62 Cumberland St.
☎961-4870
The Toy Shop est rempli à
craquer de jouets éducatifs, de
poupées magnifiques, d'ours en
peluche et de maisons de
poupée avec leurs meubles
miniatures, bref de quoi plaire
aux enfants sages.

Livres

David Mirvish Books on Art
596 Markham St.
☎531-9975
David Mirvish Books on Art se
cache parmi un alignement de
boutiques d'artisanat et d'antiquités. Spécialisée dans les
livres d'art, la boutique propose

également des ouvrages sur la
photographie, la décoration
intérieure, l'architecture et la
mode.

The Cookbook Store
850 Yonge St.
☎920-2665
The Cookbook Store se spécialise dans les livres de recettes:
cuisine canadienne, desserts,
cuisine végétarienne, cuisine
santé.

Vêtements

Over the Rainbow
101 Yorkville Ave.
☎967-7448
Vous trouverez ici une grande
variété de jeans dernier cri,
ainsi que des vêtements tout-
aller et des accessoires de
mode, tant pour les hommes
que pour les femmes.

Vêtements d'enfant

Jacadi
Hazelton Lanes, 87 Avenue Rd.
☎923-1717
Il existe également quelques
couturiers ayant fait leur
marque dans la mode pour
enfants, avec des créations à
faire rêver tous les parents. La
boutique Jacadi dispose d'une
belle sélection de ces habits
pour petits rois et petites rei-
nes. Toutefois, les prix sont en
conséquence.

Lexique

Présentations

Salut!	*Hi!*
Comment ça va?	*How are you?*
Ça va bien	*I'm fine*
Bonjour (la journée)	*Hello*
Bonsoir	*Good evening/night*
Bonjour, au revoir, à la prochaine	*Goodbye, See you later*
Oui	*Yes*
Non	*No*
Peut-être	*Maybe*
S'il vous plaît	*Please*
Merci	*Thank you*
De rien, bienvenue	*You're welcome*
Excusez-moi	*Excuse me*
Je suis touriste	*I am a tourist*
Je suis Canadien(ne)	*I am Canadian*
Je suis Belge	*I am Belgian*
Je suis Français(e)	*I am French*
Je suis Suisse	*I am Swiss*
Je suis désolé(e),	*I am sorry,*
je ne parle pas anglais	*I don't speak English*
Parlez-vous français?	*Do you speak French?*
Plus lentement, s'il vous plaît	*Slower, please*
Comment vous appelez-vous?	*What is your name?*
Je m'appelle...	*My name is...*
époux(se)	*spouse*
frère, sœur	*brother, sister*
ami(e)	*friend*
garçon	*son, boy*
fille	*daughter, girl*
père	*father*
mère	*mother*
célibataire	*single*
marié(e)	*married*
divorcé(e)	*divorced*
veuf(ve)	*widower/widow*

Directions

Est-ce qu'il y a un bureau de tourisme près d'ici?	*Is there a tourist office near here?*

Il n'y a pas de..., nous n'avons pas de...	*There is no..., we have no...*
Où est le/la ...?	*Where is...?*
à côté de	*beside*
à l'extérieur	*outside*
à l'intérieur	*into, inside*
derrière	*behind*
devant	*in front of*
entre	*between*
ici	*here*
là, là-bas	*there, over there*
loin de	*far from*
près de	*near*
sur la droite	*to the right*
sur la gauche	*to the left*
tout droit	*straight ahead*

Pour s'y retrouver sans mal

aéroport	*airport*
à l'heure	*on time*
aller-retour	*return ticket*
aller simple	*one way ticket*
annulé	*cancelled*
arrêt d'autobus	*bus stop*
L'arrêt, s'il vous plaît	*The bus stop, please*
arrivée	*arrival*
autobus	*bus*
autoroute	*highway*
avenue	*avenue*
avion	*plane*
bagages	*baggage*
bateau	*boat*
bicyclette	*bicycle*
bureau de tourisme	*tourist office*
coin	*corner*
départ	*departure*
est	*east*
gare	*train station*
horaire	*schedule*
immeuble	*building*
nord	*north*
ouest	*west*
place	*square*
pont	*bridge*
quartier	*neighbourhood*

rang	*rural route*
rapide	*fast*
en retard	*late*
retour	*return*
route, chemin	*road*
rue	*street*
sécuritaire	*safe*
sentier	*path, trail*
sud	*south*
train	*train*
vélo	*bicycle*
voiture	*car*

La voiture

à louer	*for rent*
un arrêt	*a stop*
Arrêtez!	*Stop!*
attention	*danger, be careful*
autoroute	*highway*
défense de doubler	*no passing*
essence	*gas*
feu de circulation	*traffic light*
impasse	*no exit*
limite de vitesse	*speed limit*
piétons	*pedestrians*
ralentir	*slow down*
stationnement	*parking*
stationnement interdit	*no parking*
station-service	*service station*

L'argent

argent	*money*
banque	*bank*
caisse populaire	*credit union*
carte de crédit	*credit card*
change	*exchange*
chèques de voyage	*traveller's cheques*
Je n'ai pas d'argent	*I don't have any money*
L'addition, s'il vous plaît	*The bill please*
reçu	*receipt*

L'hébergement

ascenseur	*elevator*
auberge	*inn*
auberge de jeunesse	*youth hostel*
basse saison	*off season*
chambre	*bedroom*
climatisation	*air conditioning*
déjeuner	*breakfast*
eau chaude	*hot water*
étage	*floor (first, second...)*
gérant	*manager, owner*
gîte touristique	*bed and breakfast*
haute saison	*high season*
hébergement	*accommodation*
lit	*bed*
logement	*accommodation*
piscine	*pool*
propriétaire	*manager, owner*
rez-de-chaussée	*main floor*
salle de bain	*bathroom*
toilettes	*restroom*
ventilateur	*fan*

Le magasinage

acheter	*to buy*
appareil photo	*camera*
argent	*silvers*
artisanat local	*local crafts*
bijouterie	*jewellery*
blouse	*blouse*
blouson	*jacket*
cadeaux	*gifts*
cassettes	*cassettes*
chapeau	*hat*
chaussures	*shoes*
C'est combien?	*How much is this?*
chemise	*shirt*
le/la client(e)	*the customer*
cosmétiques	*cosmetics*
coton	*cotton*
crème solaire	*sunscreen*
cuir	*leather*

disques	*records*
fermé(e)	*closed*
J'ai besoin de...	*I need...*
Je voudrais...	*I would like...*
jeans	*jeans*
journaux	*newspapers*
jupe	*skirt*
laine	*wool*
lunettes	*eyeglasses*
magasin	*store*
magasin à rayons	*department store*
magazines	*magazines*
marché	*the market*
montres	*watches*
or	*gold*
ouvert(e)	*open*
pantalon	*pants*
parfums	*perfumes*
pellicule	*film*
pierres précieuses	*precious stones*
piles	*batteries*
revues	*magazines*
sac	*handbag*
sandales	*sandals*
tissu	*fabric*
t-shirt	*T-shirt*
vendeur(se)	*salesperson*
vendre	*to sell*

Divers

bas(se)	*low*
beau	*beautiful*
beaucoup	*a lot*
bon	*good*
chaud	*hot*
cher	*expensive*
clair	*light*
court(e)	*short*
dispendieux	*expensive*
étroit(e)	*narrow*
foncé	*dark*
froid	*cold*
grand(e)	*big, tall*
gros(se)	*fat*

J'ai faim	*I am hungry*
J'ai soif	*I am thirsty*
Je suis malade	*I am ill*
joli	*pretty*
laid(e)	*ugly*
large	*wide*
lentement	*slowly*
mauvais	*bad*
mince	*slim, skinny*
moins	*less*
ne pas toucher	*do not touch*
nouveau	*new*
Où?	*Where?*
pas cher	*inexpensive*
petit(e)	*small, short*
peu	*a little*
pharmacie	*pharmacy, drugstore*
plus	*more*
quelque chose	*something*
Qu'est-ce que c'est?	*What is this?*
rien	*nothing*
vieux	*old*
vite	*quickly*

La température

Il fait chaud	*It is hot out*
Il fait froid	*It is cold out*
nuages	*clouds*
pluie	*rain*
soleil	*sun*

Le temps

année	*year*
après-midi	*afternoon*
aujourd'hui	*today*
demain	*tomorrow*
heure	*hour*
hier	*yesterday*
jamais	*never*
jour	*day*
maintenant	*now*
matin	*morning*

minute	*minute*
mois	*month*
janvier	*January*
février	*February*
mars	*March*
avril	*April*
mai	*May*
juin	*June*
juillet	*July*
août	*August*
septembre	*September*
octobre	*October*
novembre	*November*
décembre	*December*
nuit	*night*
Quand?	*When?*
Quelle heure est-il?	*What time is it?*
semaine	*week*
dimanche	*Sunday*
lundi	*Monday*
mardi	*Tuesday*
mercredi	*Wednesday*
jeudi	*Thursday*
vendredi	*Friday*
samedi	*Saturday*
soir	*evening*

Les communications

appel à frais virés (PCV)	*collect call*
appel outre-mer	*long distance call*
attendre la tonalité	*wait for the tone*
bottin téléphonique	*telephone book*
bureau de poste	*post office*
composer l'indicatif régional	*dial the area code*
enveloppe	*envelope*
fax	*fax*
interurbain	*long distance call*
par avion	*air mail*
tarif	*rate*
télécopieur	*fax*
télégramme	*telegram*
timbres	*stamps*

Les activités

baignade	*swimming*
centre culturel	*cultural centre*
cinéma	*cinema*
équitation	*horseback riding*
faire du vélo	*bicycling*
musée	*museum, gallery*
navigation de plaisance	*sailing, pleasure-boating*
pêche	*fishing*
plage	*beach*
planche à voile	*windsurfing*
plongée sous-marine	*scuba diving*
plongée-tuba	*snorkelling*
se promener	*to walk around*
randonnée pédestre	*hiking*
vélo tout-terrain (VTT)	*mountain bike*

Tourisme

atelier	*workshop*
barrage	*dam*
bassin	*basin*
batture	*sandbank*
belvédère	*lookout point*
canal	*canal*
chenal	*channel*
chute(s)	*waterfall(s)*
cimetière	*cemetery*
colline	*hill*
côte sud/nord	*south/north shore*
couvent	*convent*
douane	*customs house*
écluses	*locks*
école secondaire	*high school*
écuries	*stables*
église	*church*
faubourg	*neighbourhood, region*
fleuve	*river*
gare	*train station*
grange	*barn*
hôtel de ville	*town or city hall*
jardin	*garden*
lieu historique	*historic site*
maison	*house*

manoir	*manor*
marché	*market*
moulin	*mill*
moulin à vent	*windmill*
palais de justice	*court house*
péninsule	*peninsula*
phare	*lighthouse*
pont	*bridge*
porte	*door, archway, gate*
presqu'île	*peninsula*
réserve faunique	*wildlife reserve*
rivière	*river*
voie maritime	*seaway*

Gastronomie

agneau	*lamb*
beurre	*butter*
bœuf	*beef*
calmar	*squid*
chou	*cabbage*
crabe	*crab*
crevette	*shrimp*
dinde	*turkey*
eau	*water*
fromage	*cheese*
fruits	*fruits*
fruits de mer	*seafood*
homard	*lobster*
huître	*oyster*
jambon	*ham*
lait	*milk*
langouste	*scampi*
légumes	*vegetables*
maïs	*corn*
noix	*nut*
œuf	*egg*
pain	*bread*
palourde	*clam*
pétoncle	*scallop*
poisson	*fish*
pomme	*apple*
pomme de terre	*potato*
poulet	*chicken*
viande	*meat*

Lexique

Les nombres

1	*one*
2	*two*
3	*three*
4	*four*
5	*five*
6	*six*
7	*seven*
8	*eight*
9	*nine*
10	*ten*
11	*eleven*
12	*twelve*
13	*thirteen*
14	*fourteen*
15	*fifteen*
16	*sixteen*
17	*seventeen*
18	*eighteen*
19	*nineteen*
20	*twenty*
21	*twenty-one*
22	*twenty-two*
23	*twenty-three*
24	*twenty-four*
25	*twenty-five*
26	*twenty-six*
27	*twenty-seven*
28	*twenty-eight*
29	*twenty-nine*
30	*thirty*
31	*thirty-one*
32	*thiry-two*
40	*fourty*
50	*fifty*
60	*sixty*
70	*seventy*
80	*eighty*
90	*ninety*
100	*one hundred*
200	*two hundred*
500	*five hundred*
1 000	*one thousand*
10 000	*ten thousand*

Index

Index